**S**ie sind Mitte dreißig, besitzen eine Freitag-Tasche, tragen hyperteure Vintage-Jeans und eine Sonnenbrille mit Gläsern so groß wie CDs – und morgens nach dem Aufstehen tut Ihnen der Rücken weh?

Es dämmert Ihnen, dass die zweite Lebenshälfte begonnen hat und Sie es gar nicht mitbekommen haben?

Da hilft nur eins: Erwachsen werden! Nach der Lektüre dieses Buches werden Sie es geschafft haben – aber nur, wenn Sie sich genau an seine Anweisungen halten!

**Martin Reichert**, Jahrgang 1973, ging 1996 nach Berlin, um erwachsen zu werden. Seitdem arbeitete er als Autowäscher, freier Journalist und Kabelhelfer beim Fernsehen, wurde Assistent des ehemaligen ARD-Chefredakteurs Martin Schulze, studierte nebenbei Geschichte und zog einmal im Jahr um. Seit Abgabe seiner Magisterarbeit über die Deutsche Jugendbewegung arbeitet er als freier Autor und ist Redakteur bei der *taz*. Dieses Buch zwingt ihn, nun endlich Ernst zu machen: Er zieht in eine richtige Wohnung und hängt seine völlig zerschlissene Umhängetasche an den Nagel.

Unser Adresse im Internet: *www.fischerverlage.de*

MARTIN REICHERT

# Wenn ich mal groß bin

Das Lebensabschnittsbuch
für die Generation Umhängetasche

FISCHER TASCHENBUCH VERLAG

Originalausgabe

2. Auflage: Juli 2008

Veröffentlicht im Fischer Taschenbuch Verlag,
einem Unternehmen der S. Fischer Verlag GmbH,
Frankfurt am Main, Juni 2008

© 2008 S. Fischer Verlag GmbH, Frankfurt am Main
Alle Rechte vorbehalten
**Satz** Pinkuin Satz und Datentechnik, Berlin
**Druck und Bindung** CPI – Clausen & Bosse, Leck
Printed in Germany
**ISBN** 978-3-596-17946-6

# Inhalt

## Stigma Umhängetasche

**S**ie sind 34, tragen Drei-Tage-Bart am ganzen Kopf, ein verwaschenes American-Apparel Sweat-Shirt, Acne Jeans, eine Sonnenbrille, die größere Gläser hat, als Jacqueline Kennedy-Onassis sich jemals hätte vorstellen können – und morgens nach dem Aufstehen tut Ihnen der Rücken weh? Sie sind 33, tragen eine Pony-Frisur für 19,90 Euro, sind in ein weiß-himmelblaues Nachthemd mit Rüschen-Saum gewandet, das sie in diesem abgefahrenen Concept-Store in Berlin-Mitte erworben haben, tragen eine Sonnenbrille mit Gläsern so groß wie CDs – und die Tränensäcke wollen heute trotzdem partout nicht abschwellen?

Mir geht es ähnlich. Das liegt daran, dass uns der biologische Alterungsprozess eingeholt hat, während wir uns gerade mal auf der Schwelle zwischen Postpubertät und Jugend wähnen. Mag sein, dass Sie gefühlt erst vorgestern Abitur gemacht haben, doch die Wahrheit ist, dass Sie eine immer schlechtere Kopie Ihrer selbst werden. Jeden Morgen, wenn Sie aufwachen, werden Sie gerade mal wieder gründlich genetisch durchgexeroxt, und die abgestorbenen Reste Ihrer Jugend liegen als klägliche Hautschuppen auf dem Bettlaken. Tragisch auch der Umstand, dass Sie sich nicht einmal das Fahrzeug leisten können, das Ihrer Generation seinen Namen geliehen hat: Ein neuer VW-Golf kostet wesentlich mehr, als Sie mit Ihrem digital-bohemistischen Kleinunternehmen im Jahr erwirtschaften. Auch wenn Sie über die Künstlersozialkasse versichert sind, Ihr Schlafzimmer untervermieten und ab und an die Hunde Ihrer Nachbarin ausführen. Es reicht einfach nicht.

Ihre Rückenschmerzen rühren wahrscheinlich daher, dass Sie Ihre Tage damit verbringen, eine Umhängetasche grotesken Ausmaßes durch die Gegend zu schleppen. Sie ist der Nachfolger des in Ihrer Kindheit schon schwer überladenen Schulranzens und des später folgenden Rucksacks, den Sie mit einem der Gurte über der rechten Schulter trugen. In meiner Umhängetasche befinden sich zum Beispiel gerade: ein weißer Mac, ein Stadtplan, Schlüssel, eine Flasche Mineralwasser von Vittel, ein Pop-Roman im Taschenbuchformat, ein Moleskine-Notizbuch, die Zeitschrift *Neon*, ein iPod, ein Fläschchen mit hautstraffender Lotion, ein Sechserpack Red-Bull, eine Schachtel mit stimmungsaufhellenden pflanzlichen Präparaten und eine frische Unterhose, Kondome, ein Pickelstift, eine Packung Kinderschokolade, drei Ladegeräte. Die Tasche ist, obwohl von Ortlieb, unten schon ganz ausgerissen. Fragen Sie sich auch manchmal, warum Sie jeden Tag Ihren halben Haushalt mit sich herumschleppen? Und zwar in einer Tasche, die eigentlich für Fahrradkuriere konzipiert wurde? Sind Sie Fahrradkurier? Haben Sie überhaupt ein Fahrrad? Ich nicht.

Diese monströse Umhängetasche ist in Wahrheit ein Mühlstein, der Sie hinabzieht in einen Abgrund aus romantischer Regression und depressivem Stillstand. Sie ist das Symbol Ihres Status: nicht mehr ganz jung und dafür total gut ausgebildet, nicht mehr ganz dumm und doch nicht so klug, um die Zeichen der Zeit zu erkennen und sich einem verantwortungsvollen, neuen Lebensabschnitt zu stellen: dem Erwachsensein. Mit dieser Tasche auf dem Rücken können Sie stattdessen nicht mal richtig gehen, denn durch das einseitig verlagerte Gewicht wird Ihr Gang schlingernd und notgedrungen tapsig-schlurfend.

Mir wurde die Fragwürdigkeit meines Tuns erstmals während eines Aufenthaltes im Libanon klar. In Beirut, das sich unermüdlich müht, seinem Ruf als »Paris des Nahen Ostens« wieder gerecht zu werden, fragte man mich abends beim Essen in Downtown, warum ich denn heute meine lustige Handtasche nicht dabei hätte. Gemeint war keineswegs ein neckisches Herrengelenkhandtäschchen, sondern meine todernst gemeinte, für mich selbstverständliche Umhängetasche, die in einer der Schönheit und Eleganz zugeneigten Stadt wie Beirut nur amüsiertes Kopfschütteln hervorrief. Ich hatte sie lieber im Hotel gelassen, weil ich mich mit diesem Ausrüstungsgegenstand plötzlich fühlte, als trüge ich aus Versehen eine Damen-Jeans. Alles falsch, und meine Beteuerungen, dass so etwas in Berlin, Frankfurt und München zum alltäglichen Straßenbild gehöre, fanden in etwa so viel Glauben wie ein Märchen aus Tausendundeiner Nacht. Als Mann geht man dort aufrechten Schrittes, und als Frau kommt man nicht auf die Idee, sich das Dekolleté mit einem gepolsterten Gurt zu zerpflügen.

Doch in Beirut können junge Menschen aufgrund der traditionellen Familienstrukturen meist nur von einem autonomen, erwachsenen Dasein träumen – dort ist es üblich, bis zur Heirat bei den Eltern zu wohnen. Hingegen mutieren junge Erwachsene in Deutschland zu prekären Langzeitadoleszenten, die als Symbol ihres unsteten Lebenswandels zwischen Praktikum und nächster Ausstellung, Projekt und präarbeitsweltlichem Sabbatical bereitwillig – oder doch eher notgedrungen? – das Stigma Umhängetasche auf sich nehmen. Sie gehen in Kneipen, die »So wohl als auch« heißen und genau so gut »Vielleicht oder auch nicht«, »Ja, aber«, »Entweder Oder« oder »Eventuell« heißen könnten und trinken Latte Double Grande, bis der AIPler kommt. Sie sitzen beständig in der Lounge, doch der Flieger hat so viel Verspätung, dass fraglich ist, ob er überhaupt mal abhebt. Oder in Wohnzimmerkneipen, die klassische Einrichtungsgegenstände vom röhrenden Hirsch bis zur gemütlichen Couch ironisch gemeint bereithalten. Doch in Wahrheit sitzen Sie hier nur herum, weil Sie kein gemütliches Heim haben und vielleicht nur über eine Matratze am Boden, einen Schreibtisch und ein paar Ivar-Regale verfügen.

Diese ständige Verwechslung von öffentlichem und privatem Raum führte bei mir neulich dazu, dass ich im Rahmen einer Essenseinladung meine Zigarette auf dem Wohnzimmerteppich austrat. Ich wähnte mich in einer versifften Bar, bloß weil die Gastgeber eine weiche, gepolsterte Sitzgruppe ihr Eigen nannten. Und wurde dafür nicht einmal getadelt, denn eine solch berechtigte Unmutsbekundung hätte das Paar womöglich in den Ruch der Spießigkeit bringen können, was in der Langzeitadoleszenz-Szene schnell den sozialen Tod bedeuten kann.

Man sollte vielleicht doch mal erwachsen werden. Dieser Gedankengang ist Ihnen bestimmt vertraut. Vielleicht wird Ihnen sogar von Ihrer Familie oder Freunden des Öfteren nahe gelegt, doch nun bitte endlich mal erwachsen zu werden – weshalb Ihnen dieses Buch schön verpackt zum Geburtstag geschenkt wurde; vielleicht hat es Ihnen auch jemand als diskreten Hinweis einfach in die Umhängetasche gepackt. Die Frage ist nur: Wie soll das gehen? Erwachsenwerden findet ja gar nicht mehr statt. Das Alter, die Kindheit und die Jugend sind thematisch in Verlauf und Struktur hinreichend problematisiert, analysiert und diskutiert worden – von der Frühförderung bis zum Methusalem-Komplott. Doch ein Lebensabschnitt bleibt völlig im Dunkeln: das Erwachsenenalter. Damit verhält es sich so ähnlich wie mit dem Tod, also dem Ende sämtlicher Lebensabschnitte: Der Tod findet gar nicht mehr statt, er scheint nicht zu existieren. Kein Mensch weiß heute mehr, was Erwachsensein bedeutet, denn der Begriff wird im Zeitalter völlig entgrenzter Jugendlichkeit nur noch in ironischen Anführungsstrichen verwendet. Die Zeitschrift *Neon*, Zentralorgan der Langzeitadoleszenz-Selbsthilfegruppe, warb lange Zeit mit dem Slogan »Eigentlich sollten wir erwachsen werden«, in Berlin jinglet der Akademiker-Sender »Radio Eins« täglich unzählige Male und schmerzhaft-augenzwinkernd mit dem Slogan »Nur für Erwachsene«. Doch tatsächliche Erwachsene existieren in den westlichen Industriegesellschaften anscheinend nur noch als Gerücht, als dunkle Ahnung. Oder als Feindbild bzw. Phantasma des Horrors: Wenn dieser Lebensabschnitt überhaupt wahrgenommen wird, dann höchstens als Vorstufe zum Windeltragen. Es ist richtig, dass am Anfang und am Ende des Lebens Windeln stehen. Aber der Hauptteil liegt zwischen diesen Phasen.

Derweil wird Deutschland von einem permanenten Gammelfleischskandal heimgesucht: Durch verzweifelte Umetikettierung versuchen Mann und Frau, die längst oder zumindest gerade das 30. Lebensjahr überschritten haben, die jugendliche Frische von Jungs und Mädchen vorzutäuschen. Doch der hauchdünne Zellophan-Firnis aus Attitüde und Concealer droht jeden Augenblick zu zerreißen. Da will man nicht gerne daneben stehen.

Keiner weiß also, was Erwachsenwerden bedeutet. Ich habe einfach mal im Lexikon nachgeschaut. Entwicklungspsychologisch bezeichnet man das Erwachsenwerden als »Adoleszenz«, was so viel wie »heranwachsen« bedeutet. Es handelt sich um das Übergangsstadium in der Entwicklung des Menschen von Kindheit (Pubertät) hin zum vollen Erwachsensein und stellt den Zeitabschnitt dar, währenddessen eine Person biologisch ein Erwachsener, aber emotional und sozial noch nicht vollends gereift ist. Das der Adoleszenzphase zugeordnete Alter wird in verschiedenen Kulturen unterschiedlich aufgefasst. In den Vereinigten Staaten gilt man im Allgemeinen bereits bei Pubertätsbeginn als Adoleszenter: Die Phase beginnt im Alter von 13 Jahren und endet etwa um 24 Jahre herum. In Deutschland versteht man die Adoleszenzphase je nach Entwicklungsstadium als die Zeit von 17 bis 24 Jahren. Im Gegensatz dazu definiert die Weltgesundheitsorganisation (WHO) die Adoleszenz als die Periode des Lebens zwischen 10 und 20 Jahren. Denn keineswegs überall auf der Welt haben junge Menschen das Privileg, eine ausgedehnte Jugendphase für sich in Anspruch zu nehmen. Im Gegenteil: Die meisten kommen nicht einmal in den Genuss einer ordentlichen Kindheit.

Entscheidend ist also, dass es sich bei der Adoleszenz um ein Übergangsstadium handelt. Das bedeutet: Dieser Abschnitt endet ab einem gewissen Zeitpunkt und kann nicht endlos ausgeweitet werden. Es handelt sich laut dem Verhaltenspsychologen Erik Erikson um ein »psychosoziales Moratorium«, einen vorübergehenden Entwicklungsfreiraum. Die Gewährung und Finanzierung dieses Freiraums, eine Art Partykeller, dessen Miete von den Eltern übernommen wird, in dem gekifft, gesoffen und laute Musik gehört werden darf, ist jedoch mit einer Auflage verbunden: Wenn die Party beendet ist, erfolgt der Eintritt in das bürgerliche Leben: die Übernahme der elterlichen Fleischerei, der Antritt des Lehramtes, die Gründung einer eigenen Familie. Das Erwachsensein.

Die meisten Gäste sind nun schon gegangen, nur wir sitzen hier noch im Partykeller rum. Der harte Kern. Die üblichen Verdächtigen. Und trinken noch einen Absacker: So jung kommen wir schließlich nicht mehr zusammen! Die Chips sind alle, die Musik ist aus wegen der Nachbarn, stattdessen wummern die Kopfschmerzen von morgen bereits leise in Ihrem Schädel. Können Sie noch oder ist Ihnen auch schon irgendwie schlecht? Mir schon länger. Wenn Sie auch das Gefühl haben, dass es so nicht weitergehen kann, mache ich Ihnen einen Vorschlag. Ich gehe mit Taschenlampe und Kompass voraus, und wir veranstalten ein fröhliches und doch auch straff geführtes Boot-Camp mit mir als Erstem Offizier. Gleich morgen früh geht es los. Es gibt auch Exkursionen und kurzweilige Lichtbildvorträge. Sie können sich mir im Rahmen dieser Expedition ruhigen Gewissens anvertrauen. Es ist so ähnlich wie bei den Anonymen Alkoholikern oder Alan Carr, dem Nichtraucherpapst, der ausgerechnet an Lungenkrebs gestorben ist. Betroffene helfen Betroffenen, und meine Recherchen zum Thema Erwachsenwerden haben bislang schon ganze 35 Jahre in Anspruch genommen. Ich habe das Terrain schon mal sondiert und weiß ungefähr, wo die Minen liegen. Einen ersten Schritt in Richtung Erwachsenendasein haben wir ja im Prinzip auch schon getan, ohne dass Sie es mitbekommen haben: Wir sprechen uns mit »Sie« an, statt uns im üblichen Jargon der Berufsjugendlichkeit zu duzen.

Es geht darum, endlich die Schwelle zum nächsten Lebensabschnitt zu überschreiten. Auf der Schwelle, also unter dem Türsturz, ist man zwar sicher vor Erdbeben, kommt aber auch einfach nicht in den nächsten Raum. Sie hängen mit Ihrer Tasche im Türrahmen fest, und es geht weder vor- noch rückwärts. Dabei ist dort drüben im anderen Raum die Bühne des Lebens, auf der man im Licht der Scheinwerfer sein Lied absingen muss – und wenn man Pech hat, kommt hinterher Dieter Bohlen und sagt einem, dass man sich anhört wie eine Kröte. Soll er doch, dabei sein ist alles. Außerdem wird es jetzt langsam Zeit: Auf der Bühne drängelt sich schon seit ewiger Zeit ein riesiger Gospel-Chor verbissen junger Alter, der ständig »Talking about my Generation« zum Besten gibt. Und hinter Ihnen warten schon die tatsächlich Jungen auf Ihren Auftritt und können nichts sehen, weil Sie den Türrahmen versperren. Haben Sie Lampenfieber? Wie sagte doch neulich jemand während der Geburtstagsfeier zum 50. Geburtstag eines Freundes: »Mein Gott, ist Erwachsenwerden schön.«

Sie hatte Pippi Langstrumpfs »Krumulus-Pillen« gegen das Erwachsenwerden nach langer Sucht einfach abgesetzt.

Halten Sie nun bitte Ihre Umhängetasche in Griffweite bereit. Wir werden die Tasche gemeinsam Stück für Stück auspacken und die jeweiligen Gegenstände auf ihre Relevanz überprüfen. Vielleicht brauchen Sie den ganzen Kram ja inzwischen gar nicht mehr? Erwachsenwerden bedeutet, loslassen zu können. Loslassen vom bisherigen Lebensabschnitt. Das tut weh, aber danach stehen Sie vielleicht besser und freier da. Erwachsenwerden bedeutet, sein eigenes Leben zu leben: Die Suche ist nicht mehr Selbstzweck, sondern führt zum Auffinden des richtigen Weges. Wir werden versuchen, diese Orientierungsschwierigkeiten gemeinsam zu überwinden. Manchmal sieht man ja den Wald vor lauter Bäumen nicht.

## Schlüsselbund

Ihr Schlüsselbund ist so groß, dass man Sie für einen Mitarbeiter der nächstgelegenen Justizvollzugsanstalt halten könnte, wenn da nicht der klobige Marge-Simpson-Anhänger wäre. Selbstverständlich wohnen Sie schon lange nicht mehr im Hotel Mama und kümmern sich selbst um Ihre Wäsche. Die Schlüssel in Ihrer Tasche gehören nicht zum Elternhaus, sondern zu einer WG in einer Stadt oder Großstadt, vielleicht sogar zu einer Wohnung, die Sie ganz für sich alleine gemietet haben. Oder etwa doch nicht? Noch schön bei Mama und Papa in der Einliegerwohnung wohnen mit »eigenem Eingang« und gemeinsamer Waschmaschine, von der aber nur Mama weiß, wie man sie bedient? Bitte besuchen Sie umgehend *www.immobilienscout24.de.*

Doch in den Wohnungen längst flügge Gewordener sieht es auch oft aus, als würden Mama und Papa noch mitwohnen. Beide Elternteile stehen permanent mit missbilligendem Blick herum und mahnen, dass Sie doch vielleicht mal den Müll hinuntertragen könnten und dass es doch sinnvoll sein könnte, im Badezimmer ein paar Haken für die Handtücher anzubringen und dass ein richtiges Bett sinnvoll wäre, damit Sie Ihre Nächte nicht in unmittelbarer Nähe jener Wollmäuse verbringen müssen, die als Permant Resident in Ihrer Behausung gemeldet sind, während Sie eigentlich nie zu Hause sind. Ihre Wohnung ist stummes Zeugnis einer Verweigerung und damit eine Antwort auf zwanzig Jahre Einfamilienhaus in München-Daglfing oder 19 Jahre Reihenhaus in Bad Oeynhausen. Doch mit Ihrer passiv-aggressiven Schrankwandverweigerung legen Sie lediglich Zeugnis davon ab, dass Sie mental noch immer der Adoleszenz verhaftet sind, also der Ablösung von Ihrem Elternhaus, an dem Sie kleben, indem Sie es negieren.

Kein Nagel ist in die Wand eingeschlagen, weil Sie Angst haben, daran hängenbleiben zu können. Er könnte Sie aufgrund seiner bedrohlich-fixierten Existenz daran hindern, schon morgen in Richtung London oder Melbourne aufzubrechen, und aus der gleichen Erwägung heraus bleibt ein Großteil der Umzugskisten unausgepackt. Sie sind auf dem Sprung, dabei wohnen Sie mittlerweile schon drei Jahre in dieser Wohnung. Leben Sie hier oder sind Sie auf der Flucht?

Gewiefte Pop-Theoretiker verleihen mit ihrer Wohnung ihrer Persönlichkeit Ausdruck: Menschen Ihrer Generation wohnen nicht einfach. Bei Menschen Ihrer Generation ist schließlich nichts selbstverständlich. Im Gegenteil, es wird um alles ein irres Gewese veranstaltet, sei es eine Tasse Kaffee, die Unterhose und ihre Positionierung unter- oder oberhalb des Hosenbundes unter besonderer Berücksichtigung des jeweiligen Designer-Schriftzuges, die Geburt eines Kindes oder eben die Wohnung. Also fangen wir damit an. Wenn Sie am Ausdruck arbeiten, müsste das dieser Logik folgend auf Ihre Persönlichkeit rückkoppeln. Zudem gibt es bei diesem Projekt auch handwerklich einiges zu tun, und jeder, der weiß, wie es sich anfühlt, wenn man sein Leben gerade so gar nicht in den Griff bekommt, weiß auch: Den Abwasch erledigen hilft. Man hat danach zwar nur die verschimmelten Tassen von letzter Woche bewältigt, aber wenigstens einen greifbaren Anfang gemacht.

Suchen Sie sich also zunächst eine neue Wohnung aus, die Sie sich leisten können. Entscheidend bei der Wahl der unmittelbaren Umgebung ist nicht der Trend-Faktor des Stadtbezirkes, denn dann bekommen Sie wieder nur eine Abstellkammer. Wenn Sie wie die anderen »urbanen Penner« ständig der »Szene« hinterherziehen, bleiben Sie zwangsläufig im Teufelskreis Stadtteilentwicklung hängen, was in etwa bedeutet: Sie ziehen in eine Gegend, in der gerade »schwer was am Start« ist und in der Sie das echte Leben vermuten. Nach und nach ziehen dann noch mehr von Ihrer Sorte in das Viertel, um sich habituell an die exotische, abenteuerliche und vor allem nichtbürgerliche Lebenswelt der »Unterschicht« heranzukuscheln: Man bemüht sich, den so begehrten wie schwer herstellbaren Zustand der Authentizität zu erlangen, indem man versucht, ihn glaubwürdig darzustellen. Astra-Bier im Unterhemd trinken und Dart spielen und mal so richtig prollig in der Wohnküche herumrülpsen. Beim Achmed nebenan abends noch einen Raki als Absacker trinken und sich an den schrägen Originalen erfreuen, die hier »die Straße« bevölkern.

Warum leben Sie eigentlich hier? Damit Ihre Eltern schön entsetzt gucken, wenn sie beim nächsten Besuch mit dem Auto aus der Provinz kommen und beim Aussteigen erst mal durch Hundedreck und Müll waten müssen? Doch die eine total angesagte, illegale Bar um die Ecke wird schon bald Gesellschaft bekommen. Denn Authentizitätsdarsteller wollen nicht wirklich in der Eckkneipe sitzen und mit den niederen Ständen Fußball gucken, keinen Tee trinken mit den türkischen Männern im Neon-Café, das sich »Kulturverein« nennt, und keine Schisha rauchen mit den arabischen Männern im Café Hamra – die Statisten übrigens auch nicht unbedingt mit den Authentizitätsdarstellern. Da macht man doch lieber eigene Bars auf, die »Verein« genannt werden, um die Gastro-Auflagen zu unterlaufen. Dort läuft dann Diskurs-Pop zum Astra-Bier. Kaum in meiner neuen Wohnung im verruchten Berlin-Neukölln eingezogen, eröffnete gegenüber schon die erste »Szene«-Bar und schon zwei Wochen später war die erste Galerie zur Stelle. »Kreuzkölln« nennt man das Viertel hier und druckt es sich sogleich als Motto aufs T-Shirt. Schon bald nimmt die Saab-Dichte in Ihrem Viertel zu – bei mir sind es derer schon zwei. Am Anfang sind es noch die gebrauchten, später Neuwagen. Spätestens wenn die gesamte Produktpalette der schwedischen Automobilindustrie (ohne Nutzfahrzeuge) die Straße verstopft, wird es für Sie wieder Zeit auszuziehen. Sie können sich die Gegend mit ihren italienischen Restaurants, Coffee-Shops und Montessori-Kitas nicht mehr leisten. Genau so, wie die authentischen Unterschicht-Menschen, die längst in ein anderes, weniger attraktives Viertel abgedrängt wurden, müssen auch Sie weiterziehen. Tragisch. Sie selbst haben den Anfang gemacht und diesen ganzen Gentrifizierungs-Zirkus mit in Gang gebracht.

Wenn Sie also schon wieder in ein total angesagtes Viertel ziehen wollen, überlegen Sie sich vorher gut, ob Sie innerhalb der nächsten zwei bis drei Jahre in der Lage sein werden, ein eigenes Saab-Turbo-Cabriolet zu finanzieren oder gleich das komplette Dachgeschoss ihres Mietshauses kaufen können. Das wäre dann auch eine Möglichkeit, den Teufelskreis dauerhaft zu durchbrechen. Das Ergebnis werden wir später im Rahmen eines Ausflugs auf den heiligen Prenzlauer Berg noch besichtigen.

Zunächst aber brauchen Sie, wenn Sie alleine wohnen, mindestens zwei Räume, Küche und Bad an einem Ort, der kein Terrain vague ist, sondern stattdessen eine gute Verkehrsanbindung und eine vernünftige lokale Infrastruktur mit Einkaufsmöglichkeiten bietet. Löschen Sie bitte das Wort »Zwischennutzung« aus Ihrem aktiven Wortschatz. Falls Sie heterosexuell sind und mit einem Partner oder einer Partnerin zusammenziehen wollen, planen Sie vorsorglich einen Raum mehr ein. Sie wissen schon. Stichwort Ursula von der Leyen. Wer möchte schon in einer Abstellkammer aufwachsen, auch wenn diese beheizbar ist.

Dreimal umziehen ist einmal komplett abgebrannt, sagt der Volksmund und meint, dass jeder Umzug einen kleinen Tod bedeutet. Positiver formuliert: ein guter Zeitpunkt, um loszulassen. Falls Sie zu jener Gruppe gehören, die die 90er zu ernst genommen haben und tatsächlich nur eine Matratze, einen Laptop und einen Stuhl besitzen, überlesen Sie die nächsten beiden Abschnitte und steigen dann unbedingt wieder ein, denn Sie sind gerade deshalb ein schwerer Fall.

Alle anderen mögen sich zunächst an die letzten fünf Umzüge erinnern, bei denen Sie mithelfen mussten, weil Ihre Freunde sich noch immer keine Umzugsfirma leisten können und bei denen der rückenkranke Lars, der eigentlich versprochen hatte, Brötchen zu schmieren, leider total verpennt hatte und danach noch zu einem Casting musste, weshalb Sie, nachdem Sie Ihren Samstagvormittag geopfert haben, alleine und auf eigene Kosten in einem überfüllten McDonald's zu Mittag essen mussten. Erinnern Sie sich an die Kisten mit alten Mix-Kassetten, an das einzelne Paar Wanderstiefel, die Berge von Alt-Klamotten, die man alle aufheben kann, weil man heute eh alles tragen kann und man nur auf die nächste Retro-Welle warten muss, den Sperrmüll und Schund, die Yps-Hefte und sonstigen regressiven Gimmicks, die Sie fünf Stockwerke hoch getragen haben?

Heben Sie bitte nur Dinge auf, die Sie für das Verfassen Ihrer Autobiographie dringend benötigen. So viel kann das nicht sein, denn heutzutage schreibt man ein solches Werk im Schnitt schon mit 26 – Sie sind also längst zu alt dafür. Das nach den Prinzipien der Mülltrennung ausgeführte Wegwerfen fällt also unter Loslassen und gehört zum Ritual des Erwachsenwerdens.

Unsere Gesellschaft ist arm an solchen »Rites de Passages«, also müssen Initiationsrituale selbst gebastelt werden. Oder hat Ihnen Ihre Konfirmation oder Jugendweihe ernsthaft geholfen, die Pubertät hinter sich zu lassen? Diesbezüglich sind Sie wie ein Ossi, der mit ein bisschen Draht und einem Hammer ein Auto reparieren kann. Sie bringen die notwendigen Bastelkompetenzen schon mit, Stichwort Bricolage und Patchwork-Biographie. Doch wer in der Lage ist, seine eigene Beerdigung durchzuchoreographieren, ist theoretisch auch fähig, die verschiedenen Abschnitte seines Lebens einigermaßen in Reih und Glied zu bekommen. Leider funktioniert eine moderne Industriegesellschaft nicht wie eine Südseeinsel: Die »Rites de Passage« so genannter »primitiver Völker«, Initiationsrituale, bei denen die Teilnehmer eine Phase der Isolation durchlaufen, um danach mit großem Tamtam und manchmal auch unter Schmerzen in die Gesellschaft der Erwachsenen aufgenommen zu werden, sind in aller Regel mit einer Garantie versehen. Wer den stressigen Zirkus brav mitmacht – eine Art Dschungelcamp ohne »Holt mich hier raus. Ich bin ein Star!«-Notschalter –, bekommt danach auch seinen Platz. In hiesigen Gefilden dauert dieser Zirkus Jahre. Bei Langzeitadoleszenten Jahrzehnte, denn dieses Moratorium, eine Zwischenzeit ohne wirkliche Verantwortung, wurde inzwischen zu einem eigenen Lebensabschnitt mit ungewissem Ausgang. Man kann sich währenddessen im Dschungel verlaufen. Zudem werden Optionsscheine für das Scheitern ausgegeben. Wer Pech hat, erlebt die Reise nach Jerusalem: Die Musik ist aus, und alle Stühle sind besetzt.

Den Abschluss meines Studiums feierte ich zum Beispiel auf einem örtlichen Wertstoffhof. Mein persönliches Ritual bestand mangels offizieller Rituale darin, die gesammelten Ordner mit Aufsätzen über computergesteuerte Datenlinguistik in Papua-Neuguinea und den Kopien des Original-Sitzplanes des Baseler Konzils aus dem Nachlass des legendären Mediävisten Erich Meuthen ganz einfach wegzuwerfen. Mit Hilfe dieser reinigenden Zeremonie versuchte ich mir meinen neuen gesellschaftlichen Aggregatzustand besser vorstellen zu können. Ich war nun Akademiker und auf der Schwelle zum Berufsleben. Theoretisch.

Praktisch zog ich zunächst in eine Wohngemeinschaft, zusammen mit einer Freundin aus Studientagen, und machte das, was ich schon zuvor getan hatte: Ich widmete mich dem Leben der Boheme.

Freiheit zu nutzen ist nicht leicht, Pessimisten sagen sogar, dass Freiheit die Menschen überfordert. Bei mir folgte nach dem Studium erst mal ein langer, langer »Sommer vor dem Balkon«. Geschlagene sechs Wochen am Stück saß ich den lieben langen Tag auf meinem kleinen Balkon, trank Kaffee und blickte rauchend auf den Berliner Landwehrkanal. Kein Geld, keinen Job, keinen Plan und dafür eine Menge Zukunftsangst. Ich war wie gelähmt. Nur nachts traute ich mich aus meinem Bunker und ging mit Freunden aus, um mich zu betrinken. Im Nachtleben fühlte ich mich sicher, dort konnte ich bestehen, stellte sogar etwas dar, war jemand, den man ernst nehmen musste. Zusammen mit all den anderen, denen es mehr oder weniger offensichtlich ganz genauso erging, ohne dass sie es offen zugegeben hätten.

Nein, unsere Wohngemeinschaft war keine Fortführung der »Kommune 1«, sondern eine trotzige Trutzburg der Langzeitadoleszenz ohne Gardinen, Deckenlampen und Bilder an der Wand. Mit nicht ausgepackten Kartons und jeder Menge Chaos, für das – so war es still verabredet – jeweils der andere verantwortlich war. Wir hatten es uns in unserem Provisorium der Ohnmacht dennoch so gemütlich wie möglich gemacht. So lange, bis uns niemand mehr besuchen kommen wollte. Die Angst vor dem sozialen Abstieg kann recht schnell zu selbigem führen. Deshalb sollten gerade Sie als Langzeitadoleszenter die »Broken Windows«-Theorie streng beachten. Sie beruht auf Erkenntnissen des urbanen

Quartiermanagements: Wenn in einer Straße irgendwo ein Fenster zerbrochen ist, werden dieser Beschädigung schnell weitere folgen. Das Nachbarfenster wird zerdeppert, dann lagert jemand seinen Müll darunter ab, als Nächstes brennt der Müll, und die Ratten tanzen Tango. Sie müssen dieses Fenster also sofort reparieren, um einer weiteren Verwahrlosung vorzubeugen. Das gilt insgesamt für Ihr Leben und insbesondere für Ihre Wohnung.

Der Leitspruch beim Einzug in Ihre neue Wohnung ist wiederum autoritärer Herkunft, denn er stammt von Erich Honecker persönlich: »So wie wir heute arbeiten, werden wir morgen leben.« Entspricht nicht unbedingt den reformpädagogischen Summerhill-Lehrsätzen des A. S. Neill, nach denen »Freiheit heißt, tun und lassen zu können, was man mag, solange die Freiheit der anderen nicht beeinträchtigt ist«. So ungefähr sind Sie wahrscheinlich erzogen worden, auch wenn Sie gar nicht wissen, wer A. S. Neill ist. Weshalb Sie leider auch nicht wissen, wie der Satz weitergeht: »Das Ergebnis ist Selbstdisziplin.« Man hat vielleicht auch einfach vergessen, Ihnen das zu sagen. Ich kann zum Beispiel das Alphabet nicht richtig, weil mein Grundschullehrer gerade ein Loch in seinem Kontrollnetz hatte.

In Ihrer neuen Wohnung gibt es – hoffentlich – keine zerbrochenen Fenster, aber zu tun gibt es eine Menge. Und wenn Sie diese Dinge nicht gleich am Anfang erledigen, dann werden gewisse Leitungen noch in drei Jahren aus der Wand gucken. Weil Sie eine irrationale Angst vor der Endgültigkeit von Nägeln haben, sollten Sie sich gleich an die nächst höher gelegene Ebene wagen. Es handelt sich dabei um den Dübel. Es gibt ihn in allen möglichen Varianten, vom Hohlraum- bis zum Kippdübel, und seine Verwendung zieht ernsthafte Konsequenzen nach sich. Zum einen verfügt er über Widerhaken und krallt sich regelrecht in dem für ihn aufwändig und unter

Verwendung einer entsprechenden Maschine gebohrten Loch in der Wand fest. Bombenfest. Will man wieder ausziehen, weil man zum Beispiel für ein Jahr den Kaukasus erkunden möchte, muss man die durch Dübeln entstandenen Löcher zuspachteln. Dem Dübel wohnt also eine atemberaubende Aura der Ewigkeit inne. Er ist auch genauso gedacht. Er soll Regale halten, für deren Standort Sie sich fest entschieden haben, Möbel fixieren, deren Position fortan unverrückbar ist.

Das macht Ihnen nun wirklich Angst? Wer sagt denn eigentlich, dass Sie sich durch eine Entscheidung geradezu schicksalhaft binden? In Wirklichkeit ist es mit dem Regalstandort so wie mit Ihrem Leben. Wenn Sie sich dazu entschlossen haben, ein Regalsystem an einem bestimmten Standort zu fixieren, dann können Sie sich vernünftig einrichten und die Bücherkisten auspacken. Aber wenn Sie nach einer gewissen Zeit merken, dass Ihnen diese Lösung nicht gefällt und Sie ganz einfach die falsche Option gewählt haben, dann hindert Sie doch niemand daran, den Standort zu wechseln. Es kostet nur einen gewissen Aufwand, den zu bewältigen keineswegs unmöglich ist. Dübel raus, Loch zuschmieren, neuen Standort wählen, dübeln. Fertig. Kaffee trinken.

Wer diese Entschiedenheit scheut, bekommt die Quittung. Und auf der steht: Haltlosigkeit. Je nachdem, wie groß Ihr Bücherregal ist, kann es Sie bei mangelnder Fixierung erschlagen. Auf Ihr Leben bezogen: Je nachdem, wie labil Sie sind, werden Sie Opfer von Alkohol-, Nikotin-, Kalorien- oder sonstigem Abusus und verlieren sich im Zirkus des »Anything goes«, der bei Licht betrachtet gar nicht so viele Möglichkeiten bietet, denn schon so mancher wilde Löwe fand sich plötzlich in einem Käfig wieder und musste fortan zum Knallen der Dressurpeitsche Kunststückchen in der Manege vorführen. Ich will Ihnen natürlich nicht drohen und deute daher nur zart an: Call-Center lebenslänglich. Davor lohnt es sich tatsächlich, Angst zu haben.

Falls es sich bei Ihnen übrigens um eine männliche Person handeln sollte und Sie feststellen sollten, dass Sie dem hegemonialen Männlichkeitsbild auch insofern nicht entsprechen, als dass Sie einfach nie gelernt haben, wie man dübelt, scheuen Sie sich nicht, Ihre Freundin um Rat zu fragen. Sie können Ihr ja nach Anbringung des Spiegels im Flur zum Dank ein leckeres Abendessen kochen. Wozu sie vielleicht nicht in der Lage ist, weil sie in dem Glauben aufgewachsen ist, dass eine solche Fertigkeit ein Ausweis mangelnder Emanzipation sei. Sowohl die Dübel-Impotenz als auch das Versagen am Herd sind Spätfolgen der Geschlechterkriege aus den 70er und 80er Jahren, die Sie nun behindern – doch dazu mehr im Verlaufe der Lektion. Jetzt wird erst mal gebohrt.

So, die Dübel sind nun an Ort und Stelle, zuvor haben Sie die Wände geweißt. Selbstverständlich haben Sie die Wände geweißt, weil Ihnen diese Aufgabe nämlich von Ihrem Vormieter bzw. Ihrem Vermieter aufs Auge gedrückt wurde. Das liegt daran, dass Sie weder Mitglied im Mieterschutzbund sind, noch die Muße hatten, sich mit den vertrackten Paragrafen Ihres Mietvertrages auseinanderzusetzen. Sie sind der Ansicht, sich ja mit so etwas nicht auseinandersetzen zu müssen, weil so etwas höchstens das Hobby von Kleinbürgern und Prozesshanseln ist. Solcherlei Unbill wird von Langzeitadoleszenten ungefähr so ernst genommen wie früher die mütterliche Forderung, doch endlich mal das Zimmer aufzuräumen. Ein Mietvertrag ist ein Wisch, der genauso bedeutsam ist wie der universitäre Stundenzettel. Man füllt ihn eben kurz vor Abgabetermin beim Prüfungsamt mit irgendwelchen Fantasie-Veranstaltungen aus den Vorlesungsverzeichnissen der letzten zehn Jahre aus. Zehn Jahre!

Selbstverständlich fordert Ihr Vermieter eine Kaution in

Höhe von drei Monatsmieten von Ihnen, was ungefähr der Summe entspricht, die Ihr vorheriger Vermieter nun nicht herausgeben will, weil Sie angeblich erforderliche Schönheitsreparaturen nicht oder nicht ordnungsgemäß ausgeführt haben oder er sie für einen Brandflecken auf dem 1952er Linoleum in der Küche verantwortlich macht. Wüssten Sie wie ein erwachsener, mündiger Bürger über das geltende Recht Bescheid – Bürgerliches Gesetzbuch! –, dann wüssten Sie, dass diese Vorgehensweise in der Regel nicht rechtmäßig ist. Sie könnten Ihre Kaution einklagen, aber das würde für Sie einen Stress bedeuten, den auszuhalten Sie sich nicht einmal ausmalen wollen. Stattdessen lassen Sie sich wieder über den Tisch ziehen und fühlen sich auch noch gut dabei. Und pumpen wegen der Kaution lieber Ihre Eltern an, die sowieso klammheimlich, also ohne dass Sie das Ihren Freunden mitteilen würden, den Großteil Ihrer Miete per Dauerauftrag der Sparkasse Sindelfingen begleichen, weil Sie sonst schon längst auf der Straße stünden.

Erwachsensein bedeutet per definitionem, seine Existenz ohne Subsidien zu bewerkstelligen. Wenn Sie Ihre Miete nicht zahlen können, droht Ihnen Obdachlosigkeit. Und wenn Sie mit ernsthaften Schwierigkeiten konfrontiert sind, rufen Sie bitte nicht Mama und Papa an. Das tut man nur, wenn man mit dem Bonanza-Rad auf die Fresse geflogen ist und die Speichen so krumm sind, dass man nicht mehr fahren kann. Man wendet sich stattdessen an jene Leute, die an der Universität immer »die Anderen« waren. »Die Anderen« trugen alle Barbour-Jacken, weiße Hemden und Jeans bzw. graue Rollkragenpullover mit Perlenkettchen: Juristen. Wenn Sie sich mit dem Zug der Stadt Bonn nähern, können Sie im Waggon recht bald eine hohe Dichte dieses Typus messen. Doch wenn diese Leute mal in Lohn und Brot sind – was sie übrigens in der Regel tatsächlich viel früher als Sie mit ihren hübschen

Orchideen-Fächern bewerkstelligen –, können sie recht nützlich sein. Es handelt sich um so genannte Funktionseliten. Gegen entsprechendes Entgelt funktionieren die Damen und Herren und holen Ihre Kaution zurück. Damit Sie wegen des Honorars nicht Mutters Haushaltskasse anzapfen müssen, schließen Sie am besten gleich eine Rechtschutzversicherung ab. Nur für den Fall, dass Ihr persönliches Paralleluniversum mal mit dem richtigen Leben kollidieren sollte. Gegen Honorar pusten die Funktionseliten auch ein bisschen, wenn Sie sich das Knie aufgeschlagen haben.

Doch nun wird erst mal geweißt, nach allen Regeln der Kunst und ohne juristischen Beistand. Um Geld zu sparen und der Umwelt einen Gefallen tun zu können, greift man zum Beispiel zur Kreidefarbe aus Rügen, ein weißes Pulver, das schlicht mit Wasser verrührt wird. Sie haben dann quasi einen eigenen Caspar David Friedrich an den Wänden und vermeiden zugleich, in die Trend-Farb-Falle zu tappen. Im Moment tendiert man zwar zu deckend-satten Grün-, Orange- und Rottönen an den Wänden, doch schon in ein bis zwei Jahren könnte es dieser Mode ergehen wie der Schwammtechnik der 90er. Man kann es nicht mehr sehen, und Sie stehen schon wieder auf der Leiter. Versuchen Sie mal, eine dunkelrote Wand wieder weiß zu kriegen. Ach, wissen Sie was? Streichen Sie Ihre Wände doch, wie Sie wollen. Es ist genau wie mit den Dübeln. Solch ernsthafte Entscheidungen sind nicht wirklich final, sollten aber ernsthaft umgesetzt werden.

Nach Durchführung dieser Maßnahmen, wie das so schön im Behördendeutsch heißt, haben Sie zumindest das Fundament für Ihre Existenz als Erwachsener geschaffen. Sie haben dabei viele neue Erfahrungen gemacht, zum Beispiel einen Baumarkt auch mal von innen gesehen. Sie wissen nun, was Turbo-Silikonmasse ist und dass man Nägel und Schrauben erst abwiegen und in ein kleines Tütchen packen muss, bevor Sie zur Kasse gehen. Sie haben viele nette Herren kennengelernt, die Ihnen erklärt haben, was ein Bohraufsatz ist und warum man in Nassräumen nur nassraumkompatible Leuchtmittel einsetzen darf. Das war ein großer Schritt für Sie. Seien Sie mal ein kleines bisschen stolz auf sich. Sie sind gerade nochmal an der peinlichen Situation vorbeigeschrammt, auf die Hilfe von dicken Fernsehfrauen angewiesen zu sein, die Ihr Miet-Etablissement in eine Rigips-basierte Ikea-Hölle verwandelt hätten. Und zum Dank müssten Sie auch noch vor der kompletten Fernsehnation in Tränen ausbrechen.

Ihre alten Hausschlüssel geben Sie nun bitte zusammen mit dem klobigen, platzfressenden Marge-Simpson-Anhänger an Ihren ehemaligen Vermieter zurück – bitte ohne dessen handverfertigtes Übernahmeprotokoll zu unterschreiben, denn sonst übernehmen Sie ernsthaft die Verantwortung für den Brandfleck auf dem Linoleum und zahlen mit Ihrem guten Namen. Das soll ich Ihnen von meiner Anwältin vom Mieterschutzbund dringend mit auf den Weg geben.

Die neuen Wohnungsschlüssel binden Sie zu einem Schlüsselbund zusammen, der nur die existenziell notwendigen Elemente enthält. Dazu gehören weder die Schlüssel zu Ihrem Elternhaus in der westfälischen Provinz noch die zu dem Vorhängeschloss, das Sie vor über acht Jahren an einem Göttinger Uni-Locker vergessen haben. Ihre Ausbildung ist beendet, nunmehr sind Sie nur noch dem lebenslangen Lernen verpflichtet, so wie alle anderen Menschen auch. Die Schlüssel zu Ihrem Elternhaus geben Sie sofort zurück, und sei es per Einschreiben mit der Post. Sie können dort nicht mehr einfach mitten in der Nacht auftauchen und Mutter Ihre Wäsche vorbeibringen oder einen Nervenzusammenbruch im Esszimmer haben, weil Sie Liebeskummer haben oder Angst vor dem Finanzamt. Ihre Eltern führen, so wie Sie auch, ein eigenes

Leben. Man kündigt sich telefonisch an und klingelt dann an der Haustür.

Das Ergebnis, ein handlicher Schlüsselbund, können Sie in der Jackentasche transportieren. Sie brauchen dazu kein Extrafach in der Umhängetasche.

## Ein Paar Socken

Wechselsocken trägt nur bei sich, wer unter krankhaften Schweißfüßen leidet. Alle anderen Menschen bewahren dieses Kleidungsstück in der Sockenschublade auf. Was voraussetzt, dass man einen Schrank besitzt. Wo bewahren Sie denn gerade Ihre Socken auf? In einem alten Schuhkarton, der unter der mobilen Kleiderstange in Ihrem Schlafzimmer steht? In einem Wäschesack, den Sie an jener Kette befestigt haben, die sich quer durch Ihre Zimmerfluchten zieht und Ihre Hemden auf halbmast trägt? Toll, dass Sie einen begehbaren Schrank haben. Schade, dass dieser begehbare Schrank genau genommen Ihre Wohnung ist.

Eine Freundin, wackere 78erin, wunderte sich unlängst über den unbändigen Willen zur Verbürgerlichung, den sie bei einigen 30-Jährigen in ihrer arbeitsweltlichen Umgebung, der Filmbranche, festgestellt hat: »Die wollen alle eine Couch und einen Wohnzimmertisch, ich verstehe das einfach nicht. Fehlt nur noch die Schrankwand.« Das liegt daran, dass diese Couch einen sicheren Untergrund bietet. Nämlich die Gewissheit, es doch noch gerade so geschafft zu haben. Die Mittelschicht, insbesondere die bildungsbürgerliche, ist seit jeher von sozialen Abstiegsängsten geplagt. Realistische Gründe dafür gab es immer, und es gibt sie heute erst recht: Nicht nur die Polkappen schmelzen, auch die Mittelschicht. Eine Designer-Couch wird so zur Arche, die Auftrieb verleiht inmitten der als Sintflut empfundenen gesellschaftlichen Entwicklungen. Notfalls tut es jedoch auch eine gebrauchte, die man mit geschmackvollen Überwürfen und Kissen gestaltet.

Wenn es denn gegen das Ertrinken hilft – manche 78er haben schließlich längst Sitzmöbel mit dem Auftrieb eines Containerfrachters.

Verabschieden Sie sich also bitte von den Takelagen, Ständern und Behelfsregalen, in denen Sie Ihre Garderobe aufbewahren, und fahren Sie auf dem kürzesten Weg zu Ikea. Es macht überhaupt nichts, dass dieses Möbelhaus mittlerweile zu einer Chiffre geworden ist, die in den Feuilletons kritisch verhandelt wird. Ikea ist Symbol für Eskapismus, Privatismus, hedonistischen Ästhetizismus und wird als angeblicher Versammlungsort all jener Menschen denunziert, die sich von Utopien und politischem Engagement entfernt haben und deren Träume nicht weiter als bis zur Haustür ihrer geschmackvollen Wohnung reichen. Mag sein. Jedenfalls kann man dort für eine überschaubare Summe sehr hübsche Lampen, Regale, Betten, Vorhänge, Kissen und sonstige Utensilien erwerben, die für die Schaffung eines schönen Heims vonnöten sind. Und wer sagt eigentlich, dass man nicht mehr von einer gerechteren Gesellschaft träumen kann, nur weil man ein vernünftiges Bett mit XXL-Bettdecken hat? Glaubt denn jemand im Ernst, dass man sich nur vorstellen kann, wie beschissen es ist, auf Hartz IV angewiesen zu sein, wenn einem nachts ständig die Füße unter der Bettdecke hervorlugen und das Badezimmerschränkchen eine kaputte Tür hat? Und sind Menschen, die nicht mal die Tür ihres Badezimmerschränkchens reparieren können, geeignet, den Sozialstaat wieder auf solide Füße zu stellen?

Nein, nicht alle Menschen sind in der Lage, sich am eigenen Schopf aus dem Dreck zu ziehen – und mein persönlicher Sachbearbeiter für die Wiedereingliederung in das sozial verträgliche Wohnwesen war ein befreundeter Innenarchitekt. Mein Scout für die Ikea-Welt. Nach ungefähr sechs bis sieben Stunden, einer Köttbullar- und fünf Kaffeepausen inklusive

Refill hatten wir die zentralen Elemente der zukünftigen Einrichtung zusammen. Und zwar entsprechend des vorher besprochenen Farbkonzepts. Jawohl: Farbkonzept! »In einer angenehm wirkenden Wohnung sollten die Vorhänge, Kissen und sonstigen Elemente farblich miteinander korrespondieren, so ist das nun mal«, sprach der Designer, der nicht davor zurückscheute, mich bei akuten Trash-Rückfällen zurechtzuweisen: »Ich verbiete dir, diese Kissen zu kaufen!« Schlimmer als manche Fernsehfrau! So können Sie sich schon mal mental darauf vorbereiten, wie es mal sein könnte, falls Sie es doch noch zu einer Eigentumswohnung bringen sollten. In bürgerlich-akademischen Hauseigentümergemeinschaften wird nämlich nicht einfach das Treppenhaus neu gestrichen. Dort beruft man eine regelmäßig tagende Farbkommission ein, um über die Pigmentdichte der Wandfarbe und die Frage, ob der Teppichbelag auf den Stufen nicht den Prinzipien der historischen Authentizität widerspricht, zu diskutieren. Der Berliner Umzugsunternehmer und Millionär Klaus Zapf hat mir das mal erzählt. Aber so weit sind Sie noch nicht.

Als die Vorhänge dann hingen, bekam ich es erstmal mit der Angst zu tun. Seit meiner Kindheit hatte ich keine Vorhänge mehr gehabt, später folgte ich meiner idealisierten Vorstellung von niederländischer Liberalität und fand es ganz großartig, in meiner Wohnung Reality-TV für die Nachbarschaft zu inszenieren. Dann war da noch das neue Bett mit dem Kopfteil und den praktischen Schubfächern für die Wäsche. In meinen Albträumen mutierte es zum Elternschlafzimmer mit Schleiflack-Kommode. Zuvor hatte ich den Wunsch geäußert, Bücherregale haben zu wollen, die bis zur Decke reichen, immerhin 3,10 Meter hoch. Ein Sofa sollte her und, der Altbau-Stuckrosette in Raummitte wegen, ein Kronleuchter. Den ich dann auch beim Trödler um die Ecke für billig Geld erworben habe und der nun beim Einschalten Licht auf eine recht schicke Wohnung wirft. Da könnte man jetzt bei Bedarf auch locker ein Fernsehteam hineinbitten, um vor dem 3,10 Meter hohen, fest verdübelten (!) Bildungsbürger-Trumm etwas Gewichtiges zur Verortung des Fluxus in der Moderne zu sagen. »Ich habe dir doch schon vor Jahren gesagt, dass du jetzt mal langsam bürgerlich werden könntest«, ätzte ein wesentlich reiferer Freund bei seinem Antrittsbesuch, und ich fühlte mich ganz schön ertappt. »Mag sein«, antwortete ich, »aber ich kann immer noch behaupten, dass das mit dem Kronleuchter nur ironisch gemeint ist.« Woraufhin mein Gegenüber nur knapp entgegnete: »Ja, genau diese verlogene Attitüde würde zu dir und deiner Generation passen.« Er selbst hatte zu diesem Zeitpunkt den Wechsel von den revolutionär-klassenkämpferischen K-Gruppen der 70er zur neuen Bürgerlichkeit der 90er längst mit Bravour hinter sich gebracht. Ohne feudalistischen Kronleuchter vom Trödler, aber mit jeder Menge Accessoires von Manufactum. Da kostet ein Flaschenöffner »für unterwegs« 20 Euro und sieht dabei aus, als hätte man ihn aus der Eckkneipe geklaut.

Merken Sie sich bitte: Vorhänge sind praktisch und verleihen den Räumlichkeiten einen wohnlichen Charakter. Vorhänge sind nicht zwingend von Ado und haben eine Goldkante. Vorhänge sind o. k. Flaschenöffner werden nicht in der Eckkneipe geklaut. Dort können Sie Aschenbecher klauen, die brauchen die nicht mehr.

In Wahrheit hatte ich auch ohne den äußeren Druck einer anstehenden Familiengründung das innere Bedürfnis, endlich eine schöne, gemütliche und funktionale Wohnung mein Eigen zu nennen, in die man ohne Scham Freunde und Kollegen einladen kann. Ich war der studentischen Kieferästhetik, des ironisch gebrochenen WG-Stils mit seinen ernstlich überfüllten Mülleimern und überquellenden Aschenbechern müde geworden und sehnte mich nach einem Neubeginn. Dem voraus gegangen war jedoch zunächst eine ernsthafte Wahl des Standorts, der beruflichen Tätigkeit und der Partnerschaft.

Eine erwachsene Wohnung zu gestalten bedeutet, sich selbst gegenüber ehrlich zu sein. Bei der Einrichtung geht es nur bedingt darum, etwas darstellen zu wollen. Möchten Sie wirklich so wohnen wie in einem Berliner oder Kölner Club? Wenn dem so ist, tun Sie es und achten Sie bei der Auswahl der Disco-Kugel darauf, dass sie nicht quietscht, während sie ihre Runden dreht. Und geben Sie dem Dealer, der in Ihrem Badezimmer wohnt, regelmäßig etwas zu essen. Sonst entstehen auf die Dauer gesehen unangenehme Gerüche.

Bedenken Sie bei der Gestaltung: Als Langzeitadoleszenter haben Sie sich jetzt jahrelang um die eigene Achse gedreht und ihre Befindlichkeiten bis in den letzten Winkel mit der Halogen-Taschenlampe ausgeleuchtet. Sie haben darüber nachgedacht, wer Sie sind, woher Sie kommen und wohin Sie gingen, wenn Sie würden gehen wollen. Sie sollten jetzt zumindest zu einem vorzeitigen Arbeitsergebnis gekommen sein. Also ungefähr wissen, was Ihrem Geschmack entspricht und was nicht. Vielleicht haben Sie an diesem Punkt sogar schon ein Bedürfnis für Kontinuität entwickelt, sodass das eine oder andere Erbstück aus Familienbesitz Eingang in Ihr Wohnzimmer findet. Falls es keine Erbstücke gibt, gehen Sie zum Trödel und behaupten hinterher einfach, dass dieses gute Stück ein hölzern-gedrechselter Ausdruck Ihres Stammbaumes ist. Machen die anderen auch so. Eine Schleiflack-Kommode lässt sich mit etwas Mühe ebenfalls durchaus adrett herrichten, und den Ohrensessel im Stile des Gelsenkirchener Barocks von Tante Inge kann man mit hübschen Stoffen neu beziehen.

Als Erwachsener hat man eine autonome Identität entwickelt, die ohne laut vorgetragene Ressentiments gegenüber den Altvorderen und ihrem Lifestyle auskommt – und ihn auch nicht eins zu eins imitiert. Sie wollen doch nicht, dass Ihr Wohnzimmer genauso aussieht wie das Sprechzimmer Ihrer Mutter. Und ja: Sie legen sich damit vorübergehend fest und müssen damit rechnen, dass diese Wohnung bei Besuchern einen bleibenden Eindruck von Ihnen hinterlässt. Solange dieser Eindruck nicht total täuscht, weil die Gestaltung nicht aufrichtig ist oder ganz einfach nur prätentiös, sollte das aber kein Problem für Sie sein. Legen Sie einfach immer die Zeitschrift *Foreign Affairs* zuoberst auf den Zeitschriftenstapel und brechen Sie das Arrangement mit einer wie absichtslos liegen gelassenen alten Eintrittskarte für ein Kaiser-Chiefs-Konzert ...

Allem (Neu-) Anfang wohnt ein Zauber inne: Plötzlich fühlt sich das Dasein ganz anders an, und neue Möglichkeiten erscheinen am Horizont. Gleichzeitig bedeutet jede Veränderung, und sei es nur ein profaner Wohnungswechsel inklusive Neueinrichtung, eine unzumutbare Anstrengung – aber gerade als Langzeitadoleszenter darf man Veränderungen gegenüber eigentlich nicht feindlich sein, ist doch die Bereitschaft zur Veränderung ein Ausweis von Jugendlichkeit. Haben Sie etwa Angst vor Veränderung und sind klammheimlich bereits uralt? Tun Sie es also einfach. Kaufen Sie Vasen. Sie müssen es ja nicht gleich übertreiben, Bodenvasen sind nur was für Fortgeschrittene. Senfgläser gehören in den Müll und nicht in die Vitrine. Besorgen Sie sich Eierbecher und Salzstreuer, ein vernünftiges Besteck und von mir aus eine Parmesanreibe. All dies sind Dinge, die in einen vernünftigen, funktionierenden Haushalt gehören. Ich selbst habe die Hardcore-Haushaltsszene in dem Moment betreten, als ich mir eine Salatschleuder gekauft habe. Mein Freund ist allerdings anschließend fast vom Glauben abgefallen: »Eine Salatschleuder! Das ist das Erste, was ich damals nach der Wende in einem westdeutschen Haushalt zu sehen bekommen habe. Und ich dachte nur: Diese dekadenten Arschlöcher.« Soll er doch weiter matschigen Salat essen! Die Salatschleuder ist nun mal die Krönung eines ernsthaften Haushaltes. Sie mit sirrendem Seil zu bedienen ist fast so lustvoll, wie auf den Einschaltknopf der Spülmaschine zu drücken.

Nehmen Sie nun bitte die Socken aus Ihrer Umhängetasche und deponieren Sie sie im dafür vorgesehenen Schubfach Ihres Schrankes. Nach Benutzung können Sie die Socken waschen und wieder aufhängen: Es gibt tatsächlich Leute, die ihre Socken nach einem Mal tragen einfach wegwerfen, weil Sie keine Lust auf Waschen und Aufhängen haben. Kein Witz.

## Ein Pop-Roman
## und der neueste Harry Potter

**D**iesen von einem Jung-Dandy verfassten Wälzer in der Nachfolge von Christian Krachts *Faserland* oder Stuckrad-Barres *Soloalbum* schleppen Sie auch mit sich herum. Schlimmer noch: Zwischen seinen Buchdeckeln befindet sich das Drama Ihrer Existenz als Langzeitadoleszenter. Leider kapieren Sie es nicht. Das passiert, wenn man die Dramen des Deutsch-Leistungskurses nicht gelesen und für die Abiturarbeit auf die Zusammenfassungen aus dem Kindler-Lexikon zurückgegriffen hat. Stattdessen aber manisch jeden Band von Harry Potter lesen, ein Buch, das nichts anderes leistet als die Verknüpfung von jugendlichem Bedürfnis nach Drama und der Utopie einer gelungenen Bildung. Harry Potter lesen ist schlicht ein regressiver Akt. Zu spät. Lesen Sie Proust oder Joyce oder Thomas Mann. *Der Tod in Venedig* ist viel beklemmender als der, dessen Name nicht genannt werden darf. Zeugen Sie ein oder mehrere Kinder, dann haben Sie auch einen vernünftigen Grund, Joanne K. Rowlings Vermögen zu mehren, nämlich indem Sie Ihren Kindern aus dem Buch vorlesen. Das wäre dann auch in Zukunft der einzige Grund, sich in der Kinder- und Jugendbuchabteilung Ihrer Buchhandlung herumzudrücken. Da dürfen Sie nicht mehr hin. Auch der Themen-Tisch »Junges Leben« ist bitte fürderhin zu meiden.

Die zahllosen Pop-Romane von jungen Herren und Damen aus den gehobenen Ständen werden späteren Generationen von Germanisten und Historikern einmal dazu dienen, den Geist jener Zeit zu verstehen und einzuordnen, in der Sie jung waren. Man wird vermutlich zu dem Schluss kommen, dass es sich um ein Phänomen des »Millennium«-Fin-de-Siècle gehandelt habe. Einer Zeit, in der lauter verwirrte Ich-Maschinen wie Flipperkugeln in einem quadratischen Kreis frei flottierten. Die Historiker und Germanisten werden sich diesem kulturellen Geschehen übrigens nicht widmen, weil sie diese Zeit, also Ihre schönen Jugendjahre, so wahnsinnig einzigartig-großartig finden, sondern um ihre eigene Gegenwart zu verstehen – vielleicht in der vagen Hoffnung, aus diesem Wissen Schlüsse für die Zukunft ziehen zu können. Es scheint, dass das Leben auch ohne einen weitergeht – warum dann das Zahnrädchen mimen, das den Lauf der Dinge hemmt?

Die Wissenschaftler werden herausfinden, dass es sich bei Ihnen größtenteils nicht wirklich um bohemistisch verruchte, Absinth schlürfende Dandys gehandelt hat, sondern um Kinder mehr oder weniger »kleiner Leute«, die in der zweiten Generation von der Bildungsreform der 70er profitiert haben und dementsprechend in einer Beton-Uni studierten, die mit postmodernem Farbtheater von ihrer Tristesse ablenken wollte. Auch wenn Ihre Eltern Ärzte oder Oberstudienräte waren und dem oberen Mittelstand angehören: Ein richtiger Dandy hat es aufgrund seiner sozialen Herkunft oder der entsprechend glaubwürdig dekadenten Lebenseinstellung nicht nötig, sich am »Rat Race« zu beteiligen. Aber Sie haben Ihre Hausaufgaben dann ja doch gemacht, wenn auch auf dem letztem Drücker. Spätere Ahnenforscher werden auch kühlen Blickes feststellen, dass Ihre Generation einfach nur Pech hatte, weil sie immer irgendwie zu spät kam und pünktlich nur ihr Debüt zum falschen Zeitpunkt antrat: zu Beginn einer Rezession. Tatsächlich trank man denn auch eher billigen Pastis aus dem Supermarkt. Schmeckt so ähnlich und dröhnt auch ganz ordentlich. Wenn man sich am Morgen danach die Zähne putzt, ist man zudem gleich wieder besoffen.

Eine Aufgabe für den Deutsch-Leistungskurs des Abiturjahrgangs 2040 wird lauten: »Erörtern Sie, warum in der Pop-Literatur der Jahrtausendwende adelige Autoren und Autorinnen überrepräsentiert waren.« Ich habe die Antwort aus dem Lehrerhandbuch für Sie abgeschrieben, können Sie sich für Ihre Enkel aufheben: »Es ist eben der Adel, der seit jeher kompetent in Fragen des gepflegten Nichtstuns ist, während der (Klein-)Bürger immer dazu angehalten ist, fleißig und strebsam zu sein. Während der Jahrtausendwende traten daher junge adelige Autoren an, um dem Lebensgefühl einer Generation Ausdruck zu verleihen, die davon träumte, ein Leben im Müßiggang zu pflegen – auch weil sie glaubte, nichts zu tun zu haben.«

Wenn Sie erwachsen werden wollen, ist es sehr praktisch, diesen Schritt der Historisierung und Einordnung schon jetzt vorzunehmen und nicht auf Ihre Enkel zu warten. Sonst werden Sie am Ende gar keine Enkel haben. Setzen Sie sich mit Freunden zusammen und erzählen Sie Geschichten von früher. »Damals« ist das Stichwort, denn erst dann wird deutlich, dass diese Zeit vorbei ist. Sie dürfen gerne die rosa Brille aufsetzen und diese Jahre in den schönsten Farben ausmalen, die Sie sich nur vorstellen können. Verklärung ist erlaubt, wenn sie denn der endgültigen Archivierung dieser Periode Ihres Lebens dienlich ist. Lassen Sie einfach die Zukunftsängste und Krisen, die depressiven Phasen der Verstimmung und der Langeweile weg und konzentrieren Sie sich auf die schönen Momente, als es Ihnen wirklich so schien, als ob Sie sich in Ihrem Freundeskreis für immer geborgen fühlen konnten, dass es die Illusion eines »Wir« tatsächlich mal gab: »Wir« machen alles anders, »wir« machen aus unserem Leben etwas Besonderes und gehen andere, unkonventionelle Wege. Adoleszente brauchen dieses Herdengefühl nun mal, denn sie haben zwar ihre Kernfamilie hinter sich gelassen, brauchen aber auf dem Weg zum Ich vorübergehend eine Peer-Group.

Für die meisten älteren Menschen ist ihre Jugendzeit die schönste in ihrem Leben, weshalb sie sich im Alter gerne mit gleichaltrigen Überlebenden zusammensetzen und von früher erzählen. Freuen Sie sich also, dass Sie eine doch recht schöne, behütete Jugendzeit hatten. Ohne Krieg und wirklich existenzielle Not. Während des Erzählens wird Ihnen wahrscheinlich der ironische Satz »Opa erzählt vom Krieg« durch den Kopf schießen, mit dem Sie früher die Erinnerungen alter Menschen belächelt haben. Und Sie haben damit völlig recht: In Ihrem Leben haben Sie Dinge erlebt, die sich Jüngere nicht mehr vorstellen können. Sie waren dabei, als die Berliner Mauer fiel, zumindest vor dem Fernseher. Ihre ersten Computer-Dateien haben Sie noch auf Ton-Kassetten gespeichert. So alt sind Sie schon.

Haben Sie schon mal darüber nachgedacht, warum Ihnen Ihre Eltern und Großeltern so vieles nachgesehen haben? Ihre Unentschiedenheit, Ihr gepflegtes Phlegma, Ihren kostspieligen Drang, die Welt zu erobern und mit dem eigenen Auto auf Europa-Tournee zu gehen? Sie haben es Ihnen gegönnt, und zwar nicht ganz uneigennützig. Ein Fall von familiärer Delegation: Sie hatten all die Freiheit, die Ihre Eltern nicht hatten, den Wohlstand, die Optionen. Und all das sollten, mussten Sie stellvertretend ausleben – auch wenn Ihnen das niemals jemand offen gesagt hätte, denn dann funktioniert das Spiel ja nicht mehr. Den Gefallen haben Sie Ihren Altvorderen netterweise getan. Aber irgendwann möchte man ja vielleicht doch die Leitung in jenem Unternehmen übernehmen, das man Leben nennt.

Übrigens ist der Spruch »Wer sich an die 90er erinnern kann, ist nicht dabei gewesen« nur eine Fortführung desselben Bonmots aus den 70er und 80er Jahren – richtig zutreffend ist er übrigens nur für die 30er und 40er Jahre. Der Spruch ist eine Chiffre für den Stolz einer bestimmten Generations-Kohorte, es sich während ihrer jungen Jahre besonders effizient gegeben zu haben, auch weil sie die Zeit und das Geld dazu hatten: »Warst du nicht fett und rosig, warst du nicht glücklich? Was hat dich bloß so ruiniert?« So besang die Hamburger Diskurs-Band Die Sterne treffend genau diese Kollektiv-Attitüde des Coming of Age. Die Praxis jener Selbstzerstörung, die von einem Kapital namens Jugend zehrt. Ein gesunder, mit hochwertiger Ernährung hochgepäppelter Körper, ein dank Bildungsreform oder aufgrund sowieso bildungsbürgerlicher Herkunft kommod gestalteter Geist, der auf die Welt losgelassen wurde – in der Annahme, dass sie einem gehört. Vor allem, weil man mit 18 oder 19 alles, aber auch wirklich alles begriffen, durchdrungen und verstanden hat. Man ist in diesem Alter so alt wie die Welt. In meinem Fall folgte im Anschluss ein Musik-induzierter Hörsturz, der mir bis heute tinnitös hinterherpfeift, vielleicht um mich an ein Drogeninduziertes, knappes Vorbeischrammen an einer Psychose zu erinnern. Oder als Erinnerung daran, dass man mit 18 oder 19 eigentlich gar nichts begriffen, durchdrungen oder verstanden hat, sondern einfach nur knalljung war.

Verdrängen Sie die 90er nicht, denn es ist die Zeit Ihres Jungseins. Florian Illies *Generation Golf* erschien auf dem Gipfel dieses Lebensabschnittes, also im Jahr 2000. Dieses Jahr war das Schwellenjahr, in dem Sie spätestens hätten handeln müssen, denn Ihre Jugend war zu diesem Zeitpunkt genau genommen vorbei. So, wie die 90er vorbei sind. Aber Illies hatte damals schon richtig prognostiziert, dass es Probleme beim Wechsel zum Lebensabschnitt Haus-Volvo-Golfklub-Familie (was exakt der erwartbaren Zukunft der von Illies beschriebenen Babour-Jacke-Golf-Cabriolet-Kohorte entspricht) geben würde. Damit verhält es sich so wie mit allem, was mit Ihrer Generation zusammenhängt: Es läuft niemals selbstverständlich ab. Es gibt diese Selbstverständlichkeiten auch nicht mehr.

Nehmen Sie bitte sowohl den Pop-Roman als auch den Harry Potter aus Ihrer Umhängetasche. Zusammen sind die mindestens so schwer wie der Diercke-Schulatlas. Und schreiben Sie fortan fleißig weiter an Ihrem eigenen, ganz persönlichen Lebensroman. Vielleicht wird es eine opulente Familiensaga oder auch ein Thriller, ein Bildungsroman mit offenem Ende oder ein atemberaubender Band mit Kurzgeschichten. Aber bleiben Sie an Ihrem eigenen Thema dran.

# Ein weißes MacBook

**D**en 90er Jahren mit ihrem künstlichen Wiedervereinigungs-Wirtschaftswunder auf Staatskosten und der zu Techno-Musik vorgetragenen Hoffnung auf »Friede, Freude, Eierkuchen«, ihren angeblich unbegrenzten Möglichkeiten und Freiheiten folgte der Crash der New Economy, also der für Sie selbstverständlich attraktiven Idee, reich zu werden, ohne arbeiten zu müssen. Nur wenig später läutete der Einsturz der New Yorker Twin Towers eine lang währende Wirtschaftsrezession ein, und die D-Mark wurde zum Euro. Seitdem sitzen Sie in der Warteschleife, ob nun im oder vor dem Call-Center: »Please hold the line.« Sie haben das Gefühl, nicht wirklich gebraucht zu werden, und das ist einer der Gründe, weshalb Sie Ihre Jugendlichkeit zum Selbstzweck erheben. Sie sind stolz auf Ihren jugendlichen Habitus, den Ihnen vermeintlich niemand nehmen kann – und er gibt Ihnen ein Gefühl von Geborgenheit und Schutz.

Die Staatskassen sind leer, der Sozialstaat wurde einem »Relaunch« unterzogen, der es auch Menschen wie Ihnen viel schwerer macht, denn Sie können nicht mehr einfach ein Jahr irgendwo in einem Verlag arbeiten, sich dann arbeitslos melden und das Arbeitslosengeld als Vorschuss nutzen, um einen Roman zu schreiben – oder als Reisekasse für eine Rucksack-Tour durch Australien. Sogar das Häuschen, das Ihnen Ihre Großmutter wegen der Erbschaftsteuer schon jetzt überschrieben hat, müssten Sie herausrücken, um weiter in den Genuss von Sozialleistungen zu kommen. Hartz IV bedeutet nicht nur weniger Geld, sondern auch jede Menge Stress. Als

Hartz-IV-Bezieher gehören Sie zwar weiter zu den Agentur-Menschen. Aber die Agentur heißt »Bundesagentur für Arbeit«.

Diese gibt Ihnen etwas Venture-Kapital, wenn Sie sich für die berufliche Selbständigkeit »entscheiden«. Es blieb Ihnen jedoch wahrscheinlich gar nichts anderes übrig, als den Weg der Selbständigkeit zu wählen. Ganz einfach, weil die begehrten Festanstellungen mit Krankenversicherung, Kündigungsschutz und vermögenswirksamen Leistungen für Sie unerreichbar erscheinen. Deshalb schauen Sie auch nie *Anne Will* oder *Maybritt Illner*. Dort sitzen immer Gewerkschafts- und Parteivertreter, die über Dinge verhandeln, die nichts mit Ihnen zu tun haben: Rahmen- und Manteltarifverträge, Wochenarbeitszeitbegrenzung, Mindestlohn. Alles Dinge, die Sie tatsächlich nicht betreffen, denn Sie gehören wahrscheinlich nicht zu jener Gemeinde der Festangestellten, die Teil dieses Szenarios sind. Die Gesellschaft, in der Sie leben, teilt sich mittlerweile in Drinnen und Draußen: im System oder nicht im System.

Sie sitzen stattdessen mit Ihrem weißen Mac, den Ihre Eltern oder Großeltern Ihnen als Anschubfinanzierung für Ihre Existenz spendiert haben, in einem Café mit Hot Spot-WLAN, halten sich den ganzen Tag an einem Café Latte fest und versuchen, irgendwie Geld zu machen. Vielleicht simulieren Sie aber auch nur und surfen stattdessen auf Porno-Seiten herum. Die Mode, solche Tätigkeiten – Webdesign, Werbung, Marketing, Concepting, Consultancy whatsoever – öffentlich in ebenerdigen Ladengeschäften mit riesigen Schaufenstern auszustellen, ist längst überholt. Die Digitale Boheme erledigt das, was sie Arbeit nennt, nun tatsächlich im öffentlichen Raum, also in der Gastronomie. Weil es noch billiger ist als ein Büro anzumieten. Das Büro können Sie nämlich schon lange nicht mehr finanzieren, weil trotz beharrlicher Arbeit keine Honorare hereinkommen. Das liegt auch daran, dass es zu viele Menschen gibt, die hoffen, mittels ihrer Kreativität längerfristig irgendwo landen zu können. Das verdirbt ganz einfach die Preise. Zudem: Niemand bezahlt heute seine Rechnungen pünktlich. Sie ja auch nicht. Die ganze Welt ist stattdessen im Dispo.

Ihre Kollegen und Sie selbst sind jederzeit bereit, einen Entwurf oder ein Konzept unentgeltlich zu liefern, solange der Auftraggeber einigermaßen namhaft ist und die leise Hoffnung einer Anstellung offeriert. Diese Hoffnung existiert meist nur in Ihrem Herzen, denn die dortigen Auftraggeber sind zwar froh, einen Schreibtisch mit Stuhl ergattert zu haben, sind aber auch entschlossen, diesen bis aufs Messer zu verteidigen. Wenn diese Menschen, die mit Mühe und Not das rettende Ufer erreicht haben, ihren Sessel behalten wollen, müssen sie ihren Chefs ständig prickelnde, neue Ideen liefern. Die haben sie aber nicht mehr jeden Tag, weil sie sich nicht mehr die Nächte um die Ohren schlagen und Drogen nehmen und sich Gedanken über Gott und die Welt machen und nachts bei Laternenlicht und Dosenbier den Vollmond anheulen.

Stattdessen machen sich die Fest- oder nur befristet Angestellten Gedanken darüber, wie sie es schaffen, dass ihr Nachwuchs nicht in die Grundschule mit den vielen Migrantenkindern gehen muss, die zum Interieur des Szenebezirks gehören, in dem man gerade eine Dachgeschosswohnung auf Pump gekauft hat. Es ist gar nicht so leicht, eine Europa-, Waldorf- oder Privatschule zu finden, die den kleinen Prinzen und Prinzessinnen gemäß ist. Zudem müssen sowohl die Wohnung als auch der persönliche Look und der Körper ständig aktualisiert, also auf den neuesten modischen Standard gebracht werden. Es sind auch Langzeitadoleszente, allerdings hat die Umhängetasche viel mehr gekostet als Ihre. In der Dachgeschosswohnung eines solchen »arrivierten Kreativen« sah ich einmal einen Schrein: ein Helmut-Newton-Bildband im Wert von mehreren tausend Euro, der auf einem Notenständer aufgebahrt war. Daneben waren Kerzenständer drapiert, ganz nach der Art eines Altars. Sich so etwas auszudenken, erfordert viel Energie, Zeit, Geld und schlechten Geschmack. Zudem gilt es, Gäste mit erlesenen Menüs zu beeindrucken, weshalb man mit dem Volvo durch entlegene Dörfer fahren muss, um Stubenküken zu finden, die ausschließlich mit Bärlauch gefüttert wurden. Es sind erfolgreiche Bobos, Bourgeois Bohemians, die total »jugendlich rüberkommen« und dafür total viel Geld ausgeben: für Schönheitsoperationen und runtergekommene Jeans im Wert eines Einfamilienhauses.

Sie sehen also: Ihre Auftraggeber haben keine Zeit, Ideen für den Beruf zu entwickeln, deshalb greifen sie lieber gleich auf Ihre zurück. Leider gibt es dafür, in Zeiten nicht nur leerer Kassen, sondern auch knapper Budgets, kein Geld. Also kein Bärlauch-Stubenküken für Sie. Sie schaffen es also nicht mal auf den Status eines Bobos, denn Sie verfügen nicht über die entsprechenden Mittel. Stattdessen können Sie froh sein, wenn Ihr Name im Abspann oder sonst wo unter »ferner sangen« auftaucht. Wenn Sie Pech haben, können Sie sich Ihre erfolgreich umgesetzte Idee einfach nur in die Mappe kleben. Wiederum in der Hoffnung, dass diese Mappe jemand sehen will. Sie können diese Leute hassen und verwünschen. Nützt aber nichts. Sie gehen so mit Ihnen um, weil sie es können. Denn zuvor haben sie sich den Sessel und den Schreibtisch auf irgendeine Art erobert, sei es mit lauteren Mitteln oder anderen. Der öffentlich-rechtliche Rundfunk ist zum Beispiel mittlerweile ein dynastischer Großbetrieb. Wer dort arbeiten will, sollte erst mal die entfernte Verwandtschaft nach Angestellten im WDR-Archiv überprüfen. Ein Intendant wäre noch besser.

Ihr Problem besteht unter anderem darin, dass Sie am kürzeren Hebel sitzen und deswegen andere Ihre Hoffnungen und Träume ausbeuten können. Wenn Sie für Ihre Arbeit, welcher Natur sie auch immer sei, nicht den entsprechenden Lohn einfordern, dann werden Sie entsprechend behandelt. Man nimmt Sie und Ihre Arbeit einfach nicht ernst. Ihre Arbeit ist nichts wert. Auch hier herrscht das Prinzip von Angebot und Nachfrage, es ist wie in der heimatlichen New-Wave-Dorfdisco von früher. Wer sich jemandem auf der Tanzfläche aufdrängt, bekommt fast immer einen Korb. Wer sich interessant macht und dem begehrten Gegenüber suggeriert, dass er begehrenswert ist, bekommt eher einen Blumentopf. Im bundesdeutschen Grundgesetz wurde leider verabsäumt, ein Recht auf Glück zu verankern. Und nirgendwo steht geschrieben, dass einem irgendein angestammter, fester Platz gehört. Es sei denn, Sie tragen tatsächlich einen Adelstitel und erben demnächst ein Schloss in Brandenburg. Dann haben Sie allerdings ein Problem mit der Heizölrechnung. Haben Sie denn ernsthaft ein Leben lang darauf hingearbeitet, erfolglos zu sein? Das kann durchaus ehrenwert und glücksversprechend sein – wenn man starke Nerven hat. Falls dem nicht so sein sollte: Seien Sie stark und mutig. Glauben Sie an sich und machen Sie sich klar, dass die anderen auch nur mit Wasser kochen, wenn Sie nachts um vier schlaflos im Bett liegen, weil Sie Zukunftsängste haben. Und vor allem: Lassen Sie sich das nicht gefallen. Lassen Sie sich nicht das Nutella vom Brot kratzen.

Denn viel schlimmer als das, was oben blockiert ist, ist nur noch das, was von unten nachdrückt: die tatsächlich noch Jungen. Während Sie dabei sind, das kritische Alter für ein Praktikum, 30, zu überschreiten oder es längst überschritten haben, stehen 25-Jährige mit Hochschulabschluss, fünf Fremdsprachen und drei Jahren Auslandserfahrung am Start. Und im Gegensatz zu Ihnen sind die wirklich wild entschlossen. Hungrig. Die wissen genau, dass sie im Ernstfall nur zwei

Wochen haben, um sich irgendwo festzukrallen. Sie treten dementsprechend nassforsch bis dreist auf. Das kann sehr unangenehm sein, ist aber zum Beispiel im Bereich des deutschen Privatfernsehens, das hauptsächlich von Praktikanten, Trainees, Volontären und Menschen mit Projekt-Verträgen gemacht wird, eine erfolgreiche Strategie. Auch weil die dortigen Berufsjugend-Vampire immer frisches, junges Blut brauchen.

Im letzten Jahrhundert hatte ich mal die Ehre, eine Hospitanz bei *ARD-Aktuell* in Hamburg machen zu dürfen. Damals wurden dort noch die Ticker-Meldungen von so genannten Runnern zu den Schreibtischen der Redakteure gebracht. Also auch zu mir, und ich hatte Glück, nicht von einem dieser ebenfalls auf eine Hospitanz hoffenden Runner umgebracht worden zu sein. Die Konkurrenz war schon immer hart, aber damals, im letzten Jahrhundert, als es bei *ARD-Aktuell* noch Gummibäume gab, versuchte man noch, möglichst ohne Lärm, Eindruck durch fleißige Arbeit zu hinterlassen. In meinem Fall war der Lohn ein mit spitzem S hervorgepresstes: »Gar nicht mal so schlecht« des damaligen CVDs. Die Heiligsprechung für eine halbwegs ordentlich redigierte Tickermeldung, die sogar von einer gewissen Eva Herman verlesen wurde. Die es, nun ja, auf ihre Art auch geschafft hat. Heute treten die PraktikantInnen mit dem festen Anspruch an, die Tagesthemen moderieren zu wollen. Und schaffen es vielleicht sogar, während Sie schon längst zu alt sind, um noch zielgruppenkompatibel zu sein. Oder Sie wurden von einem Runner mit einem Triax-Kabel erwürgt und in der Alster versenkt.

Es besteht also Handlungsbedarf. In der Politik würde man sagen: Zeit für einen Maßnahmenkatalog. Sie müssen ein Reformpaket schnüren. Eine individuelle Agenda 2.0 entwerfen. Falsch war im Prinzip schon die Wahl Ihres Arbeitsgerätes, das Sie durch die Straßen tragen. Der Mac ist sehr schön und hat ein atmendes kleines Lämpchen und ist Ausdruck einer der Ästhetik zugeneigten Lebens- und Arbeitsweise. Zugleich ist er Sinnbild Ihres kreativen Schaffens zwischen Internet, Visual Art und Klanginstallation. Sinnbild Ihrer Auffassung eines gelungenen Lebens, das Arbeit und Privatleben widerspruchslos ineinandergleiten lässt und so erfüllt ist wie Ihre Festplatte, auf der sich Playlists und Konzepte auf engem Raum drängen. Und er ist viel zu teuer.

Bei Licht betrachtet könnten Sie sich aus eigener Kraft höchstens ein Gerät der Aldi-Klasse leisten, das auf der funktionalen Ebene auch ausreichen würde. Ihr heiliger Mac ist hingegen nicht nur sehr teuer, sondern auch sehr anfällig. Bei meinem eigenen ging neulich nach nur einem Jahr die Tastatur kaputt, genau einen Tag nach Ablauf der Garantie. Die Reparatur nahm insgesamt drei Wochen in Anspruch. Drei Wochen sind fast ein ganzer Monat, der gewisse Kosten verursacht, die zu erwirtschaften man ein Arbeitsgerät braucht. Im Mac-Store sagte man mir dann auf Anfrage, dass ich selbst schuld sei, denn die Macs würden so sehr gehypet, dass aufgrund überlasteter Kapazitäten die Qualität nicht mehr gewährleistet werden könne. Skandalöser ist nur noch, dass man bei so etwas mitmacht. Pelikan oder Geha, dieser ganze Blödsinn eben, den man immer noch so wichtig nimmt. Immer noch Angst, von den Klassenkameraden ausgelacht und gemobbt zu werden, weil man das falsche Federmäppchen hat. Erwachsene Menschen sollten sich von diesen Grausamkeiten der Kinderzeit längst emanzipiert haben. Also: Mut zu Medion.

Diesen Rechner tragen Sie nun nach Hause und bringen ihn mit Ihrem DSL-Anschluss in Verbindung, den Sie zuvor beantragt haben. Sie können diesen Anschluss teilweise von der Steuer absetzen, und er ist so wichtig wie Ihre Versorgung mit Strom, Gas, Wasser und Bionade. Schluss mit den Netzschwankungen im Café, weil jemand gerade alle Folgen von *24* runterlädt, Schluss mit den mürrischen Blicken der Bedienung und den Rückenschmerzen aufgrund der schlechten Haltung, die der Lounge-Einrichtung mit niedrigen Tischchen Ihres »Arbeitsplatzes« geschuldet ist. Sie haben schon genug Rückenschmerzen wegen der Umhängetasche, und eine physiotherapeutische Behandlung kostet Geld, das Sie nicht haben, weil Sie schon längst nicht mehr krankenversichert sind. Ihr Budget erlaubt diese monatlichen Ausgaben nicht. Denken Sie, weil Sie immer noch davon ausgehen, einen jugendlichen Körper zu haben. Wenn Sie ein Auto in Ihrem Alter führen, wären Sie jedoch ganz bestimmt bereit, den monatlichen ADAC-Beitrag zu zahlen. Falls Sie mal liegen bleiben.

Wenn Ihnen Ihr Rechner signalisiert, dass Sie eine Netzverbindung haben, fangen Sie an, nach Stellen zu suchen. Überall in Deutschland. Auch in Erfurt, Hannover und Osnabrück. Sie wollen nicht nach Osnabrück? Wussten Sie, dass dort statistisch die glücklichsten Menschen Deutschlands wohnen? Vielleicht gehören auch Sie bald dazu. Das geht aber nur, wenn Sie eine Entscheidung treffen.

Zu dieser Entscheidung gehört eine ernsthafte, womöglich sehr bittere Auseinandersetzung mit sich selbst. Ein mir bekannter Künstler erklärte mir vor Jahren, dass er beschlossen habe, einen »ordentlichen Beruf« auszuüben, falls er es bis Mitte 30 nicht geschafft haben sollte, mit seinem Talent zu reüssieren. Er ist nun für die Öffentlichkeitsarbeit einer Stiftung zuständig und hat gerade das zweite Kind in die Welt gesetzt. Ein anderer ist auf Umwegen nochmal davongekommen: Er heiratete eine verbeamtete Oberstudienrätin und wohnt nun in einem Vorort von, jawohl, Hannover und verbindet sein künstlerisches Schaffen mit seiner Tätigkeit als Hausmann. Ein Schauspieler aus dem Bekanntenkreis musste um sein 30. Lebensjahr herum erkennen, dass er aufgrund seiner nicht-deutschen Herkunft im deutschen Fernsehen ausschließlich als kriminelle Ghetto-Nase besetzt wird. Er war sich dafür irgendwann zu schade, begann ein Studium und verdingt sich nun hinter der Kamera. Ein Einziger aus dieser Gang hatte Erfolg in dem Sinne, dass er sich am Kunstmarkt hat durchsetzen können, und es wäre klug gewesen, damals eines seiner Bilder zu kaufen. Jetzt kann ich ihn mir nicht mehr leisten – wobei seine Exponate auch nicht unbedingt mit dem Farbkonzept meiner Wohnung korrespondieren würden. Moderner Künstler zu sein ist eben auch nicht immer so romantisch, wie man sich das vorstellt. Man ist den Bedürfnissen des Marktes ausgeliefert und kann sich höchstens vom Feuilleton trösten lassen, das den Trend zum Dekorativen in der Kunst geißelt. Auch das Leben als Künstler besteht aus Hauen und Stechen, und das nicht nur in der Abteilung Skulptur.

Ehrlich zu sich selbst zu sein kann sehr, sehr schmerzhaft sein. Schlimmer als alle Verletzungen, die einem von Mitmenschen angetan werden. Das Gute daran ist, dass man auf diesem Wege nicht zum Opfer wird und sich in dieser so bequemen Rolle wiegen kann, sondern im Ergebnis zum Täter, also endlich Handelnden. Der Krawallschreiber Franz-Josef Wagner, Bild-Kolumnist, ließ zum Beispiel erstmals ein zutiefst menschliches Antlitz erblicken, als er in einem Artikel über seinen tragisch ums Leben gekommenen Schriftsteller-Freund Jörg Fauser bekannte, dass es bei ihm selbst leider nicht zum Schriftsteller gereicht habe und er deshalb Journalist geworden sei. *Confessiones* eines älteren Herrn, verdammt ehrlich aus der sicheren (?) Retrospektive.

Viel schwieriger ist es, sich diesen Fragen zu stellen, wenn es um das »Hier und Jetzt« geht. Die Boheme, digital oder analog, lebt von dem Anspruch, eine künstlerische oder doch lebenskünstlerische Existenz abseits, aber doch am Rande des Bürgerlichen zu führen. Doch nur sehr wenigen Menschen ist es vergönnt, diesen Anspruch wirklich umzusetzen. Es gibt auch nur sehr wenige Menschen, die tatsächlich den Mut haben, eine solche Existenz zu führen. »Ausnahmemenschen, die den Reiz einer Durchschnittswelt ausmachen, die sie ausstößt«, wie der französische Künstler Jean Cocteau diesen Zusammenhang treffend benannte. Ein Sinnsprüchlein, das Wasser auf den Mühlen einer jugendlichen Befindlichkeit ist. Der Jugendliche fühlt sich während der Ausbildung seiner Identität abgesondert und allein – ausgestoßen. Er schwankt zwischen zermürbenden Selbstzweifeln und Hybris, zwischen Selbsthass und dem dringenden Bedürfnis, der Welt mitzuteilen, was Sie und vor allem ihn selbst im Innersten zusammenhält. Wenn dann auch noch ein gewisser Andy Warhol erzählt, dass jeder Mensch ein Künstler sei und das Zeug habe, berühmt zu werden – und sei es nur für zehn Minuten –, dann ist man dem Missverständnis, dem weite Teile der bundesrepublikanischen Mittelstandsjugend erliegen, schon sehr nahe. Es ist das gleiche, leider oft sehr tragische Missverständnis, dem die Fans von *Deutschland sucht den Superstar* erliegen und das den Eignern der Produktionsfirma Endemol Millionen um Millionen bringt. Jeder Mensch möchte etwas Besonderes sein, einzigartig unter den Vielen. Tragisch ist vor allem, dass so viele Menschen nicht glauben wollen, dass Sie tatsächlich etwas Besonderes sind. Als ob dies erst wahr würde, wenn man im Fernsehen auftritt.

Setzen Sie sich mal mit einem Glas Rotwein und einer Schachtel Gitanes auf Ihr neues Sofa und fragen sich erstens, ob Ihre Kreativität ausreicht, um damit Ihren Lebensstandard zu sichern. Fragen Sie sich zweitens, ob auf den Quellen Ihrer Schaffenskraft genug Druck ist, um davon eine Existenz zu bestreiten. Sind Sie hinreichend beschädigt, narzisstisch gekränkt oder sonst wie vorbelastet, um den entsprechenden Willen zur Selbstentäußerung und einen soliden Geltungsdrang aufzubringen? Auch wenn Sie sich eine konträre Kunstauffassung angeeignet haben: Passt sie zu Ihrem Leben? Falls dem nicht so sein sollte, ist es an der Zeit, sich einem unaufgeregten, durchschnittlichen Leben zu stellen. Auch das kann ein Abenteuer sein. Oder aber, Sie entschließen sich tatsächlich, alles auf eine Karte zu setzen und den Durchbruch zu wagen. Mit einer halbgaren Attitüde kommt man da nicht allzu weit. Die Musikerin Annette Humpe hat Erfolg mal als Kuchen definiert, bei dem keiner der Anteile fehlen darf, wenn das Backwerk nicht misslingen soll: Man nehme ein Viertel Talent, ein Viertel Fleiß und Durchsetzungsvermögen, ein Viertel Intelligenz und ein Viertel Glück. Haben Sie alles beisammen? Beäugen Sie Ihren Kuchen mal kritisch und überlegen Sie dann, ob Sie doch lieber auf Coppenrath & Wiese zurückgreifen, Ihre Zutaten ergänzen oder die Bäckerei an den Nagel hängen, weil die Kundschaft ausbleibt.

Die Grundlage eines so genannten »unaufgeregten, durchschnittlichen« Lebens ist ein Beruf. Ein eigenes funktionierendes Unternehmen, das einen Gewinn erwirtschaftet. Sie müssen arbeiten. Alle müssen das, und nicht alle haben die Möglichkeit dazu. Falls Sie also aufgrund Ihrer Ausbildung oder Ihrer Fähigkeiten die Möglichkeit haben sollten, einen Arbeitsplatz zu erhalten, ergreifen Sie die Chance, anstatt den Job sausen zu lassen, weil Sie lieber eine Band gründen wollen, für die es keinen Proberaum gibt und noch immer keinen Drummer. Falls dieser Job unterhalb Ihres Qualifikationsniveaus angesiedelt ist: Nehmen Sie ihn trotzdem an, denn was nützt es schon, ein Erste-Klasse-Ticket zu haben, wenn der Zug gerade abgefahren ist? Wenn Sie einmal auf dem Karussell drauf sind, können Sie immer noch versuchen, während der Fahrt einen anderen Platz zu ergattern.

Noch eine kurze Lautsprecherdurchsage für Lehramts-Referendare und Anwärter im Wartesaal: Wenn Sie schon auf Nummer sicher, nämlich auf Lehramt studiert haben, dann schlagen Sie sich jetzt sofort die Idee von der eigenen Plattenfirma oder dem Concept-Store »Kakteen und Gebäck aus Italien« aus dem Kopf und treten Sie das Referendariat an bzw. kümmern Sie sich um eine Stelle. Wenn Sie erst mal verbeamtet sind, können Sie so viele Kakteen züchten und Plätzchen backen, wie Sie wollen. Bei diesen vielen Urlaubstagen und diesem Gehalt. Es ist noch nicht zu spät. Freuen Sie sich doch, dass Sie einen Beruf ausüben können, der der Gesellschaft nützt, anstatt ihr Schaden zuzufügen. Klar, Sie können junge Menschen auch verändern, indem Sie sie mit Werbekampagnen für Schokolade und immer neuen Klingeltönen infiltrieren – aber es ist in unser aller Interesse, wenn die Heranwachsenden auch noch das Alphabet können (!) und en passant den einen oder anderen humanistischen Wert vermittelt bekommen. Und das mit den Nachthemden, die Sie am helllichten Tag spazieren getragen haben, hat niemand gesehen. Ich sage es auch nicht weiter. Für die Nichtlehrer unter den Lesern: Unterlassen Sie bitte sofort die Unart, jedes Mal *Another Brick in the Wall* aufzulegen, wenn Lehrer bei einer Party den Raum betreten. Das ist Mobbing. Außerdem können die Ihnen vielleicht mal was leihen, wenn Sie wieder pleite sind.

Wo wir schon beim Gehalt und der Verbeamtung sind. Den Schlüssel zu Ihrem Elternhaus haben wir auch deshalb von Ihrem Schlüsselbund entfernt, damit Sie sich nicht weiter darauf verlassen, dieses Haus irgendwann mal zu erben. Und auch nicht die Zweit- oder Drittimmobilie, die Ihre Eltern im Schweiße ihres Angesichts aus dem Boden gestampft haben. Falls Sie zu den Privilegierten gehören, die einmal etwas erben werden, bedenken Sie Folgendes: Neben der Erbschaftsteuer und etwaigen erbberechtigten Kindern, die in jener Zeit entstanden sind, als man die freie Liebe feierte und von denen Sie leider erst zur Testamentseröffnung erfahren werden, droht weiteres Ungemach. Stellen Sie sich nur mal vor, dass Ihre Eltern zum Pflegefall werden. Längerfristig. Wollen Sie dann heimlich den Stecker ziehen, weil Sie verabsäumt haben, sich um Ihre Rente zu kümmern? Und haben Sie schon mal daran gedacht, dass die Preise für die Einfamilienhäuser in Provinz-Vororten längerfristig ziemlich ins Rutschen geraten dürften, weil es immer weniger Menschen gibt, die in solchen Häusern wohnen wollen? Und auch, dass deren Bausubstanz aus den 60er, 70er und 80er Jahren stammt und sie dement-sprechend nicht für die Ewigkeit konzipiert sind? Achten Sie beim nächsten Besuch zu Hause auf Schimmelgeruch in den Kellerräumen. Und dann überlegen Sie sich das nochmal mit der privaten Altersvorsorge.

Sie können natürlich auch auf Peter Scholl-Latour hören, der die jungen Menschen auffordert, sich angesichts des Welt-geschehens lieber zu bewaffnen, anstatt sich um die Rente zu kümmern. Wenn Ihnen Weltuntergangs-Szenarien gefallen, bitte. Die Zeugen Jehovas jedoch rechnen zwar jeden Tag mit der Apokalypse, bauen aber trotzdem einen Königreichssaal nach dem anderen. Auf soliden Fundamenten. Man kann eben nie wissen. Und Peter Scholl-Latour hat seine Schäfchen schon längst im Trockenen. Beware of the old men, die haben schließlich nichts mehr zu verlieren. Sie schon.

Als Zwischenschritt, Sie sitzen immer noch auf Ihrer Couch und trinken schweren Rotwein, rauchen dazu unter Umständen die dritte ebenfalls schwere Gitane, hören Sie nun das Album *O. K. Computer* von Radiohead. Trauern Sie, wei-nen Sie, genießen Sie noch einmal das Gefühl, das diese Mu-sik transportiert und das der Singer-Songwriter Rufus Wain-wright einmal als »Die Welt ist mein Aschenbecher«-Gefühl bezeichnet hat. Trinken Sie die ganze Flasche aus und öffnen Sie gerne noch eine zweite. Denken Sie an die verflossenen und gescheiterten Liebesbeziehungen der letzten Jahre, lassen

Sie noch einmal den gesammelten Weltschmerz den Platz in Ihrem Herzen einnehmen, der bislang für ihn reserviert war.

Und am nächsten Tag stehen Sie auf, nehmen eine Kopfschmerztablette und fangen an, Bewerbungen zu schreiben. Ihren Rechner ketten Sie dabei mit einem Stahlseil genauso an den Schreibtisch wie sich selbst. Er wird fortan nicht mehr durch die Gegend geschleppt, denn schon bald werden Sie einen Rechner an Ihrem Arbeitsplatz haben. Die Krisen des Kapitalismus verlaufen zyklisch, in der Regel endet eine Rezession irgendwann, genau so wie ein Lebensabschnitt irgendwann mal zu Ende geht. Die Welt hat vielleicht gar keine Lust, Ihnen als Aschenbecher zur Verfügung zu stehen. Sie ringt schon so mit belastenden Verschmutzungen und hustet Ihnen was. Und die Generationsgenossen mit den so genannten »konventionellen« Lebensläufen haben in ihrer so genannten »Provinz« schon ein Haus gebaut und eine Familie gegründet, während Sie immer noch nicht bei der letzten Folge von »Friends« angekommen sind, obwohl es die Serie schon gar nicht mehr gibt. Die aktuellen amerikanischen Blockbuster-Serien wie »Brothers and Sisters« sind schon einen Lebensabschnitt weiter. Und Sie können nicht mitreden.

# Eine Klemmmappe

**S**ie haben bereits einen Job, und Ihr Arbeitgeber hat Ihnen gerade so viel Arbeit aufgebürdet, dass Sie abends kein gerades Wort mehr herausbringen, wenn Sie mit der Klemmmappe voll liegen gebliebenem Tagwerk nach Hause schwanken, um »Brothers and Sisters« anzuschauen. In dieser Serie gehen (fast) alle Protagonisten einem geregelten Beruf nach, aber Sie identifizieren sich leider – oder eher: notorisch – mit dem Jüngsten, der immer noch nichts auf die Reihe bekommt, weil er aufgrund seines Afghanistan-Kriegseinsatzes traumatisiert ist. Waren Sie denn überhaupt schon mal in Afghanistan?

In Wirklichkeit stehen Sie jedoch schon mitten im Leben, wie man zu jenen Zeiten zu sagen pflegte, als sich noch keine Schlangen vor den Tempeln des Jugendkultes bildeten. Und sind damit manchmal überfordert. Sie sind einer der wenigen Jüngeren, denen man einen Stuhl zugeteilt hat. Und weil es besser für das Image einer Firma ist, junge, dynamische, frische Kräfte auf der mittleren und oberen Führungsebene zu installieren, ist es auch noch gleich ein Chefsesselchen geworden. Was wiederum Teile Ihrer Untergebenen in den Alkoholismus treibt – weil sie vom Alter her Ihr Vater oder Ihre Mutter sein könnten. Sie selbst fühlen sich den Praktikanten näher, die aufgrund ihrer langzeitadoleszenten Deformation eher Ihre Sprache sprechen. Diese wollen jedoch eigentlich Ihren Chefsessel. Und, haben Sie schon mal versucht, mit Ihrem Team ein Bier trinken zu gehen? Oder möchten Sie doch lieber ein Coaching, weil Sie Angst haben, von Ihrem Team in einem dunklen Hinterhof zusammengeschlagen zu werden, wenn Sie allzu betrunken sind und niemand hinschaut? Gehen Sie mal lieber zum Coaching, denn die Verantwortung lastet gerade ziemlich schwer auf Ihnen. Sie müssen den Praktikanten gegenüber professionelle Distanz wahren und Ihren älteren Mitarbeitern Respekt zollen, ohne jedoch Ihre Autorität an der Garderobe zu deponieren. Mag auch Alexander der Große in Ihrem Alter längst tot gewesen sein: Ein Weltreich zu führen ist für Sie eigentlich noch nicht angemessen. Sie müssen es dennoch tun.

Dem im Wege steht nur, dass Sie immer noch glauben, dass Ausgehen nur in der Woche Spaß macht, weil am Wochenende immer der werktätige Mob tobt. Sie sind der werktätige Mob. Und dem steht – bitte gern – ein Feierabend-Bier zu. Auch zwei. Drei hätten Sie gerne? Solange Sie um 12 im Bett sind, mag das angehen. Sie können ja dafür schon um 18 Uhr anfangen, dann werden es locker fünf. Eine Alkoholfahne am Morgen steht Ihnen jedoch höchstens alle zwei Wochen gut zu Gesicht. Wenn Sie jeden Morgen das Flip-Chart in der Konferenz umwerfen, weil Sie versuchen, sich an ihm festzuhalten, macht das irgendwann keinen »coolen« Eindruck mehr. Wenn Sie nach Lust und Laune behaupten können, dass Sie »heute mal von zu Hause aus arbeiten« können, stehen Ihnen natürlich Tür und Tor zu den Anonymen Alkoholikern offen.

Die Kokserei überlassen Sie bitte Ihren bereits völlig ausgebrannten Kollegen, die vor zehn Jahren genau in Ihrer Position waren und denen nun der Angstschweiß auf der Stirn steht. Eine neue Nasenscheidewand aus Platin übernimmt keineswegs die Kasse, auch wenn das irgendwo auf einer Toilettentür stand. Wenn Sie keine Ideen haben, lesen Sie bitte noch einmal das obige Kapitel *Weißer Mac*. Für Ideen hat man Leute. Kümmern Sie sich mal lieber um das Bärlauch-

Stubenküken für den Intrigantenstadl, den Sie heute Abend mit Kollegen veranstalten. Sie wollen schließlich, erstens, Ihren Sessel halten und, zweitens, versuchen, ihn mit einem noch schöneren zu tauschen. *Macchiavelli für Frauen – gelesen von Hannelore Elsner* reicht übrigens nicht als Vorbereitung. Sie müssen schon zum Original greifen, wenn Sie mit den älteren Kollegen und Kolleginnen mithalten wollen.

Das ist Ihnen zu anstrengend? Sie haben eine Alternative: Machen Sie Ihren Job, tun Sie das, was Politiker immer nur behaupten: »auf die Inhalte konzentrieren.« Manche Politiker sehnen sich tatsächlich danach und lassen sich auf Macht- und Intrigenspiele nur so weit ein als unbedingt nötig. Wenn Sie sich so verhalten, werden Sie feststellen, dass die virtuosesten Strippenzieher irgendwann über ihre eigenen Drähte stolpern. Die erledigen sich von selbst, wenn Sie genug Geduld aufbringen. Es sei denn, Sie werden vorher entlassen: Ganz einfach weil Sie der Jüngste sind und die Tinte auf Ihrem Arbeitsvertrag noch nicht trocken genug ist, um von arbeitsrechtlicher Relevanz zu sein.

Als Langzeitadoleszenter droht Ihnen am Arbeitsplatz noch eine weitere Gefahr: das Verwechseln von Freunden mit Kollegen und das Verwechseln von Beruf mit dem Leben an sich. Insbesondere die Arbeitskultur der »New Economy« hat alles getan, um die Grenzen zwischen Privatem und Beruflichem zu verwischen – in dem klaren Anliegen, das Privatleben der Angestellten zu Gunsten der Firma zu eliminieren. Im New Yorker Stadtteil Manhattan gibt es zum Beispiel nicht nur keine bezahlbaren Wohnungen, sondern auch kein Privatleben mehr. Der Coffee ist nie To Sit, sondern immer To Go, der Lunch ist stets Business, und spät abends nach dem letzten Meeting geht man entweder mit Kollegen ins Fitness-Studio oder in eine Bar. Oder gleich in die Bar im Fitness-Studio. In Manhattan sieht man allerdings auch mit 40 noch aus wie Justin Timberlake kurz nach der Einschulung oder Britney Spears bei ihrem ersten Bühnenauftritt – wobei man wissen muss, dass deren Mutter ihren kleinen Stern schon als Kleinkind auf alle Bretter wuchtete, die auch nur ansatzweise die Hoffnung auf Weltbedeutung versprachen. In Manhattan isst man auch nur Gemüse, das gerade mal gekeimt hat, und Fleisch, das eigentlich noch gar nicht geboren ist. Na und? Sie fliegen höchstens mal nach New York, um sich eine Kitchen Aid zu kaufen oder, wahrscheinlicher, ein Sweat-Shirt bei Abercrombie & Fitch. Sie sind also nur zu Besuch und müssen die Sitten der Eingeborenen nicht übernehmen.

Erwachsene Menschen haben ein solides Bedürfnis nach Privatheit, also auf ein Stück Leben, das mit öffentlichen und offiziellen Anfordernissen nichts zu tun hat – auch wenn Sie das nicht so laut sagen dürfen, wenn Sie Karriere machen wollen. Sie müssen ja nicht gleich nach Dienstschluss Ihre Pantoffeln anziehen, aber der für sein Alter total flippige Buchhalter aus der Personalabteilung muss auch nicht wissen, dass Ihnen Ihr Arzt gerade Diabetes attestiert hat. Zumindest wenn Sie wollen, dass Ihr Arbeitsvertrag nochmal verlängert wird. Billardtisch und Kicker gehören in eine Kneipe oder in Ihren Hobbykeller und nicht ins Büro. In die gemischte Sauna können Sie mit Ihrem freundlichen, 80-jährigen Nachbarn gehen, aber nicht mit Ihren Kollegen.

So, liebe Genossinnen und Genossen von der Straße der Besten: Die Klemmmappe bitte aus der Tasche nehmen. Sie bleibt dort, wo sie hingehört: in Ihrem Büro. Eine Fahrt nach Hause ist doch keine Dienstreise. Oder fahren Sie auch Ihr Butterbrot jeden Morgen mit dem Trolley zur Arbeit?

# iPod

**D**ie selbst ernannte Avantgarde macht auch nichts anderes als die so genannte Nachhut mit den Bausparverträgen. Sie hört im Prinzip ständig das Beste aus den 80er und 90er Jahren, auch wenn nicht Phil Collins draufsteht.

Musikalisch und generell pop-kulturell befinden Sie sich noch immer in einer Retro-Schleife, die Sie mitverursachen, indem Sie keinen Platz für etwas wirklich Neues machen. Sie nehmen den jungen Menschen mit Ihrer bräsigen Berufsjugendlichkeit die Luft zum Atmen, sodass diesen nichts übrig bleibt, als die gleiche Musik zu machen, die Sie gut fanden, als Sie in deren Alter waren. Die Strokes oder die White Stripes sind klassische Beispiele für dieses Phänomen. Ihre Playlist auf dem iPod ist voll mit diesem Mainstream gewordenen Indie-Zeug, das Ihnen dazu dient, sich noch immer in Ihren besten Jahren zu wähnen. Symptomatisch ist auch, dass jeder so einen iPod hat, die wirklich Jungen und leider auch jene Älteren, die ihren Jugendstatus so lange aufrechterhalten, bis sie entkräftet zusammenbrechen, was im Zeitalter der modernen Medizin noch sehr lange dauern kann. Doch irgendwann ist jeder Akku alle.

Im Radio fragte neulich ein jugendlicher Moderator um die 40 eine Psychologin, warum seine Tochter so aggressiv darauf reagiert habe, als er ihr Karten für das Lenny-Kravitz-Konzert geschenkt hatte. Es lag, wie sich herausstellte, ganz einfach daran, dass er unbedingt mitkommen wollte. Nein, seine Tochter fand die Vorstellung, dass ihr Papa seinen wahrscheinlich sich bereits deutlich abzeichnenden Waschbärbauch in eine Jeans zwängt, die nach juveniler Sitte auf den Hüften hängt und eigentlich nur von der Penis-Wurzel gehalten wird – wieder eines jener Ex-Geheimnisse der Jugend von heute, die längst von greisenhaften Journalisten durch die Welt posaunt wurden – und ihr auf dem Konzert die Sicht auf die Bühne und die Würde in ihrem Freundeskreis nimmt, gar nicht komisch.

Sie lachen? Sie sind doch auch nicht besser. Sie sind nämlich tödlich beleidigt, wenn ein der Definition auch wirklich entsprechendes »Kid« Sie auf der Straße um Feuer bittet und Sie dabei siezt. Das »Kid« möchte damit Distanz zu Ihnen ausdrücken, also quatschen Sie es bitte nicht ungefragt mit Musik-Tipps voll. Sie sollten dem »Kid« eine höflich-bestimmte Ansage machen, dass man in einem solch prä-potenten Zustand nicht rauchen dürfe und ob es die Schilder an den Automaten nicht gesehen habe. In Ihrem Alter könnten Sie längst der Lehrer dieses »Kids« sein. Stattdessen gerieren Sie sich wie ein Vampir, der sein von sich bereits im Rückmarsch befindenden Zahnfleisch gezeichnetes Gebiss in das zarte, zellulitesfreie Gewebe der Youngster schlägt. Sie möchten diese Kiddies gerne auf ihre Filesharing-Ebene zerren, nur damit Sie sich weiter jung wähnen können. Sie sind, mit Verlaub, ein Unhold.

Ein Unhold, der auf aggressive Weise fortführt, was ihm selbst bereits ansatzweise widerfahren ist. Falls Sie zu denjenigen Menschen zählen, deren Eltern zu den so genannten und gerne mal verhöhnten 68ern gehören – mittlerweile eine Art Sammelbegriff für alle Menschen, die in den 70er Jahren SPD gewählt haben und sich alle noch daran erinnern können, wann sie mit Willy Brandt eine Zigarette geraucht haben –, dann kennen Sie das Problem. Ihre Eltern haben auf dem Fahrrad viel mehr Kondition als Sie, schnappen Ihnen in der Boutique genau die Bluse weg, die Sie immer schon haben wollten und sich nicht leisten können, und machen Ihnen auch noch

Vorwürfe, weil Sie angeblich so spießig seien, während sie ja früher ständig an den Pforten der Wahrnehmung gerüttelt hätten. Ein Vertreter dieser Generation – mehr Halbstarker als 68er – rüttelte dann später am Zaun des Bonner Kanzleramtes. Das Ergebnis kennen Sie jetzt. Ein anderer bekannter Vertreter dieser Generation – mehr Sponti als 68er –, trug früher mal Turnschuhe, die heute staatstragend in einem Bonner Museum stehen. Früher lief er mit der Eisenstange in der Hand durch die Frankfurter Innenstadt, später wurde er Außenminister und trug Siegelring. Er trat von der politischen Bühne ab mit der Behauptung, der letzte Rock'n'Roller gewesen zu sein. Nach ihm könne nichts mehr kommen, nur noch »Playback«. Mittlerweile wohnt er in einer Villa in Berlin-Dahlem. Der Sohn ist nun heimgekehrt und hat die elterliche Fleischerei am Ende doch noch übernommen. Man nennt so was dann »gebrochene Biographie«.

Egal wie man das nennt, es hat jedenfalls geklappt. Der ehemalige Zeit-Chefredakteur Roger de Weck hat mal den bösen Satz gesagt, dass die 68er jene Generation seien, die zunächst ihre eigenen Eltern und dann ihre Kinder schlecht gemacht hätte. Freunde hat er sich damit nicht gerade gemacht. Doch bei Licht betrachtet sehen Sie ganz schön alt aus, trotz Ihres Forever-Young-Anspruchs. Die 68er-Generation hatte nämlich einen wunderbaren Hebel, mit dem Sie die ältere Generation aus ihren Sesseln katapultieren konnte. Die Nazi-Brechstange hat wunderbar funktioniert, auch weil die Auseinandersetzung mit dem Nationalsozialismus zum damaligen Zeitpunkt tatsächlich noch nicht stattgefunden hatte. Diese Möglichkeit der moralischen Anklage, die Pose des »J'accuse«, eine zutiefst jugendliche, adoleszente Haltung, die stets eigene Verantwortung ausklammert, ermöglichte den Marsch durch die Institutionen, der nicht selten an deren Spitze endete. Auch, weil dort gerade Stühle frei wurden. Und auf denen sitzen in

Ihrem Fall die so genannten 78er bzw. diejenigen von Ihnen, die Glück hatten und nicht auf dem Fahrersitz eines Taxis endeten. Akademikerüberschuss ist kein neues Phänomen.

Jugend entwickelt eigentlich stets eine sehr eigene, moralische Rigorosität. Das gehört zum Prozess der Ausbildung eigener Identität, die zu Beginn einem Schwarz-Weiß-Testbild gleicht. Erst später kommen Farben, weichere Kontraste, das Wissen um Grauzonen und Ambivalenzen dazu. In der Jugend tendiert man daher auch zur Entwicklung von Utopien. Man träumt von einer idealen Welt – und junge Menschen sind bis heute bereit, für einen solchen Traum zu sterben. In Wahrheit geht es jedoch gar nicht um die Verwirklichung einer Utopie, sondern darum, unerträgliche Ambivalenzen und Ängste auszugleichen. Könnte man zum Beispiel einen 18-jährigen Selbstmordattentäter zu seinen Wünschen und Ängsten befragen, so würde man ganz andere, banale Befindlichkeiten vorfinden, die mit der Errichtung eines Gottesstaates nichts zu tun haben. Vielleicht würde er einfach nur mal ganz gerne mit seiner Freundin schlafen. Ein weiterer Punkt, der dagegen spricht, Jugend zu überhöhen, ist eben die Tatsache, dass Jugend naiv ist. Sie lässt sich dementsprechend leicht für die Interessen alter Männer einspannen, die an der Erhaltung des Status quo und Macht interessiert sind. Neben dem Essen angeblich der Sex des Alters.

Einen solchen Hebel nennen Sie jedoch nicht Ihr Eigen, da ist nichts zu wollen. Ihre Eltern standen entweder auf der richtigen Seite der brennenden Barrikaden in den 60er oder 70er Jahren, oder sie waren bei Ende des Zweiten Weltkrieges noch Kleinkinder und daher nicht in ihrem Sinne strafmündig. Selbst wenn sie auf der falschen Seite der Barrikaden standen, haben sie keinen Massenmord zu verantworten. Sie haben, ehrlich gesagt, überhaupt kein Argument, mit dem Sie irgendetwas fordern können. Sie können sich darüber wundern, dass

Günter Grass Mitglied in der SS war. Vielleicht wundern Sie sich nicht mal. Sie schweigen vielleicht einfach betreten. Das ist rücksichtsvoll gegenüber der älteren Generation. Und eigentlich wird es Zeit, sich jetzt selbst mal zu kümmern, gesellschaftliche Verantwortung zu übernehmen. Selbst etwas machen, ob nun besser oder schlechter wird man sehen. Sie können zwar auch aus Protest einer rechtsradikalen Partei beitreten, aber wirklich neue Ideen haben die auch nicht gerade.

Ihre Eltern übrigens auch nicht, denn ab einem gewissen Alter bleibt in der Regel die Nadel hängen: Talking about, talking about, talking about, talking about, talking about – my geeeeneration. So ist denn auch der Sound der elterlichen Jugendtage, die Anklage von der Warte der Selbstgerechtigkeit, längst zum vorherrschenden Ton sowohl der deutschen als auch der internationalen Politik geworden. Das pubertäre Schwarz-Weiß-Testbild funktionierte unter dem Label »manichäisches Weltbild« sogar jahrelang als politische Grundlage der einzig verbliebenen Weltmacht, die, nachdem sie das Reich des Bösen bekämpft hat, nun gegen die Achse des Bösen kämpft. Der Journalist Claudius Seidl fasste diese Entwicklung in der Jubiläumsausgabe von *Tempo*, Ex-Zentralorgan und Mit-Wegbereiter der historischen Epoche der Langzeitadoleszenz, in das starke Wort von den »verwesenden Säuglingen«, die unsere Welt beherrschen. Er meinte unter anderem George W. Bush und die polnischen Kaczynski-Zwillinge, die mit kindlichen, unbeschriebenen Gesichtern einen riesigen Scherbenhaufen hinterlassen. Aufräumen müssen hinterher andere. Nämlich Sie, genau genommen.

Weil Sie sich das alles nicht anhören wollen und weil Ihnen die Pose der Distanziertheit so gut gefällt, stecken Sie sich stattdessen ununterbrochen weiße Stöpsel ins Ohr. Nur mit dem iPod im Ohr haben Sie das Gefühl, die Dinge im Griff zu haben – denn schließlich gestalten Sie damit den Soundtrack zu Ihrem eigenen Film. Mit nur einer Handbewegung können Sie die Klangfarbe auf die jeweilige Situation, Beerdigung oder U-Bahn-Fahrt, einstellen und sich sicher fühlen. Das ist ganz großartig. Noch besser wäre es nur, wenn Sie auch die Regie im Auge behalten würden.

Sie glauben generell, das Leben wäre ein Film? Damit stehen Sie nicht allein, auf der Wahrnehmungsebene sind Film und Wirklichkeit inzwischen etwas ineinandergerutscht. Es kommt zu Verwechslungen, was aber nicht bedeutet, dass es Sie weiterbringt, wenn Sie sich diesen Verwechslungen hingeben. Auch wenn sich Ihre Freunde aufführen, als spielten Sie die Hauptrolle in »Verbotene Liebe«. Hinter der Einstellung »das Leben ist ein Film« verbirgt sich wieder nur eine Distanzierungsstrategie, mit der Sie sich den Ernst des Lebens vom Leib halten wollen. Durch eine imaginäre Linse betrachtet, wird der kranke, offensichtlich durchgedrehte Obdachlose, dem Sie gerade auf der Straße begegnet sind, zu einem Statisten in Ihrem Gus-Van-Sant-Film, den Sie gerade fahren, die anderen Menschen auf dem Trottoir werden zu einer fließenden, anonymen Masse. Sein »Haben Sie mal einen Euro« haben Sie nicht gehört, wegen des Soundtracks aus den weißen Ohrhörern, P.J. Harvey vielleicht oder Rammstein. Empathie geht anders, und wer die Menschen in seiner Umgebung für Statisten hält, merkt oft nicht, dass er die Hauptrolle in seinem Leben gerade ziemlich schlampig spielt. Die so genannte Masse, Statisten allesamt, gibt es gar nicht. Die Masse ist nichts als ein Phantasma von Leuten, die sich in einem kuscheligen, Trost spendenden »wir« oder in einem trotzigen, egozentrischen »ich« einrichten wollen. Die Masse, das sind immer die anderen.

Früher nannte man den iPod Walkman, man musste immer spulen, und die Batterie war auch ständig leer. Die Erwachsenen fanden Walkman ganz schlimm und vermuteten, dass sie dem Gehör schaden. Womit sie übrigens völlig recht hatten, machen Sie mal einen Hörtest. Mit Hilfe dieses Walkmans konnten Sie immer Ihre Lieblingsmusik hören, auch wenn Ihre Eltern Sie zu einem Ausflug verschleppten. Mit den Kopfhörern auf den Ohren haben Sie sich schon damals trotzig verweigert, und die Musik auf den Bändern hielten Sie für die reine Lehre, jede Mix-Kassette ein persönliches Glaubensbekenntnis.

Irgendwann kommt jedoch die Zeit im Leben, jetzt, um genau zu sein, in der Pop-Musik aufhört, der Altar zu sein, um den man kreist. Sie brauchen heute keine Krücke mehr, mit der Sie Ihre Persönlichkeit zum Ausdruck bringen können. Sie können aller Wahrscheinlichkeit nach selbst für sich das Wort ergreifen und Ihre Gefühle ausdrücken. Tun Sie das. Sagen Sie doch einfach mal den Satz »Ich liebe dich«, wenn Sie gerade so empfinden. Es geht. Sie brauchen zu diesem Zweck weder eine Kuschel-Rock-CD noch ein Songbook mit den Lyrics einer hergelaufenen Brit-Pop-Band. Glaubt man den Bekundungen von Pop-Journalisten, so ist die komplette Generation der jetzigen Kleinkinder zu den Klängen des Air-Albums »Moon Safari« gezeugt worden. Wenn das wirklich wahr sein sollte, besteht das erste Gemeinschaft stiftende Erlebnis der kleinen Racker offenkundig aus dem Gefühl, in einem Raumschiff gezeugt worden zu sein. Von Eltern, die sich für besonders originell hielten und in Wirklichkeit sogar zum Vögeln die gleiche Konsens-Musik hörten. Beängstigend.

Zeigt mir eure Barden, und ich sag euch, wer ihr seid. Haben Sie sich mal Dirk von Lotzow, den Sänger von Tocotronic, genau angeschaut? Sieht mittlerweile auch schon ganz schön alt aus, genau wie Sie. Er bekommt langsam ein Doppelkinn. Er ist ein Mann und nicht mehr der Junge aus der Oberstufe mit der coolen Frisur und der tollen Trainingsjacke (zu der wir auch noch kommen!) Die Lieder aus der Hamburger Schule werden mit der Zeit auch immer trauriger. Bald schon hat es sich ganz einfach ausgeklampft: »Wir sind hier nicht in Seattle, Dirk.« Stimmt. Kollege Blumfeld hingegen hat sich eigentlich schon lange vor Bandauflösung verabschiedet. Spätestens als er eine feste Freundin hatte, war es vorbei mit dem authentisch-verheulten Jungmänner-Sound. Freuen Sie sich für ihn, anstatt alten Zeiten nachzutrauern. Auf die Dauer sind junge Männer, die mit Kopfstimmchen jungen Frauen hinterherweinen, Chris Martin, sowieso ein bisschen nervtötend, nicht? Wenn sie dann endlich unter der Haube sind, ist das ein Grund zum Feiern. Und über allen Wipfeln ist endlich Ruh.

Ihre Autisten-Party ist nun beendet. Schenken sie den iPod Ihrer Mutter. Oder tauschen Sie ihn gegen ein Opern-Abo. Ihre Mutter wird sich gleich viel jünger fühlen, und Sie schleppen weniger Krempel mit sich herum, der Sie von wichtigeren Aufgaben abhält. Sie haben nämlich gar keine Zeit, stundenlang zu Hause vor dem Rechner zu sitzen, um sich Playlists zusammenzustellen oder Ihr CD-Archiv der letzten zwanzig Jahre auf die externe Festplatte zu ziehen. Heben Sie sich das für den Vorruhestand auf. Wobei noch nicht sicher ist, ob Sie dann Zeit haben werden. Bei mir ist zum Beispiel gerade der aktuelle Rentenbescheid von der Deutschen Rentenversicherung Berlin-Brandenburg eingetrudelt. Die »Regelaltersgrenze« werde ich im Jahr 2040 erreicht haben, einen Tag vor meinem 67. Geburtstag. Meine Rente wird zu diesem Zeitpunkt exakt 307,95 Euro betragen. Na, das wird ein Fest!

## Eine Erbswurst von Knorr

**W**ie kommt die denn nun in Ihre Tasche? Sie wissen gar nicht, was das ist? Es handelt sich um Trockengemüse mit Brühe, das in Form einer kleinen Wurst verpackt ist. Dieser deutsche Uralt-Snack aus dem vorletzten Jahrhundert – eines der ältesten Instant-Gerichte der Welt – war mal das »Kultessen« der deutschen Jugendbewegung, in deren Tradition Sie in der einen oder anderen Form nach wie vor stehen. Sie wissen das wahrscheinlich nicht, weil Sie ja keine kurzen Hosen tragen und auch im Leben nicht auf die Idee kämen, deutsche Volkslieder zu singen, mit ihren Kumpels durch den deutschen Wald zu rennen und in der Pause Erbswurst »abzukochen«. Bei den Pfadfindern sind Sie auch schon ziemlich lange abgemeldet.

Dennoch gehören auch Sie heute zu jener Gruppierung von Menschen, deren Bedeutung hierzulande notorisch überschätzt wird: Sie sind ein Mitglied der mehr oder weniger bildungsbürgerlichen Mittelschicht, denn sonst würden Sie nicht noch immer mit Umhängetäschchen durch den urbanen Dschungel wandern, sondern hätten längst ein Häuschen gebaut und einen Apfelbaum gepflanzt. Sie aber sind noch immer auf Wanderschaft, ein fahrender Gesell, mit dem Ränzlein quer über der Schulter. Überschätzt, weil es sich im öffentlichen Diskurs immer wieder durchsetzt – auch der Vereinfachung halber –, ganze Generationen unter einem Label zusammenzufassen. Obwohl es längst ein soziologischer Allgemeinplatz ist, dass es immer mehrere Jugenden innerhalb einer Generationskohorte gibt, die sich mittlerweile bereits in Abständen von fünf Jahren neu definieren, müssen es immer die großen Allgemeinlabels sein: Die 68er, die »Lost Generation«, die »skeptische Generation«, die »Generation Golf« oder eben die »Generation Umhängetasche«, frei nach Harald Schmidt.

Das liegt zum einen daran, dass die jeweiligen Vertreter dieser vergleichsweise kleinen Gruppen im späteren »erwachsenen« Leben eher über eine publizistische Stimme verfügen und somit den Diskurs bestimmen – was sich übrigens erst seit der Einführung des Privatfernsehens geändert hat: Von nun an durften auch Nichtakademiker und Straßenbahnschaffner ihre Eitelkeiten in Talkshows spazieren tragen. Durch das Internet wird dieser Effekt nun noch verstärkt: Jedermann kann sich heute in den Medien präsentieren und seine letzten Urlaubsfotos zeigen. Ganz egal, ob vom Kurztrip auf den Ballermann oder von der Galerien-Tour durch New York.

Diese Überbewertung hängt jedoch auch damit zusammen, dass die vorherrschende Auffassung moderner Jugendlichkeit ursprünglich tatsächlich auf die Bedürfnisse und lebensweltlichen Umstände der bürgerlichen Jugend zurückgeht: Ein psychosoziales Moratorium, eine Auszeit der Entwicklung kann eben zunächst nur derjenige in Anspruch nehmen, an dessen Lebensanfang eine relativ lange Spanne der Ausbildung steht: Der Erwerb des Abiturs und ein anschließendes Studium, das immerhin mehrere Jahre in Anspruch nimmt. Während »proletarische« Jugendliche schon im Alter von 15 oder 16 Jahren die Schule verließen und dafür – in bescheidenem Maße – mit einer früheren Kaufkraft belohnt wurden, hatten die bürgerlichen Jugendlichen eine Strecke der materiellen Entbehrungen vor sich, die dafür mit einem wesentlich höheren Maß an Freiheit versehen war. Und dem insgeheimen Versprechen, nach diesen Entbehrungen mit einem vergleichsweise hohen

Einkommen belohnt zu werden. Das hat sich nun mittlerweile auch erledigt, denn wenn Sie nicht zu den Top-Verdienern gehören, wird es Ihnen eher schwer fallen, den Vorsprung wieder aufzuholen. Besonders wenn Sie bis über 30 studiert haben. Wenn man davon ausgeht, dass mittlerweile ein Drittel jedes Jahrgangs Abitur macht und Nicht-Akademiker-Jugendliche über wesentlich mehr Freizeit verfügen als früher, dann kann man sich leicht ausrechnen, warum Jugendlichkeit schon lange kein exklusives, elitäres Gut mehr ist. Im Gegenteil. Jugendlichkeit ist absolut inflationär.

Das 20. Jahrhundert war auch das Jahrhundert der Jugendbewegungen – vom Wandervogel über die Hitlerjugend zur FDJ. »Mit uns zieht die neue Zeit« lautete der Slogan – genau betrachtet ist Zeit natürlich immer neu, aber so genau wollte das niemand wissen. Später mündete das internationale Pfadfindertum in die Rock- und Pop-Subkulturen, die Trommeln und Klampfen wichen den E-Gitarren. Dann kam das Jahr 1968, und seitdem hat das Geschwafel über »my generation« eigentlich nicht mehr aufgehört. Jugend wurde zum Beruf, und über dem ganzen Generationengerede sind zwischenzeitlich die Generationen abhandengekommen. Es gibt keinen Generationskonflikt mehr.

Diese nicht mehr vorhandene Abgrenzung der Generationen beruht auf handfesten Veränderungen der Arbeitswelt, vor allem aber auch auf der Weigerung der Älteren, erwachsen zu werden. Der amerikanische Familientherapeut Dan Kiley beschrieb dieses Phänomen erstmals Anfang der 80er Jahre in seinem populärwissenschaftlichen Werk »Das Peter-Pan-Syndrom«. Peter Pan, der Junge, der nicht erwachsen wird und in seinem »Neverland« sein Leben mit Spielen verbringt. Kiley hatte eine wachsende Zahl von Männern beobachtet, deren Leben von Verantwortungslosigkeit, Narzissmus, Angst und Einsamkeit geprägt war. Ähnliche Eigenschaften tauchten später, Anfang der 90er Jahre, bei den Protagonisten von Douglas Couplands »Generation X« auf: einer Generation, der es finanziell definitiv schlechter gehen würde als der ihrer Eltern. In Deutschland präzisierte Florian Illies diese Generationsbefindlichkeit auf die Verhältnisse eines bestimmten Milieus des (west-)deutschen Mittelstandes: »Generation Golf« – die sich schon im Alter von 18 Jahren ungefähr so benahm wie ihre Eltern.

Doch wie soll das werden, wenn die dank kläglicher Gebärquoten wenigen Kinder der Berufsjugendlichen groß werden? Diese Generation hätte keinerlei Chance, eine eigene Identität auszubilden. Sie würde eine kleine Minderheit umgeben von verkniffenen Jungs um die 50 und notorisch-späten Mädchen, die alles über Chicago-Industrial-Style-Bootlegs wissen. Junge Menschen brauchen jedoch eine Reibungsfläche. Die Alten bilden den Schotter auf den Wegen der Jugend. Sie sind dieser Schotter. Und die nächste Generation braucht ihn so nötig wie ein intaktes Klima – gerade auch, weil Sie sowieso eine gesellschaftliche Minderheit sein werden. Schon die jetzt 20- bis 25-jährigen haben es einigermaßen schwer, ein eigenes Profil zu entwickeln, weil die Älteren genau so reden, denken und handeln wie sie selbst. Sie haben nicht mal einen eigenen Märtyrer, denn der Letzte, der ans Kreuz genagelt wurde, hieß Kurt Cobain und muss für alle herhalten.

Machen wir doch der Besinnung halber mal eine kurze Wanderung zurück zu den Wurzeln des Jugendkultes. Das Ziel ist der Berliner Vorort Steglitz, um die vorletzte Jahrhundertwende herum – schreiben Sie also einen Zettel, auf dem »Ich bin dann mal weg« steht und lassen Sie diesen Ihrem sozialen Umfeld zukommen.

In Berlin-Mitte stand damals noch das Stadtschloss, in dem der Kaiser residierte, und die coolsten Hipster in Town lebten ausgerechnet im langweiligen Steglitz: die Wandervögel. Junge Gymnasiasten, die schon um 1900 herum mit den gleichen Problemen und Ambivalenzen rangen wie unsereins heute. Schließlich waren sie Kinder der Moderne: Entfremdung, steigendes Tempo durch Industrialisierung, erhöhte Anforderungen an die persönliche Flexibilität, Auflösung der traditionellen Bindungen. Heute heißt das: Entfremdung in der Postmoderne, Globalisierung, Single-Gesellschaft. Die wilhelminische Ära müssen Sie sich ungefähr so vorstellen wie die Ära Kohl: eine eher bleierne Zeit, in der sich zwar oberflächlich nichts zu bewegen schien, obwohl es bereits ordentlich im Gebälk krachte, weil sich enorme gesellschaftliche Veränderungen ankündigten.

Diese jungen Menschen stießen auf junge bzw. eher »junggebliebene« Männer, die ihnen eine Perspektive boten, ein permanentes Abenteuer, ein Erlebnis der ganz besonderen Art: In kleinen Gruppen zogen sie nach Art mittelalterlicher Vaganten zunächst durch die Natur der näheren Umgebung, wenig später schon machte man sich auf »große Fahrt«. In der – angeblich – wilden, freien Natur begab man sich auf die Suche nach der »Blauen Blume«, Symbol der Romantik und deutscher Innerlichkeit. Es ging um nicht weniger als den Anspruch, eine eigene, autonome Kultur der Jugend zu begründen. Eine neue Zeit sollte so beginnen, was insbesondere von Seiten der Jugendführer auch mit politischen Ambitionen verbunden war: Eine romantische »Gemeinschaft« war das Ideal, die der kalten, modernen »Gesellschaft« entgegengestellt war.

Eine eigene Kultur verfügt selbstverständlich über eigene Ausdrucksformen. Anders als die Erwachsenen trug man kurze Hosen, Hüte nach Art fahrender Gesellen und Stiefel mit Wollsocken: Schon rein optisch schafft man so Differenz, und die Schaffung von Differenz macht es einem eben leichter zu erkennen bzw. zu entdecken, wer man selbst ist. Ich und die anderen. Wir und die anderen. Und was darf bei keiner jugendkulturellen Begegnung fehlen, bis heute? Musik! Man klampfte also auf der Gitarre und sang dazu zum Teil wieder ausgegrabene, zum Teil neu geschaffene »authentische« Volks- und Wanderlieder, die jedoch vom »Volk« schon lange nicht mehr gesungen wurden. In der Fabrik singt man ja auch nicht unbedingt. Der *Zupfgeigenhansl* lieferte die Lyrics, den Soundtrack zum Auftakt des 20. Jahrhunderts, dem Jahrhundert der Jugend.

Doch bei den Wandervögeln stand von Anfang an das preußische Kultusministerium auf der Matte, um mal nach dem Rechten zu schauen – und einige der »junggebliebenen« Jugendführer wollten der Jugend hauptsächlich an die Wäsche. Um es kurz zu machen: Das »Erlebnis« Jugendbewegung blieb weder autonom noch exklusiv, sondern wurde mit den Jahren unter fast das gesamte junge Volk gebracht, und zwar meist unter Aufsicht von Erwachsenen: Pfarrern, Priestern, Politikern, Militärs, Pädagogen. Die üblichen Verdächtigen der üblichen Initiations-Instanzen: Wer die Jugend hat, hat die Zukunft. Von dieser Jugendbewegung blieben auch hauptsächlich ihre späteren, totalitären Ausprägungen in Erinnerung: die Hitlerjugend und die FDJ.

Die Zeiten, in denen in westlichen Zusammenhängen Jugendgenerationen wie Lämmchen zur Opferbank geführt oder als Statisten politischer Inszenierungen missbraucht wurden, sind vorbei. Die Generationen basteln nun an eher harmlosen Inszenierungen, um ihre Ankunft in der Gesellschaft anzukündigen. Flatrate-Saufen, Computer-Gewaltspiele und Semi-Snuff-Videos, die auf dem Schulhof per Handy abgedreht werden. So was in der Art – die Kids müssen heute zu relativ harten Methoden greifen, um ihren Anspruch auf wahrhaftige Jugendlichkeit zu behaupten. Und während Sie sich immer an das bürgerliche Gewalttabu gehalten haben, nutzt die Jugend von heute, spätestens ab der Oberstufe, das »Spiel« mit der Gewalt, um sich abzugrenzen. Ohne selbstverständlich zu reflektieren, dass diese Gewalt nicht ihr Alleinstellungsmerkmal ist, sondern 1:1 die derzeitigen Verhältnisse in der Welt aufgreift und wiedergibt. Im Ergebnis sieht es auf manchem Schulhof heute aus, als befände man sich mitten in einem NATO-Manöver in der Lüneburger Heide. Überall Flecktarn.

Jugend ist nicht autonom, und sie war es streng genommen auch nie. Das ist eine romantische Illusion. Die so genannte »Jugendpflege« ist zwar schon lange an ihre Grenzen gelangt – würden Sie Ihre Kinder bei den Pfadfindern anmelden? –, aber Jugend wird als Teil der Gesellschaft wie alle anderen auch von der großen, kapitalistischen Maschine des Warenverkehrs und des Konsums vereinnahmt. Schon Anfang des letzten Jahrhunderts hatte es nicht lange gedauert, bis die erste Firma »Wandervogel-Schokolade« produzierte. Heute geht das Ganze noch viel schneller. Ein Jugendlicher kann keinen Furz mehr lassen, ohne dass sich dessen Widerhall sogleich in den Marketingabteilungen der Konzerne wiederfände. Und sogar die derzeit wichtigste Institution seriöser Jugendforschung trägt den Namen eines Großkonzerns: die Shell-Jugendstudie. Einer Gruppenzugehörigkeit kann eben niemand entfliehen: der Zielgruppe. Sie ist meist sehr genau umrissen von Menschen, die sich damit auskennen – Sie allerdings haben nur leider noch nicht bemerkt, dass Sie sich gerade in Richtung ZDF-Zielgruppe bewegen.

In Ihrer jetzigen Phase sind Sie ungefähr so glaubwürdig wie Cherno Jobatey, der einst von den ZDF-Gerontokraten an den Start gebracht wurde, weil man die Kombination Turnschuhe und Anzug für die Erfindung der Jugendlichkeit schlechthin hielt. Doch scheint es fraglich, ob das ZDF Ihrer Generation große Samstagsabend-Shows mit dem Titel *Die große Indie-Pop Gala Nacht* widmen wird. Dies wäre das Äquivalent zu den Volksmusiksendungen, die für den Lebensabend von Menschen konzipiert sind, in deren Jugend Volksmusik und Zillertal-Wanderungen ganz einfach der letzte Schrei waren. Sie werden niemals in den Genuss eines solchen beschaulichen Lebensabends kommen, wenn Sie so weitermachen. Sie müssen ja jugendlich sein, jung sein. Jeden Tag. Sie müssen dann jeden Tag ganz früh aufstehen statt sich einen geruhsamen Abend zu gönnen. Sie sind dazu verdammt, Madonna zu sein, obwohl Ihr Peter-Pan-Kostümchen überall zu knapp sitzt und zwackt. Ihr Schicksal ist es dann, für immer ein Mitglied der werberelevanten Zielgruppe zu sein. Daher müssen Sie sich auch die entsprechenden Inhalte antun. Viel Spaß auch dabei. Harald Schmidt wird irgendwann voraussichtlich in Rente gehen, aber Oliver Pocher macht einen ziemlich zähen Eindruck. Barbara Schöneberger auch, die Frau hat die Ausdauer einer Energiesparlampe. Sie werden irgendwann so permazynisch und dauerheiter gestimmt sein, dass Sie nur noch einen letzten Wunsch haben: auf Ihrer Beerdigung die Rede selbst halten zu können, damit dort niemand noch ein letztes Witzchen auf Ihre Kosten macht.

In der heutigen Inszenierung von Spätadoleszenz können Sie übrigens bei genauem Hinsehen deutliche Spuren erkennen, die auf eine Anknüpfung an die traditionelle Jugendbewegung verweisen. Der allgemeine Hype, der um die 20er Jahre, insbesondere die 20er Jahre in Berlin, veranstaltet wird, hat auch mit der Sehnsucht zu tun, an diese »Roaring Twenties« anzuknüpfen, in denen alles neu erfunden worden zu sein schien, einer Zeit, in der experimentiert wurde – und in der der eigene bildungsbürgerliche Stand und seine Bedeutung noch klarer umrissen waren. Der Film »Was nützt die Liebe in Gedanken« von Achim von (!) Borries funktioniert ungefähr auf dieser Ebene, nämlich indem er Wedekinds »Frühlings Erwachen« mit einem Schuss Absinth mixt und im Berlin der

20er aufführt. Todessehnsüchte im schönen, weißen Hemd. Die 20er Jahre waren allerdings auch eine Zeit der Armut, Arbeitslosigkeit und politischen Unruhe. Wer weiß, ob Sie damals überhaupt in den Genuss Ihrer heutigen Privilegien gekommen wären?

Sie können selbstverständlich auch im fortgeschrittenen Alter noch nachts bei Mondschein nackt in einem See baden, ganz wie im Film. Sogar besser als tagsüber, denn es sieht Sie ja niemand! Benetzen Sie allerdings vorher Arme und Beine mit dem kalten Wasser, damit Sie keinen Kreislaufkollaps bekommen. Der Tod ist für Sie doch schon lange kein Abenteuer mehr. Sie befinden sich in der zweiten Lebenshälfte, und wenn Sie mal richtig schauen, können Sie Gevatter Tod hinten am Horizont eigentlich auch schon gelegentlich seinen fahlen Schädel hervorstrecken sehen. Bewahren Sie doch einfach den aufregenden Moment, als Sie zum ersten Mal nachts mit Freunden ins örtliche Kleinstadt-Freibad eingebrochen sind, als schöne Erinnerung in Ihrem Herzen. Niemand kann sie Ihnen wegnehmen, es sei denn, Sie übernehmen das selbst, indem Sie jede Nacht ins Prinzenbad einsteigen und die Jugend von heute beim Knutschen stören. In Ihrem Alter fährt man auf die Malediven und beobachtet nachts Plankton, der in coitu phosphoresziert. Das sind doch auch Kicks.

Nehmen Sie nun die Erbswurst aus der Umhängetasche und essen Sie sie auf. Stopp! Sie müssen sie erst in Wasser auflösen. Dazu hören Sie, schon wieder, Tocotronic: »Ich möchte Teil einer Jugendbewegung sein. Ich möchte mich auf euch verlassen können. Jede eurer Handbewegungen hätte einen besonderen Sinn, weil wir eine Bewegung sind.« Ist das für Sie noch aktuell? Also. Die Wanderung ist hiermit beendet. Wegtreten, duschen. Und denken Sie daran: »Allzeit bereit, immer bereit!«

## Zigaretten

**W**eil Sie sich nicht für Politik interessieren, stehen Sie nun draußen in der Kälte und rauchen hektisch eine Zigarette nach der anderen. Diejenigen, die Sie nie wirklich ernst genommen haben – also die Leute mit den komischen Klamotten, die sich bei den Wahlen zur Schülermitverwaltung (SMV, remember?) die ersten Podiumsplätze ihres Lebens ergatterten –, haben sich zusammengetan und ein Rauchverbot in öffentlichen Räumen durchgesetzt. Das bedeutet, dass Sie nun VOR Ihrem Lieblings-Club unter dem Heizpilz stehen. Das ist Politik, genauso wie Ihr Rentenbescheid.

Wenn Sie überhaupt noch rauchen, dann rauchen Sie schon seit längerem selbst gedrehte Zigaretten. Wie man die anfertigt, mussten Sie mühsam erlernen, weil Sie im Leben nicht auf die Idee gekommen wären, sich mit Tabakkrümeln abzumühen wie Ihre älteren Geschwister mit den Parkas und den BAP-Platten. Jetzt müssen Sie, weil die sukzessiven Tabaksteuererhöhungen Sie sonst schon längst in den Ruin getrieben hätten.

Als Sie jung waren, war es gerade nicht mehr angesagt, sich um Politik zu kümmern. So wenig angesagt wie BAP-Platten und Selbstgedrehte. Im Laufe Ihrer Jugend hatten Sie sich angewöhnt, Helmut Kohl für den Normalzustand zu halten. Er ist nicht mehr da. Wenn Sie also – in Ihrem Alter! –, noch so flexibel sind, solcherlei komplexe Arbeitstechniken wie das Anfertigen selbst gedrehter Zigaretten zu erlernen, dann sind Sie auch in der Lage, sich doch mal wieder in die politischen Zusammenhänge des Gemeinwesens einzuarbeiten. Sie brauchen da mal dringend ein Upgrade, oder könnten Sie auf Anhieb den aktuellen Stand der Gesundheitsreform skizzieren?

Abonnieren Sie eine hochwertige, überregionale Tageszeitung und lesen Sie selbige so regelmäßig wie möglich. Von vorne nach hinten, nicht umgekehrt. Sonst schaffen Sie es nie bis ins Inland. Falls Sie bei der Lektüre auf Schwierigkeiten stoßen, etwa, wenn Ihnen vorübergehend entfallen ist, was der Bundesrat ist, dann schauen Sie im Internet unter *www. Wikipedia.de* ganz einfach nach, das machen alle so. Zeitung zu lesen gehört zu den bürgerlichen Pflichten, und Sie sind ein Bürger dieses Staates, auch wenn Sie noch Probleme mit dem Begriff haben. Was Sie aus dieser Bürgerlichkeit machen, liegt doch ganz an Ihnen: »Du bist Deutschland.« So wie es keine Rituale mehr gibt, gibt es auch kein in sich geschlossenes Bürgertum mehr, das Ihnen das Leben mit Restriktionen und Bigotterie zur Hölle macht – es sei denn, Sie arbeiten darauf hin, dass es wieder so wird. Alleine stünden Sie mit diesem Anliegen, wieder unter sich zu sein, nicht da. Prinzipiell hat sich Deutschland zu einer informellen Gesellschaft entwickelt, in der es viele individuelle Spielräume und Freiheiten gibt. Und natürlich auch, wir erinnern uns an Summerhill, Pflichten. Für ein Endlosstudium kommt übrigens der Steuerzahler auf, das heißt, die Putzfrau, die gerade Ihren Seminarraum wischt, in dem Sie Teile Ihres Zweitstudiums absolvieren, gibt Ihnen ein Stipendium.

Das mit dem Nachrichten-Upgrade lässt sich jedenfalls nicht vermeiden, wegen Dringlichkeit. Der Nahost-Konflikt erschließt sich leider nicht aus den ProSieben-Kurznachrichten. Und wenn Sie Pech haben, fliegen Sie einfach in die Luft, wenn Sie morgens mit der S-Bahn zum Zahnarzt fahren, und wissen nicht mal genau warum. Und schon bald könnte es Ihnen passieren, dass Sie einen Anruf von der Polizei bekommen, wenn Sie heimlich auf einer Pornoseite im In-

ternet waren, die den Namen *www.al-fuckida.com* trägt oder
ähnlich. Man hat da beim Staatsschutz mittlerweile so viele
persönliche Daten von Ihnen auszuwerten, dass manchmal
falscher Alarm ausgelöst wird.

Egal, ob Sie Raucher oder Nichtraucher sind, Rauchverbote
schrecklich oder ganz wunderbar finden – selbstverständlich
kann man darüber geteilter Meinung sein: Rufen Sie sich in
Erinnerung, in welchem recht kurzen Zeitraum auf politischer Ebene Beschlüsse gefasst wurden, die nun – ob positiv
oder negativ – in Ihren unmittelbaren Alltag eingreifen. Falls
Sie froh über Rauchverbote sind, kann Sie dies nur ermutigen,
Ihre politischen Rechte wahrzunehmen. Man kann Dinge
verändern. Falls Sie sich über die Rauchverbote ärgern, kann
es Sie ebenfalls nur ermutigen, mal wieder wählen zu gehen.
Denn Freiheiten – im 19. Jahrhundert gingen die Bürger noch
auf die Straße, um bei den Mächtigen einzufordern, eben dort
rauchen zu dürfen – können recht schnell wieder kassiert
werden. Das öffentliche Rauchen war damals ein erkämpfter,
zivilisatorischer Fortschritt. Heute müssen Sie im ICE heimlich auf der Behindertentoilette rauchen. Man kann Dinge
verändern.

Auch wenn Sie irgendwann beschlossen haben sollten, der
Politik mit ihren Sprechblasen den Rücken zu kehren. Es
gilt der Satz des legendären Zuchtmeisters der SPD, Herbert
Wehner: Wer rausgeht, muss auch wieder reinkommen. Politik lebt von Partizipation, also davon, dass sich möglichst
viele Bürger in die Prozesse einbringen. Das kann eine Mit-
gliedschaft im Ortsverein einer Partei Ihrer Wahl sein, aber
auch das Verfassen eines Leserbriefes. Wenn es zu mehr nicht
reicht, dann schicken Sie wenigstens einen Kommentar zu
politischen Themen in Ihren Lieblings-Blog. Um auf das Film-
Genre zurückzukommen: Was nutzt die Utopie in Gedanken? Sie sind doch sowieso ständig im Netz, um Musik oder

Videos downzuloaden. Schauen Sie sich mal um: Die internationale Blogger-Szene ist mittlerweile so rührig, dass selbst die verknöchertsten autoritären Systeme darauf achten, den Bloggern den Stecker rauszuziehen. Auch der letzte Diktator hat begriffen, dass dies für ihn mindestens so wichtig ist, wie Hausarreste für Regimekritiker zu erteilen und Waffen bei Demonstrationen einzusetzen. Wenn das keine Ermunterung zum digitalen Widerstand ist.

Nach dem Polit-Upgrade wird Ihnen bewusst, dass es wirklich mal an der Zeit war, nach dem Rechten zu schauen. In den weitläufigen Forsten der politischen Landschaft gibt es nämlich einiges zu tun. Überall wuchern ideologisches Gestrüpp und lichtraubendes Unterholz aus den 70er und 80er Jahren. Es werden raunend, murmelnd und manchmal auch laut schreiend uralte Fehden und Debatten weitergedreht, Weltbilder aus der Zeit des Kalten Krieges gepflegt und neu in Stellung gebracht. Sie werden erstaunt sein, wie wenig das alles mit den Herausforderungen Ihres Lebens zu tun hat, und vor allem eines feststellen: dass Sie im Vergleich zu diesem Kindergarten viel erwachsener sind, als Sie auch nur wagen zu denken, dass Sie schon längst in einer anderen, post-ideologischen Lebenswirklichkeit angekommen sind und im Bundestag manchmal Zustände herrschen wie seinerzeit im Politbüro. Während Sie permanent damit beschäftigt sind, mit jenen Verhältnissen klarzukommen, die die Politik versucht, doch noch irgendwie in den Griff zu kriegen. Sie wissen gar nicht, was eine Riester-Rente ist, weil Sie als Selbständiger sowieso nicht in deren Genuss kommen. Womöglich sind Sie längst ein so genannter »Neoliberaler« und wissen es gar nicht. Sie sind lebensweltlich »neoliberal«, weil Sie vom Staat nichts erwarten. Und auch nichts bekommen.

Falls Sie leidenschaftlicher Raucher sind, hören Sie auf. Jetzt. Sie sind aufgrund Ihrer politischen Versäumnisse nicht mehr in der Lage, unter menschenwürdigen Umständen eine Zigarette zu rauchen. Sie haben sich sowieso auch deshalb nicht zur Wehr gesetzt, weil Sie hofften, dass Ihnen ein autoritäres Verbot beim Aufhören behilflich sein könnte. Sie kleines Weichei.

Dabei haben Sie einst gegen die Verbote von Eltern und Lehrern renitenterweise damit angefangen. Heimlich in der Schultoilette oder mit nach innen gedrehter Glut in der hohlen Hand im Pausenhof. »Wer raucht, wirkt kühl. Wer raucht, wird kühl« – so sprach einst der Zigarren-Raucher Heiner Müller, der ehrlicherweise gleich mit einräumte: »Ich bin ein Weichei, das ein Leben lang versucht hat, sich hartzukochen.« Ob Rauchen dabei wirklich behilflich ist? Man kann ihn nicht mehr dazu befragen. Geholfen hat Ihnen die Zigarette auf jeden Fall, sonst hätten Sie sich das Rauchen ja nicht antun müssen. Sie diente der Abgrenzung und Aufwertung.

Falls Sie ein Mann sind, diente Ihnen die Fluppe im Mundwinkel als wichtiges Requisit, um Ihrer doch recht fragilen Männlichkeits-Performance Gewicht zu verleihen. Falls Sie eine Frau sind, diente die elegant zwischen den Fingern gehaltene Zigarette als Requisit für Ihre doch recht fragile Weiblichkeits-Performance. Mittlerweile sollten Sie beide diese Performance ungefähr im Griff haben. Gleichzeitig fängt die Gräuelpropaganda auf den Zigarettenschachteln an, relevant zu werden: Rauchen schädigt Ihr Sperma. Rauchen in der Schwangerschaft gefährdet das Kind im Mutterleib. Rauchen gefährdet Ihr Kind generell.

Sie haben keine Kinder und wollen keine? Für Sie habe ich dann einen Spruch, der Sie besonders treffen müsste: Rauchen lässt Ihre Haut vorzeitig altern. Wenn Sie nicht möchten, dass Ihr Gesicht irgendwann aussieht wie eine Knautschlederhandtasche, dann gehen Sie in sich. Sammeln Sie das Geld, das Sie im Monat sparen, und tragen Sie es zu einer privaten

Rentenversicherung. Oder rauchen Sie noch mehr und verzichten somit freiwillig auf Ihren Rentenanspruch.

Wahrscheinlich haben Sie ja schon mal versucht aufzuhören. Ich auch. Ich fing nach drei Monaten wieder an. Und zwar nicht aufgrund der geradezu lächerlichen Entzugserscheinungen, sondern aufgrund eines gähnenden Lochs in meiner Identität: Das Rauchen aufzugeben hätte für mich zu diesem Zeitpunkt bedeutet, von einer ganzen Lebenshaltung Abstand zu nehmen. Nachts zu lauter Jugendtanzmusik in verrauchten Clubs herumstehen zum Beispiel. In den Clubs darf man jetzt allerdings sowieso nicht mehr rauchen. In Berlin wird man sich zwar, schätze ich, demnächst zu illegalen Raucherparties in der Kanalisation treffen. Überlegen Sie jedoch gut, ob das für Sie die richtige Atmosphäre ist. Bei Ihren beginnenden Gelenkschmerzen und dem leichten Verdacht auf Rheuma.

Als Raucher wird es Ihnen im Leben nicht mehr gelingen, an jenen aufregenden Moment, als Sie die erste, verbotene Zigarette geraucht haben, anzuknüpfen. Sie sind einfach nur noch einer von sehr vielen Rauchern. Sie können den Rausch und den Schwindel der frühen Jugend – der sowohl bezaubernd als auch einfach nur angsterregend ist – nicht konservieren, indem Sie endlos weiter quarzen. Früher hatten Sie jedenfalls keinen Raucherhusten.

Der Beutel mit dem Nil-Drehtabak, die Schachtel Lucky Strike, Gauloises oder was Sie sonst so in die Luft blasen, um Ihrem kostbaren Lebensgefühl Ausdruck zu verleihen, fliegt sofort aus der Tasche. Und die 17 Feuerzeuge, die irgendwo am Grund ihres LKW-Planen-Containers liegen, gleich mit. Bei der Menge feuergefährlicher Substanzen, die Sie täglich mit sich tragen, sind Sie ein Fall für das Innenministerium.

## Concealer und hautstraffende Lotion

**G**etting old is not for Sissies«, sagte die längst verstorbene, große Schauspielerin Bette Davis einmal, als sie auf den Umgang mit dem Älterwerden angesprochen wurde. Im Gegensatz zu ihrer Kollegin Marlene Dietrich, die sich die Gesichtshaut mit Heftpflastern nach hinten zog, ging sie offensiv mit ihrem persönlichen Alterungsprozess um. Im Gegenzug bekam sie von Hollywood weiterhin Rollenangebote, während sich die Dietrich in ihr Pariser Appartement zurückzog, damit die Weltöffentlichkeit sie so in Erinnerung behalten möge, wie sie einst war.

Nehmen Sie nun einen Handspiegel und legen Sie ihn auf den Tisch. Stehen Sie auf und blicken nun nach unten in den Spiegel. So oder ähnlich werden Sie irgendwann – je nach Lebensweise sogar schon recht bald – aussehen. Wenn das Experiment nicht funktioniert und Sie in dieser Perspektive genauso aussehen wie immer, dann ist sowieso schon alles zu spät. Wenn Sie einen Stein nach oben werfen, fällt er zu Boden. Mit Ihrem Gewebe ist es ähnlich, man nennt das Schwerkraft und sie hat gewissermaßen eine existenzielle Wucht.

Wie bereits angesprochen, muss die wahre Jugend derzeit halbnackt durch die Gegend rennen, wenn sie auf ihre Existenz aufmerksam machen möchte. Intaktes Bindegewebe und generell straffe und rosige Haut sind ihr einziges Alleinstellungsmerkmal gegenüber den Langzeitadoleszenten. Die Jugend von heute muss also ganz schön frieren, wenn sie sich spüren möchte.

Sie selbst bekommen von bauchfreien T-Shirts und zu

tief hängenden Hosen mittlerweile Blasen- und Nierenentzündung. Auch optisch wirft dieses Bekleidungskonzept ein mitunter hässlich-grelles Licht auf die natürlichen Gegebenheiten des Älterwerdens. Sie können gegensteuern, indem Sie dreimal die Woche ins Fitnessstudio rennen. Aber bedenken Sie, dass diese Maßnahme erstens nur einen bedingten Frischhalteeffekt hervorbringt, nämlich Straffung. Die Hautalterung ist auch mit intensivstem Training nicht zu bekämpfen. Machen Sie sich darüber hinaus auf jeden Fall klar, dass die Muskelmassen, die Sie hektisch im Gym aufbauen, zu Fett werden, wenn Sie nicht am Ball bleiben. Das Ergebnis können Sie im Freibad oder am Mittelmeerstrand bewundern, wenn die in die Jahre gekommenen Muskelprotze von gestern vorbeiparadieren, die statt auf der Hantelbank nur noch auf der Sonnenbank liegen. Da schlackert alles. Sogar die Tattoos sind aus der Form geraten, ein einst prägnantes Tribal sieht dann schon mal aus wie ›Der Schrei‹ von Edvard Munch. Und können Sie sich noch an die Aufnahmen von Madonna in den Aerobic-Leggings erinnern? Selbst Madonna, Symbol sowohl für ewige Jugend als auch für die zwingend gewordene Fähigkeit, sich immer neu zu erfinden, wird demnächst über eine Konzertreise mit Chansons nachdenken müssen, anstatt auf Disco-Kugeln zu reiten. Es geht einfach nicht mehr.

In meinem Bekanntenkreis wiederum ist nun ausgerechnet der Älteste der jüngst aussehende. Das liegt daran, dass er in einem medizinischen Beruf arbeitet und sich die Botox-Spritzen kostengünstig selbst ins Gesicht jagen kann. Ich dachte immer, er lacht einfach nicht mehr gerne, weil er vielleicht Depressionen hat. Die Wahrheit ist: Er kann es gar nicht mehr. Seitdem nenne ich ihn nur noch Tim Thaler. Können Sie sich wie Marlene Dietrich ein Appartement in Paris leisten, das Sie nie mehr verlassen müssen? Oder wollen Sie sich der Tatsache, dass Sie älter werden, mit Würde nähern?

Es ist einfach schon sehr lange her, dass Ihr Körper ein Abenteuer war, das es für Sie zu entdecken galt. Früher, als Sie sich im Badezimmer einschlossen, dem einzigen möglichen Raum absoluter Intimität innerhalb familiärer Zusammenhänge. Heute ist Ihr Körper im besten Fall ein Abenteuerspielplatz für Sexualpartner. Wenn Sie Glück haben. Sie haben sich längst verändert, Sie sind weder ein Jüngling noch ein Mädchen, sondern ein Mann oder eine Frau. Sie haben einen körperlichen Entwicklungsprozess durchlaufen, der bei Männern dazu führt, dass ihnen die Haare oft nicht mehr auf dem Kopf, sondern an unerwünschten Stellen wachsen, und bei Frauen zum Beispiel dazu führt, dass das Ticken der inneren biologischen Uhr so laut wird wie ein Tinnitus-Pfeifen. Sie haben sich verändert, hormonell gesteuerte Prozesse lassen sich nicht so leicht wegdiskutieren. Im Prinzip sehen Sie heute so aus wie die rätselhaften Erwachsenen, die Sie als Kind immer in der Umkleidekabine im Schwimmbad zu Gesicht bekamen. Wie Mama und Papa.

Den Leserinnen sei an dieser Stelle noch einmal kurz und peinigend ins Gedächtnis gerufen, was sie ohnehin sehr genau wissen: Ja, die medizinischen Möglichkeiten haben sich verbessert, und Sie können das erste Kind auch noch mit 40 bekommen. Man macht das dann allerdings mit einem Kaiserschnitt, und die Risiken, die man mit einer Schwangerschaft für sich selbst und das Kind eingeht, wachsen mit zunehmendem Alter. Aber das wissen Sie ja alles, nicht? Gut. Dazu später mehr.

Sie können natürlich versuchen, Ihren Körper rein diskursiv zu verhandeln. Unter der Dusche im Fitnessstudio oder im Schwimmbad können Sie das Ergebnis besichtigen. Man fühlt sich wie in einer Grundschul-Umkleidekabine, denn mittlerweile sind Männlein und Weiblein komplett haarlos, insbesondere im Intimbereich. Eine Modeerscheinung, die in den 90er Jahren von den besonders jugendkult-anfälligen Homosexuellen eingeführt wurde und die nun flächendeckend durchgeschlagen hat. Die Tatsache, dass die Homosexuellen längst wieder über Körperbehaarung verfügen, kann Sie nur ermutigen, sich auf die natürlichen Gegebenheiten Ihres Körpers einzulassen. Unter modischen Gesichtspunkten befänden Sie sich auf sicherem Terrain, gleichzeitig könnten Sie versuchen, ein Ihrem Alter angemessenes Körpergefühl zu entwickeln, anstatt einem abstrakten ästhetischen Ideal hinterherzueifern. Ihr Körper ist schließlich nicht nur eine Idee oder ein dekoratives Element, das Ihren Kopf durch die Gegend trägt. Außerdem verursacht die ständige Rasiererei Pickel.

Es wäre auch mal an der Zeit darüber nachzudenken, wie lange Sie die permanenten Entzündungen, die Ihre an diversen unpraktischen Stellen untergebrachten Piercings verursachen, als naturgegeben hinnehmen wollen. Ein Freund von mir kämpft zum Beispiel gerade um die Existenz seiner rechten Brustwarze, die sich aufgrund eines chronifizierten Piercing-Furunkels zu verabschieden droht. Ein anderer hat immer eine kleine Zange in der Umhängetasche, falls sich sein Prince-Albert-Piercing irgendwo verhaken sollte. Auf der Herren-Toilette muss er mittlerweile immer in eine Kabine, denn dank seines Piercings hat er sich zu einer Art Rasensprenger entwickelt. Und die heiklen Situationen an der Flughafen-Sicherheitsschleuse wollen Sie sich erst gar nicht vorstellen.

Als ich mir als 16-Jähriger einen schlichten Ohrring stechen ließ, ein Piercing kam erst viel später hinzu, erwies sich dieser Akt als ein äußerst hilfreiches Vehikel, um die Ablösung vom Elternhaus voranzutreiben, auch weil mein Vater hervorragend mitgespielt hat. Er drohte mir mit Rausschmiss. Ich überklebte daraufhin den Ohrring demonstrativ mit einem

Pflaster, ohne ihn herauszunehmen. So lange, bis dieser Kalte Krieg auf realpolitischer Ebene das Gespött der Verwandtschaft und Bekanntschaft erregte und mein Vater nachgab. Wäre es ihm völlig egal gewesen, hätte das Ganze nicht funktioniert – und so mancher von Ihnen hat diese Erfahrung wohl gemacht: Solche Provokationen sind schon damals oft ins Leere gefahren. Später in Berlin stach mir dann ein befreundeter Medizinstudent ein Piercing mit Hilfe von Nadel und Kartoffel. Es waren eben die 90er. Noch heute ist diese Stelle schmerzempfindlich. Das Piercing blieb irgendwann in einem Wollpullover hängen, der Ohrring ist neulich ganz von alleine abgefallen. Materialermüdung nach all den Jahren ist immer noch besser als ein weggebrochener Schneidezahn. Oder doch Schicksal? Es war vielleicht einfach an der Zeit – Sie müssen ja nicht immer auf den Einsturz von Sollbruchstellen warten. Sie können das auch selbst in die Hand nehmen. Überlegen Sie, ob das ganze »Blech in Ihrem Gesicht« und am Rest Ihres Körpers seine Funktion noch erfüllt. Wenn Sie diese Nieten und Ösen immer noch brauchen, um Ihr Selbstbild zu fixieren, bitte. Wenn nicht: Weg damit. Und die Zange entfernen Sie sofort aus Ihrer Umhängetasche. Wenn Sie Trägerin oder Träger eines »Arschgeweihs« sind, ist die Sache natürlich etwas komplizierter.

Ihr Körper hat seinen dereinst jugendlichen Kapitalwert, leider, verloren. Sie können dementsprechend nicht mehr so frivol mit ihm umgehen, wie Sie es von früher her gewohnt sind. Nach einer durchzechten Nacht können Sie heute nicht mehr einfach zur Tagesordnung übergehen. Genau genommen ist der nächste Tag ein verlorener Tag, denn heutzutage brauchen Sie drei Liter reinsten Quellwassers, einen Topf Hühnerbrühe und fünf Aspirin, um überhaupt das Haus verlassen zu können. Ihr Leben ist schon lange keine Klassenfahrt mehr, auf der Sie es fünf Tage am Stück nicht nötig haben zu schlafen. Sie sind jetzt so alt wie der Referendar, der morgens um zwei entnervt und mit winzigen Augen in der Tür des Landschulheims stand und darum bat, doch bitte endlich Ruhe zu geben.

Ja, mal endlich Ruhe geben. Das verlangen auch die riesigen Tränensäcke, die sich schwarz eingefärbt dort drängen, wo früher mal Ihre Augen waren. Früher war es ausreichend, mal eben ein bisschen kaltes Wasser ins Gesicht zu spritzen, dann waren die wieder weg. Heute müssen Sie den Ernst Jünger geben und für mindestens eine halbe Stunde in einer Badewanne voll eiskaltem Wasser untertauchen, damit Sie wieder menschliche Formen annehmen. Dann kommt noch die René-Koch-Visagisten-Tipp-Nummer mit den Teelöffeln aus dem Tiefkühlfach. Dann wird die tägliche Gurke gehobelt und im Gesicht drapiert. Immer noch geschwollen und schwarzrändrig? Vergessen Sie es doch.

Der Zustand Ihres Körpers verlangt nun nach einer leistungsstarken Krankenkasse. Die Zeit des Raubbaus ist vorbei und auch die Zeit des Körperdesigns. Jetzt geht es vielmehr um Substanzerhaltung. Sie gehören nun zur Zielgruppe von Kieser-Training und sollten sich langsam nach einem begabten Physiotherapeuten in Ihrer Nähe umschauen. Aufgrund des Jugendzwangs hat sich bislang niemand getraut, Ihnen zu sagen, dass der Prozess des Älterwerdens von Rücken- und sonstigen Schmerzen und Malaisen begleitet ist. Vielleicht hat man es Ihnen auch nicht gesagt, damit Sie sich nicht von der nächsten Brücke stürzen. Wenn Sie nicht sofort eingreifen, schmilzt Ihnen Ihr einstiges Kapital endgültig weg, und Sie erleben Ihren persönlichen Black Friday: Michelangelos David und die Venus von Milo verwandeln sich in Figuren, die den Umriss von Müllsäcken aufweisen.

Sie haben also eine Riesenchance: Nutzen Sie einfach Ihren ausgeprägten Narzissmus und Ihre Angst vor dem Älterwerden. Transformieren Sie diese Angst in den positiven Willen, Ihren Körper nicht verwahrlosen zu lassen und ihn stattdessen gut zu behandeln. Sie brauchen ihn ja noch. Sie müssen ja nicht wie Ihre Eltern auf Inline-Skates zum Einkaufen fahren oder am New-York-Marathon teilnehmen. Auch das Bungee-Jumping können Sie getrost Ihrer Großmutter überlassen. Die braucht das. Und Sie sollten sich anhand dieser Vorbilder überlegen, ob Sie sich auch dergestalt zum Affen machen wollen.

Sie sind weder jugendlich noch alt, sondern erwachsen. Zur Erinnerung: Das ist der lange Abschnitt zwischen diesen Phasen, der Hauptteil Ihres Lebens. Überlassen Sie ungestüme, zappelige, hormon- und kraftstrotzende Körper-Performance den Jugendlichen – auch wenn Sie denken, dass diese Kräfte doch eigentlich verschwendet sind, weil die Eigner nichts Sinnvolles damit anzufangen wissen. Was übrigens schon eine ziemlich erwachsene Haltung ist, schon gemerkt? Nutzen Sie stattdessen Ihre verbliebenen Kräfte im »Hier und Jetzt«, das Sie doch so hoch schätzen, sinnvoll. Und wenn Sie richtig alt sind, werden Sie mondän, elegant und weise, anstatt mit pinkfarbenen Schweißbändern durch den Park zu rennen.

Finden Sie es nicht auch schrecklich, dass man Ihnen so viel Angst machen muss, damit Sie endlich begreifen und reagieren? Die Machthaber dieser Welt haben das schon lange begriffen und nutzen die Angst als Herrschaftsinstrument. Ein kluger Trick, denn die Angst ist ein so integraler Bestandteil der menschlichen Psyche, dass man ihn darüber sehr leicht steuern kann. Die Pferdedressur erfolgt nach ähnlichen Prinzipien. Sie sind doch kein Pferd!

Auch die Hersteller von all den Concealern und Jungbrunnen-Cremes dieser Welt leben allein von Ihrer Angst. Die Macher von Mode- und Lifestyle-Magazinen von *Vogue* bis *Men's Health* leben von Ihrer Angst. Sie machen diese Hefte, damit Sie sich nach der Lektüre schlecht fühlen. Wie ein hässliches, ungenügendes Entlein mit Hühnerbrust und Schlupflidern. Daraufhin rennen Sie zu Douglas und geben die Hälfte Ihres Monatseinkommens für Body-Lotion aus. Sie essen mittags nur eine halbe Tafelbirne, weil menschen- und insbesondere frauenverachtende Modedesigner junge Mädchen in klappernde Knochengestelle verwandeln und über die Laufstege dieser Welt jagen und Sie glauben, genauso aussehen zu müssen. Das kennen Sie schon aus dem Sachkunde-Unterricht des Jahres 1981? Warum machen Sie den Zirkus dann trotzdem mit? Sie wissen doch, dass man Photoshop im richtigen Leben nicht anwenden kann.

Jede Angst verschwindet, wenn man sich in ihr Zentrum stellt. Sie haben Angst vor dem Älterwerden? Stellen Sie sich diesem Prozess. Wenn Sie Angst vor Spinnen haben, sind Sie geheilt, wenn Sie es schaffen, eine Vogelspinne in die Hand zu nehmen. Und die kleinen Fältchen um Ihre Augen sind sogar im Licht eines fiesen Halogen-Strahlers oder – noch schlimmer – im Spiegel einer Umkleidekabine von H & M schön, denn Sie erinnern letztendlich an jeden guten Witz, an jeden Moment der Freude, den Sie erlebt haben. Ihr kleiner Bauchansatz ist kein Grund zum Weinen und auch nicht der erste Nagel zu Ihrem Sarg, wenn Sie es nicht übertreiben. Ihr Haupthaar schwindet? Es gibt die Gnade der Mode-Glatze, und die wird so lange in Mode bleiben, wie es kein endgültiges Heilmittel gegen androgenetisch bedingten Haarausfall gibt. Sie können natürlich auch jeden Tag Tabletten schlucken, die eigentlich ein Mittel gegen Prostatakrebs sind, und unwägbare Nebenwirkungen in Kauf nehmen. Bei jedem Gang in die Apotheke wird Ihnen Bette Davis ein höhnisches »Sissi« ins Ohr zischen.

Für das Theater, das Sie mit Ihren Haaren veranstalten, egal ob Männlein oder Weiblein, sollte jetzt sowieso mal langsam der Vorhang fallen. Auch wenn Sie in einer Gesellschaft leben, deren Celebrity-Leitkultur von Friseuren dominiert wird. Junger Mann: Wie lange wollen Sie noch jeden Morgen vor dem Spiegel stehen, um Ihre Brit-Pop-Frisur erst mit Föhn aufzubauschen und dann mit Haarspray zu fixieren? Und ist Ihnen schon mal aufgefallen, dass Ihre Versuche, das Resthaar mit Gel und Wachs nach oben zu bürsten, in verdächtigem Maß der Technik Ihres Vaters entspricht, der sich unter Zuhilfenahme von Birkenwasser die Haarsträhnen von links nach rechts über die Tonsur zog? Manche Männer sehen heute aus wie Gloria von Thurn & Taxis in den 80ern. Und Sie, junge Frau: wirklich niedlich, Ihr Pony. Es ist der gleiche, den Sie schon als Kind trugen, nicht? »Weil ich ein Mädchen bin, weil ich ein Mädchen bin.« Passen Sie mal auf, dass Sie nicht als spätes Mädchen enden!

Die Bodylotion, der Concealer und was Sie sonst noch so an Hilfsmitteln zur Fassadenpflege mit sich herumschleppen, fliegen nun aus der Tasche. Auch der Fön! Man wird Sie schon nicht gleich einsperren oder auf eine einsame Pazifikinsel abschieben, nur weil Sie mittags vergessen haben nachzucremen.

## Kondome

**D**ie hat man ja immer dabei. Brav. Sehr schön. Sie zeigen guten Willen. Das Problem ist nur, dass die Dinger nie zum Einsatz kommen und nach einem gewissen Transportaufenthalt unter wechselnden klimatischen Bedingungen in Ihrer Tasche porös werden.

Wie Sie wissen, gibt es in Ihrem Alter mehrere Anwendungsszenarien für Kondome. Sie sind immer noch Single und allzeit bereit, ein sexuelles Abenteuer einzugehen. Sie sind schon lange verpartnert und noch immer nicht bereit, eine Familie zu gründen. Sie sind immer noch Single und bereit, ein sexuelles Abenteuer einzugehen, um eine Familie zu gründen. Sie sind schon lange verpartnert und allzeit bereit, ein sexuelles Abenteuer einzugehen, um eine Familiengründung aufzuschieben. Sie können diese Varianten unendlich kombinieren, das Ergebnis ist meist, dass Sie überhaupt keinen oder zu wenig Sex haben.

Über Sex spricht man ununterbrochen, nur hat man ihn nicht mehr. Die sexuelle Praxis wurde auf die diskursive Ebene verschoben: Die Zeitungen und die Fernsehkanäle sind voll von Kolumnen und Geschichten, in denen Frauen über Sex schreiben und Männer über Kinderkriegen und Kochen. Auf der theoretischen Ebene wissen Sie alles über Transsexualität, die erotisch-gesellschaftlichen Implikationen des Male Bonding und Judith Butler. In sexuellen Fragen können Sie einen Zylinder auf der Ebene rotieren lassen und jederzeit einen Roman von Jane Austen unter der Fragestellung des Gender-Mainstreamings analysieren. Und letzte Woche erst waren Sie beim Porno-Kongress, um sich Gedanken über die politischen Implikationen der Hintergrund-Rammel-Musik aus der Frühphase der 70er zu machen. Doch im wirklichen Leben bleiben die Bettdecken so kalt wie die Küche.

Wussten Sie übrigens, dass Sie rein statistisch gesehen am ehesten die Aussicht auf regelmäßigen Sex haben, wenn Sie in einer festen Partnerschaft leben? Und haben Sie sich schon mal Gedanken darüber gemacht, auf welches Ziel Sexualität hinausläuft? Sie ahnen es? Aus Spaß wurde Ernst, und Ernst ist heute drei Jahre alt – Sie erinnern sich bestimmt an diesen alten Otto-Witz aus Kinderzeiten.

Kinder. Das ist das Stichwort. Diesen lärmenden, kleinen Wesen können Sie nicht entgehen, weder in Ihrem Lieblings-Café noch in Ihrem Freundeskreis. Noch finden Sie Gleichgesinnte, mit denen Sie bis spät in die Nacht beim Bier sitzen und über das immer gleiche Geschwätz junger Eltern und ihre mangelnde Verfügbarkeit für Freizeitaktivitäten lästern können. Noch. Einer nach dem anderen wird Sie, aus Ihrer Sicht, verraten und an das andere Ufer mit seinen verschissenen Windeln und quietschenden Schaukeln wechseln. Der beste Kumpel, mit dem Sie eben noch so schön Fußball gucken konnten, wird Ihnen beim nächsten, hart erkämpften Kneipenbesuch zwei Stunden ohne Punkt und Komma erzählen, dass sein Sohn das Licht dieser Erde ist. Er wird Ihnen erzählen, dass der kleine Mann in seiner Kita-Peer-Group zum unangefochtenen Leader aufgestiegen ist und mindestens ein Ballgefühl wie Pelé hat. Nach diesen zwei Stunden ruft seine Frau an, und er muss auf der Stelle nach Hause. Sie hingegen bestellen sich noch ein Bier. Und noch eines. Dann lungern Sie an der Juke-Box herum und hoffen, eine Ethnologie-Studentin im Grundstudium abzuschleppen, die sich aber eigentlich mehr für ein Gespräch über Esoterik interessiert und im Moment eine ziemlich heftige Dinkel-Phase hat.

Diese junge Frau kommt Ihnen gerade recht. Mit Kinder-kriegen hat sie nichts am Hut, stattdessen möchte sie sich selbst und die Welt entdecken – ideal für ein unverbind-liches Abenteuer. Das Äquivalent ist der Mittzwanziger mit aufgetufftem Seitenscheitel, der von einem Plattenvertrag träumt. Diese Menschen machen Ihnen keine Angst, denn sie sind in ihren Suchbewegungen so unbestimmt und unsicher, dass Sie sich ohne Probleme wieder davonmachen können. Merkt ja ohnehin keiner.

Bei einer Frau in Ihrem Alter müssten Sie als Mann damit rechnen, festgenagelt zu werden. Ab einem gewissen Alter müssen Sie auch ganz anderen Überprüfungen standhalten: Der neueste Musik-Geheimtipp aus Manchester reicht dann nicht mehr, um zu imponieren. So wenig wie ein charman-tes Lächeln. Wenn Sie nachhaltigen sexuellen Erfolg haben wollen, müssen Sie zumindest potenziell gute Anlagen mit-bringen, das heißt, Sie müssen das Versprechen einer soliden Vaterschaft auf den Lippen haben. Ein Schriftsteller oder Nobelpreisträger im Stammbaum kann hilfreich sein und das abgebrochene BWL-Studium vielleicht ausgleichen. Das mit dem Geldverdienen können Frauen heute selbst, sodass man-che von ihnen in Kauf nehmen, dass Sie mit Ihrer Firma im Kreativbereich nie in der Lage sein werden, das Einkommen der Familie zu sichern. Falls Sie nicht garantieren können, dass Ihr Nachwuchs aufgrund der Beschaffenheit Ihres familiären Gen-Pools in der Hochbegabten-Liga imstande sein wird mit-zuspielen, müssen Sie zumindest das BWL-Studium zu Ende bringen und einen gut bezahlten Job haben. Auch und gerade in bürgerlichen Zusammenhängen geht es um Ressourcen. Es läuft alles auf ein Haus in der Park- oder Schlossstraße hin-aus – was glauben Sie denn, warum Ihnen Ihre Eltern »Mono-poly« geschenkt haben? Und warum haben Sie später in der studentischen WG bis zum Erbrechen »Siedler« gespielt? Erinnern Sie sich bitte kurz daran, worum es bei diesem Spiel geht: Ein Territorium wird besiedelt, dann werden Rohstoffe aus dem Land gepresst, und am Ende stehen überall Immobilien herum. Das war kein Spiel, das war nur das spielerische Üben des Ernstfalls, Bürger!

So ähnlich ist das auch mit der Sexualität. Üben war gestern, Anwendung ist heute. Seien Sie tapfer. Wenn Sie Angst haben, stellen Sie sich vor den Badezimmerspiegel (den Sie endlich repariert haben), und üben Sie sich in Gewissheit, indem Sie eine Stunde lang versuchen so zu lächeln wie Ursula von der Leyen. Die Publizistin Katharina Rutschky hat dieses Lächeln einmal als »Permafrostlächeln« bezeichnet. Mag sein, dass Ihnen der Lebensabschnitt, der nun zu kommen droht, so hart und endlos vorkommt wie die Weite Sibiriens, aber verlassen Sie sich darauf, dass Sie für die Mühen dieser Ebene entschädigt werden. Das wird Ihnen noch viel leichter fallen, wenn Sie mal ehrlich die Kerben an Ihrem Bettpfosten zählen. Promiskuität ist ein sehr aufwändiges Geschäft und führt in der Praxis selten zu Ergebnissen. Zumindest in Ihrem Milieu. Es sei denn, Sie entscheiden sich tatsächlich dafür, Ihre Freizeit in Swinger-Clubs zu verbringen oder ein Star in den entsprechenden Sex-Communities im Internet zu werden. Viel Glück bei *www.poppen.de*. Und behalten Sie stets Ihren Marktwert im Auge, mit Rettungsringen um den Hüften kommen Sie da nicht weit. Ansonsten bleibt Ihnen nur noch ein Dauerurlaub auf Mallorca oder der regelmäßige Gang ins nächste Wellness-Bordell. Während der Fußball-Weltmeisterschaft besuchte ich einmal ein solches, um eine Reportage über das Berliner »WM-Bordell« Artemis zu schreiben. Sie zahlen dort 70 Euro Eintritt, und wenn Sie eine Dame Ihrer Wahl antreffen sollten, geht es nochmal in die detaillierteren Preisverhandlungen. Die Bewerkstelligung der Triebbefriedigung kann zu einem zeit-, nerven- und kostenintensiven Vergnügen werden, das zudem eine gewisse Suchtgefahr in sich birgt.

Suchen Sie sich also endlich eine feste Sexualpartnerin. Den Zeitpunkt Ihrer sexuellen Höchstleistungsgrenze haben Sie bereits überschritten, als Sie Ihren Führerschein ausgestellt bekamen. Von da an ging es schon bergab, und mittlerweile sind Sie diesbezüglich auch schon ganz schön abgetakelt. Steuern Sie also den nächsten Hafen an, Matrose. Die degenerativen Kräfte sind gnadenlos, also zeugen Sie endlich die nächste Generation.

Sie hängen stattdessen immer noch dem geradezu altväterlichen Ideal des »Hörnerabstoßens« nach? Diese Auffassung stammt jedoch noch aus patriarchalen Zeiten, in denen die jungen Männer sich sexuell ausprobierten, um zu »üben«, bevor sie mit Frauen zusammenkamen, deren sexuelle Unbeflecktheit verbissen gehütet wurde. Trotz des mehr oder weniger intensiven Übens, zumindest einer der Partner, war die folgende eheliche Sexualität eher selten das, was man in diesem Zusammenhang als befriedigend bezeichnet. Die Zeiten sind allerdings schon lange nicht mehr so. Im Zeitalter nach der sexuellen Befreiung ist es zumindest theoretisch möglich, auch in einer monogamen Konstellation eine erfüllende Sexualität zu leben, wenn man offen ist für Gespräche, Weiter- und Fortentwicklungen. Das Sich-Einlassen auf eine feste Partnerin muss nicht das letzte Kapitel im Abenteuerroman Ihrer Sexualität sein. Libido und sexuelle Präferenzen sind individuell, falls Ihre Wünsche nicht mit denen Ihrer Partnerin kompatibel sind: Haben Sie den Mut, darüber zu sprechen. Das theoretische Handwerkszeug haben Sie ja. Im Abendland gibt es noch immer einen weitläufigen Untergrund, in dem fleißig die Ehe und sonstige Treueschwüre gebrochen werden. Gehen Sie mal in eine Hotelbar, wenn gerade ein Mediziner-Kongress ist. Sie können dort eine hässliche Variante des Erwachsenseins beobachten, die aus Lügen und Bigotterie besteht. Ohne diesen Plot gäbe es keine Krimis. Die Akteure sind kleine Kinder, die darauf hoffen, dass Mutti – oder Vati – sie nicht erwischt, wenn Sie heimlich vom Apfelmus naschen.

Das ist eben genau der heikle Punkt, an dem Sie – ob Männlein oder Weiblein – nicht so richtig weiterkommen. Ihre Elterngeneration hat sich an der Frage der ehelichen oder partnerschaftlichen Treue bereits relativ erfolglos abgearbeitet – oder sie gar nicht erst gestellt. Die sexuelle Revolution der 70er fiel genau in die Zeit zwischen erfolgreich therapierbarer Syphilis und dem Aufkommen von Aids in den 80ern. Damals schien zwar alles möglich, doch am Ende – so berichten Augenzeugen – scheiterte man dann doch an den unbegrenzten Möglichkeiten, und die jeweilige Eifersucht war einfach stärker als der gute Wille. »Fremdgehen« und geöffnete Beziehungskisten zulassen zu können sind eine hohe emotionale Herausforderung, der sich die meisten Menschen weder stellen können noch wollen. Glückt es, diese Herausforderung zu bewältigen, dann winkt – unter Umständen – eine lebenslange, offene Sexualität mit all ihren Möglichkeiten des Neuen, Exotischen – inklusive eines gelegentlich etwas schalen Gefühls, das Entzauberungen mit sich bringen. Man kann sich dafür oder dagegen entscheiden, und für beide Entscheidungen gibt es plausible Gründe. Tragisch wird es eben nur, wenn eine gemeinsame Entscheidung zur Treue getroffen wird und diese dann einseitig unterlaufen wird. Denn dann zerstören Sie jenes Vertrauen, das aufzubauen so mühsam war.

Gleiches gilt selbstverständlich, wenn Sie eine Frau sind und Ihnen Ihre beste Freundin, mit der Sie früher immer auf Aufriss unterwegs waren, plötzlich mit strähnigem Haar anstatt mit neuen Strähnchen gegenübersitzt und bei Apfelsaftschorle über die Beschaffenheit der Ausscheidungen Ihres

Sohnes plaudert. Sie sitzen in der etwas ungemütlichen Kneipe im Erdgeschoss des Wohnhauses Ihrer Freundin, weil sich
deren Tresen noch genau in der Reichweite des Babyphons
befindet, und essen Back-Camembert aus dem Tiefkühlregal
mit Preiselbeeren aus dem Glas für zehn Euro, die Ihnen ein
ebenfalls langzeitadoleszenter Kellner voller Hass hingeknallt
hat. Er ist sauer, weil die Tätigkeit als Kellner für einen begabten Web-Designer wie ihn eigentlich unzumutbar ist – erst
recht in einem nicht-szenigen Lokal. Nach einer Stunde muss
Ihre Freundin dringend nach oben, weil es im Lautsprecher
des Babyphons geknackst hat und sie echt total müde ist. Der
Aufriss, bei dem Sie ihr damals noch assistiert haben, war
äußerst fruchtbar, der kleine Racker heißt Pascal.

In der ungemütlichen Kneipe gibt es keine Jukebox und
keine 25-jährigen Schnulli-Sportstudenten, und der schlecht
gelaunte Kellner mit der beachtlichen Pectoralis-Muskulatur
ist leider schwul. Stattdessen bändeln Sie nach der sechsten
Weißweinschorle mit dem total netten und sensiblen, aber
leider verheirateten Mann vom Nebentisch an. Und das auch
noch längerfristig, weil Sie für One-Night-Geschichten nicht
zu haben sind – als bürgerliche Frau hat man da nämlich noch
immer einen Ruf zu verlieren, nicht wahr? Sie sind ja schließlich nicht Catherine Millet. Statt belangloser Gespräche über
Dinkel und Sternzeichen müssen Sie sich jetzt Geschichten
über die Multiple-Sklerose-Erkrankung seiner Frau anhören
oder wahlweise die Leukämie des Sohnes. Diese Geschichten
gehören zum Repertoire der Ausreden, mit denen verheiratete
Männer ihre Geliebten auf Abstand halten. So doof, wie es
Ihnen manchmal vorkommt, sind Männer nicht: Sie wählen
Geschichten, die Sie emotional und moralisch unter Druck
setzen und bei denen die Herren selbst gut wegkommen, nämlich als verantwortungsbewusste, sensible Männer, die sich
trotz allem für Frau und Kind aufopfern. Sie schlagen Sie mit

Ihrer eigenen Logik. Sie wiederum können sich fortan selbst in der Rolle des Opfers wiegen, das an Feiertagen alleine zu Hause sitzt und vernachlässigt wird. Obwohl Sie genau wissen, dass Sie es sich so ausgesucht haben, weil die Beziehung zu einem verheirateten Mann bedeutet, dass Sie selbst nicht heiraten müssen und Kinder nicht in Frage kommen. Sie sind ein Opfer Ihrer selbst, so wie Sie jede Träne, die Sie in dieser Beziehung weinen, um sich selbst weinen. Sie klinken sich in eine Ehe ein, die Sie zwar fürchten, aber am Ende doch selbst führen wollen. Ist das erwachsen?

In der Langzeitadoleszenten-Szene ist diese Beziehungskonstellation mittlerweile Alltag, Sie kennen bestimmt zumindest einen Fall in Ihrem Bekannten- und Freundeskreis. Ein Ergebnis dieser Entwicklung ist der neue Typus des selbstbewussten Ehebrechers, der es gar nicht mehr nötig hat, seinen Ehering zu verstecken: Seht her, ich bin verheiratet und habe Kinder gezeugt. Weil ich es kann.

Sie können sich auch alternativ hinter Ihren hohen Ansprüchen verschanzen und sich allabendlich der einsamen Lektüre von Liebesromanen widmen: Der Ihnen gerade so adäquate Lebenspartner soll aussehen wie David Beckham und klug sein wie Stephen B. Hawkings, charmant sein wie George Clooney und so sensibel wie Ihre Klangschalen-Therapeutin. Sie haben eine Anspruchshaltung entwickelt, die der männlichen Forderung nach einer Heiligen, die zugleich Hure ist, eigentlich in nichts nachsteht. Sie hätten am liebsten einen Krieger, der Gedichte schreibt, und das ist mindestens so kitschig wie die Poster, die in Ihrem Jugendzimmer an der Wand hingen. Vielleicht war es ein Muskelmann, der ein kleines Baby an seinen nackten Oberkörper schmiegt, oder ein Fantasy-Ritter auf einem weißen Pferd? Machen Sie nur so weiter. Wenn Sie Pech haben, heiraten Sie dann mit 38 den Pizza-Boten. Weil er gerade da war. Das Spiel heißt, ich erwähnte es bereits,

»Die Reise nach Jerusalem«. Irgendwann ist die Musik aus, und alle Stühle sind besetzt. Ihre Geschlechtsgenossinnen haben sämtliche im Wald verfügbaren Hirsche mit Salzstein angelockt und behutsam angepflockt. Das Leben spült zwar immer mal wieder einen Kerl an den Strand, aber meistens hat er dann schon zwei Kinder, für die er Alimente zahlen muss. Weshalb Sie immer beim Italiener zahlen müssen, nachdem Sie sich zwei Stunden lang über den aktuellen Stand des Scheidungskrieges unterhalten haben.

Prinzessin, wenn Sie Pech haben, können Sie so lange auf den Prinz warten, bis Sie schwarz werden. Bis dahin sitzen Sie allein auf der Erbse. Ihre Freundinnen und Freunde sind alle schon verpartnert und frönen der Exklusivität der Kleinfamilie – also exklusive Ihrer Person. Sie können froh sein, wenn man Sie wenigstens als Babysitter haben will.

Erwachsensein bedeutet auch, sich einer erwachsenen Beziehung zu stellen. Suchen Sie sich einen Partner oder eine Partnerin, mit der Sie sich tatsächlich vorstellen können, den Rest Ihres Lebens zu verbringen, inklusive Anerkennung der Eventualität, dass die Liebe nicht unbedingt im Stadium der anfänglichen Passion verharrt. Gott sei Dank, denn bei der gerne opernhaft inszenierten Leidenschaft handelt es sich erstens oft um qualmende und stinkende Strohfeuer – wenn Sie es selbst noch nicht erlebt haben, dann bestimmt in Ihrem sozialen Umfeld – und zweitens um narzisstisch-egoistische Konstellationen, bei denen es hauptsächlich um das Erleben der eigenen Liebesfähigkeit und den Genuss körpereigener Opiate geht.

Leider gehören Sie aufgrund Ihrer Sozialisation noch zu den »dernières Romantiques«, d. h. Sie haben in den 80er Jahren einfach viel zu viel »The Smiths« gehört und sich in Ihrem Studium oder während der Ausbildung eine Überdosis Heinrich von Kleist zugeführt. Wenn nicht, haben Sie auf jeden

Fall Unmengen von Hollywood-Filmen angeschaut, die ebenfalls stets auf dem gleichen Plot basieren: Boy meets Girl, und am Ende sind beide glücklich und leben bis ans Ende ihrer Tage. Sie haben auch Unmengen von Independent-Filmen angeschaut, die stets auf der gleichen Grundkonstellation beruhen: Boy meets Girl, und am Ende sind beide glücklich und leben bis ans Ende ihrer Tage – mit dem einzigen Unterschied, dass die Akteure coolere Lederjacken tragen und bessere Musik hören. Wenn Sie allerdings hauptsächlich nur auf das französische Kino abonniert waren, dann vergessen Sie am besten dieses ganze Kapitel: Sie können dann nur unmögliche Liebe leben. Tun Sie das, aber tun Sie es nonchalant. Also in stiller Verzweiflung. Oder fahren Sie mal in die französische Provinz und schauen sich die putzigen Kleinfamilien an. Oder die putzigen Eigentumswohnungen 25jähriger (!!!) Paare in Paris. Es ist nicht alles Chabrol, was glänzt.

Alle anderen führen sich jetzt bitte vor Augen, dass im richtigen Leben noch ein sehr, sehr langer Abspann kommt, bei dem Sie nicht einfach rausgehen können, um eine zu rauchen oder schon mal aufs Klo zu gehen. Bis dass der Tod euch scheidet! Das Konzept einer Ehe, die nur für sieben Jahre gilt, hat sich bislang noch nicht durchsetzen können, auch wenn die Liste der Antragsteller von Goethe bis zur ehemaligen bayerischen Latex-Landrätin Gabriele Pauli reicht. Man braucht da schon einen etwas längeren Atem, wenn man das »Projekt« Ehe oder Langzeitpartnerschaft bestreiten will – und auch eine gemeinsame Perspektive. Ein Café eröffnen? Nach Australien auswandern? Oder wenigstens ein Häuschen in Portugal errichten? Es kann auch ein gemeinsam gepflanztes Apfelbäumchen im Schrebergarten sein. Mein Freund und ich zum Beispiel werden unser Lebensglück wohl kaum auf kleine Kinderfüßchen stellen können. Aber einen Plan haben wir doch: Ein generationsübergreifendes »Wohnprojekt« auf dem

Lande soll es sein. Mit einem Pferd, zwei Katzen und einer Freundin aus Bayern, die ihre Eigentumswohnung verkaufen möchte, um ihren Lebensabend mit uns zu verbringen. Mal sehen, wer im Laufe des Lebens noch so dazukommt. Platz hätten wir noch auf dem Grundstück, Sie müssen also nicht alle Hoffnung fahren lassen.

Sie werden sich vielleicht lieber einen Hund anschaffen oder eine Familie gründen. Oder beides. Hunde brauchen Auslauf, und Kinder brauchen sehr viel Geld und Liebe. Um beide Ressourcen bereitstellen zu können, brauchen Sie erstens sehr viel Kraft und zweitens eine Partnerschaft, in der jeder bereit ist, Abstriche von seinen persönlichen Interessen zu machen. Kinder sind im Übrigen ausgesprochen konservativ: Sie mögen es nicht, wenn sie alle zwei Wochen einen anderen Herrn Papa oder eine andere Dame Mama nennen sollen. Die kleinen Zwerge sind da keineswegs so flexibel wie Sie in Ihrem bisherigen Lebenslauf.

Setzen Sie sich jetzt bitte mal in Ihr 70er-Retro-Cocktail-Sesselchen und machen Sie eine Liste, mit wem Sie so alles das Kopfkissen geteilt haben. Das mit dem Kopfkissen ist metaphorisch gemeint, also – bitte schön – nicht schummeln. Die Herren tendieren bei diesen Zahlen zur Übertreibung, die Damen zur Untertreibung.

Na? Da kommt doch ein bisschen was zusammen, nicht? Überprüft und nicht für gut befunden, zu wenig oder zu viel Ordnungsliebe, mit einer anderen durchgebrannt, des Hobbys »Modellflug« überdrüssig gewesen, Haarwuchs auf dem Rücken, Raucher, Nichtraucher, hässlicher Dialekt, unterstellte Psychose, schwerwiegende Probleme in der Kindheit, die im Rahmen einer Partnerschaft nicht aufgefangen werden konnten, Plattfüße – also, ehrlich gesagt sind Sie ganz schön wählerisch gewesen. Und umgekehrt sind Sie mittlerweile ziemlich traumatisiert durch all die monatelangen Trennungsdramen mit Suizidandrohung, Stalking und stundenlangem Kaffeetrinken mit ebenfalls traumatisierten Freundinnen und Freunden.

Nach Auflistung Ihrer Umtriebe müsste Ihnen, wenn Sie mal von sich selbst ausgehen, klar werden, dass diejenigen, die jetzt noch auf dem Markt sind, »schon wieder« auf dem Markt sind. Es handelt sich um Gebrauchte, und die haben nun mal Macken. Also nehmen Sie jetzt bitte Ihren Anforderungskatalog und reißen Sie mindestens die Hälfte der Seiten raus. Oder Sie behalten ganz einfach Ihr jetziges Fahrzeug. Jetzt, wo die Kupplung doch schon gemacht und der Auspuff unter Mühen befestigt wurde. All diese Arbeit, all diese Investitionen: Die Karre hält so vielleicht noch ein ganzes Leben. Mal unter uns Klosterschwestern: Man kann sich den Spatz in der Hand auch als Taube denken, dann muss man nicht mehr auf dem Dach herumkrauchen.

Die Kondome, die Sie schamhaft in einem Seitentäschchen Ihrer Umhängetasche verborgen haben, fliegen auf der Stelle aus Ihrer Tasche. Kaufen Sie frische Kondome, die Sie in Ihrem Schlafzimmer an diskreter Stelle griffbereit deponieren. Dann melden Sie sich bei *www.neu.de* an und suchen sich einen adäquaten Partner oder eine kompatible Partnerin. Sie machen doch sonst auch alles über E-Bay.

## Zahnbürste

**S**ie haben zwar einen festen Partner, trauen sich aber nicht mal, Ihre Zahnbürste in dessen Badezimmer zu deponieren. Stattdessen tragen Sie das Teil mit sich herum, was hässliche, weiße Zahnpasta-Flecken im Futter der Umhängetasche verursacht. Und wenn Sie sich die Zähne außerhäusig putzen, haben Sie manchmal einen kleinen Zigarettenfilter zwischen den Zahnzwischenräumen stecken oder eine Kinokarte im Rachen, die an der Bürste hängen geblieben ist. Das ist doch wirklich kein Zustand.

Zunächst mal verschwenden Sie eine Menge Geld, weil wenigstens einer von Ihnen beiden eine Alibi-Wohnung finanzieren muss, die eigentlich nicht genutzt wird. Das kann praktisch sein, zum Beispiel für mich: Bei der Wohnung über mir handelt es sich um eine solche Alibi-Wohnung, der junge Mann ist eigentlich ständig bei seiner Freundin und kommt nur kurz mal vorbei, um seinen Ficus Benjamini zu gießen oder die Toilettenspülung zu betätigen, weil sich sonst Entengrütze im Bassin bildet. Es ist daher sehr ruhig hier. Zum Alibi-Wohnen gehört übrigens auch unbedingt, dass zumindest einmal im Monat ein gemeinsamer Alibi-Aufenthalt in der Alibi-Wohnung erfolgt. Auch wenn dort der Kühlschrank leer ist und die Bettdecken klamm. Egal, denn es geht um den demonstrativen Beweis von Unabhängigkeit, da muss man dann durch. Bald kann man ja wieder in die eigentliche Wohnung. Luxuriös, dass Sie sich Ihre innere Unabhängigkeit, oder wie immer Sie das nennen mögen, vierhundert oder noch mehr Euro im Monat kosten lassen. Aber wovor genau haben Sie eigentlich Angst?

Sie haben Angst davor, dass Sie sich in Zukunft mit Ihrem Partner über Mülleimerleerungstaktung unterhalten müssen, anstatt sich gegenseitig Gedichte vorzulesen. Sie sind sich nicht sicher, ob Sie im Falle des Zusammenziehens Ihr Einrichtungskonzept aufrechterhalten können, und wissen nicht, wohin mit dem Flipper, den Ihr Freund im Wohnzimmer aufgestellt hat. Außerdem ist da ja noch die Carrera-Bahn. Pinkeln im Sitzen oder im Stehen? Bindeneimer ja oder nein? Deutsche Markenbutter oder Lätta im Kühlschrank? Und über allem die große Frage: Halte ich das aus, vom »Ich« zum »Wir« zu mutieren?

Mal abgesehen davon, dass letztere Frage eigentlich viel zu hoch gehängt ist und Partnerschaft nicht gleichbedeutend mit Selbstauflösung ist: Sie können diese Dinge alle verhandeln. Wenn Sie lieber Lätta essen, dann besorgen Sie sich einen Kühlschrank, der groß genug ist, Ihrer beider erlesenen Geschmäcker in allen Verästelungen mit Nährstoffen zu versorgen. Sie können ja auch Gedichte vorlesen, während Ihr Partner den Abwasch macht. Oder Sie finanzieren eine gemeinsame Putzkraft und schaffen eine gebrauchte Spülmaschine an. Der Flipper bleibt, die Carrera-Bahn fliegt raus.

Sie sparen von nun an eine Menge Geld, weil Sie nicht mehr ständig in der Gastronomie herumhängen müssen: Ihre gemeinsame Schnittmenge ist nun Ihr gemeinsames Zuhause, in dem Sie auch mal was zusammen kochen können oder Freunde einladen. Dann sind Sie gemeinsame Gastgeber und ziehen anlässlich solcher Einladungen notgedrungen an einem Strang – es sind ja Ihre gemeinsamen Gäste. Da kann man auch schon mal schön für den Ernstfall üben. Hm?

Ich habe allerdings in der Tat schon Paare auseinandergehen sehen genau in dem Moment, in dem die erste gemeinsame Couch gekauft wurde. Das ist aber immer noch ein besserer Zeitpunkt als just vor dem Traualtar. Sie hatten es versucht, doch dann wurden sie von der Couch perspektivisch ganz einfach erschlagen. Aber sie hatten es wenigstens versucht! Sie hatten sich bewegt und eine Entscheidung getroffen, anstatt sich weiter auf das Ungefähre zurückzuziehen. Sie wollen das nun partout nicht, weil Sie einen alternativen Lebensentwurf anstreben und keineswegs so enden möchten wie Ihre Eltern, die sich am Ende mit Marmeladengläsern beworfen haben? Das ist dann Ihre Entscheidung. Aber es sollte eben eine Entscheidung sein: Wenn jeder seine Wohnung behält, dann leben Sie dieses Konzept auch richtig. Man besucht sich ernsthaft wechselseitig, und jeder verfügt über einen autonomen, funktionierenden Haushalt und hat frische Butter im Kühlschrank. Oder Lätta. Falls Sie Kinder bekommen sollten, wird das ein ziemlicher logistischer Aufwand, der aber dennoch zu bewerkstelligen ist, wenn Sie es wirklich wollen. Ziehen Sie in das Nachbarhaus oder in die Wohnung nebenan. Loten Sie Ihr individuelles Bedürfnis nach Nähe und Distanz gemeinsam und ehrlich aus. Die Theologin Uta Ranke-Heinemann, die Papstkritikerin mit dem türkisfarbenen Lederkostüm, lebte zeitlebens mit Ihrem Mann im gleichen Haus. Allerdings in getrennten, abgeschlossenen Wohnungen. Geht auch. Mein Mann und ich haben uns nach langen Kämpfen für getrennte Wohnkonzepte entschieden. Er lebt auf dem Lande, im Speckgürtel von Berlin, und ich mitten in der Stadt. Am Wochenende fahre ich raus, und in der Woche ist er des Öfteren bei mir in der Stadt. Jeder respektiert die jeweiligen Zwangsneurosen und Einrichtungsvorstellungen des anderen. Und kauft Butter.

Die Zahnbürste kommt aber auf jeden Fall aus der Tasche. Wenn Sie sich für ein Wohnkonzept entschlossen haben, kann die Bürste an einem konkreten Standort deponiert werden: eine bei sich zu Hause und eine bei Ihrem Partner, eine einzige im gemeinsamen Haushalt. In der Umhängetasche ist jedenfalls keine mehr.

# Schnuller

**E**in Schnuller in der Umhängetasche? Sie sind schon Vater oder Mutter? Wahnsinn. Man sollte ja meinen, dass Sie dieses Buch dann gar nicht lesen müssten. Schließlich gilt die Elternschaft nach wie vor als bedeutendes, recht zuverlässig sich öffnendes Portal zum Erwachsensein. Allerdings galt früher auch die erste, als bleibend gedachte Partnerschaft als ein solches Portal: aus und vorbei. Auch mit dem schicken Bugaboo-Kinderwagen können Sie in diesem Portal hängen bleiben, leider: wieder keine Garantie, alles richtig zu machen.

Fast alle jungen Eltern der »Generation Umhängetasche« haben vor der Phase der Reproduktion die Phase der Langzeitadoleszenz durchlaufen. Kinder bekommt man frühestens jenseits des 30. Lebensjahres, der Zeitpunkt der ersten Geburt tendiert immer stärker in Richtung 40. Besonders diejenigen unter Ihnen, die den Schritt zur Wiege aus reiner Verzweiflung getan haben, um sowohl dem Horror der ewigen Jugend als auch dessen Begleiter der totalen Sinn- und Perspektivlosigkeit aufgrund außer Kontrolle geratener Endlos-Suchbewegungen zu entfliehen, sind eine gesellschaftliche Problemzone. Das Kind ist dann nicht einfach nur ein Kind, sondern das endgültige, totale Projekt. Der Roman-Herzog-Ruck, der große Mao-Sprung nach vorn. Das verursacht dann insgesamt mehr Lärm, als der kleine Sprössling durch Schreien aus eigener Kraft jemals veranstalten könnte. Publizistisch können Sie dieses Phänomen an der Zahl der Bücher, Artikel und Kolumnen messen, die zum Thema Kinderkriegen auf den Markt geschwemmt werden. Sogar die Väter schreiben nun ständig Bücher über das Vatersein, was vielleicht daran liegt, dass sie sich in ihrem Vaterschaftsurlaub zu Hause ein wenig langweilen. Doch auch die Mütter scheinen noch eine Menge Zeit übrig zu haben, sonst könnten sie nicht ständig in Talkshows sitzen und die Kinder- und Mütterfeindlichkeit der Gesellschaft beklagen. Wo sie übrigens nie erzählen, was einem erfahrene Mütter von mehreren Kindern nur heimlich ins Ohr raunen, weil sie sonst von aggressiven Jungmüttern auf offener Straße verprügelt würden: »Mit nur einem Kind ist man eigentlich gar nicht ausgelastet.«

Das würde zumindest einiges erklären. Wie viele Kinder hat Eva Herman eigentlich? Trotz der doch recht aufwändigen Pflichten, die eine Elternschaft bedeutet, trotz des permanenten Schlafmangels und dem Geschrei bahnen sich die Marotten der Langzeitadoleszenz ihren Weg in den neuen Lebensabschnitt der Elternschaft. Es fängt schon in der Schwangerschaft an, wenn die jungen Mütter mit einem Selbstbewusstsein in der Schlange am Postschalter vordrängeln, dass man Schnappatmung bekommt: »Lassen Sie mich durch, ich werde Mutter.« Falls Sie also gerade schwanger zu werden beabsichtigen, schwanger geworden sind oder wieder schwanger werden wollen: Bedenken Sie bitte, dass die Welt nicht stehen bleibt, weil Sie sich gerade fortpflanzen. Im Gegenteil: Die Welt dreht sich immer weiter, und während sie rotiert, werden ununterbrochen Kinder gezeugt und geboren. Das ist die normalste Angelegenheit der Welt. Es war immer schon so und wird auch so sein, solange es diesen Planeten gibt, o.k.? Und lassen Sie sich bitte auch nicht von Politikern einreden, dass Sie eine Art Heilsbringerin sind, die sich wacker opfert, um den Erhalt der deutschen Nation zu gewährleisten. Sind Sie scharf auf ein Mutterkreuz? Erstens wird die Welt nicht in tiefe Trauer versinken, wenn es ein paar weniger Deutsche auf dem Planeten gibt, trotz der Sommermärchen-WM, glauben Sie mir, ich habe mich im Ausland erkundigt: ist kein Problem. Zweitens ist Deutschland längst ein Zuwanderungsland. Das wird schon alles.

Weil Sie immer noch nicht erwachsen sind, sind Sie es gewohnt, sich nur um die eigene Achse zu drehen und Nabelschau zu halten. Das ist jetzt aber vorbei, spätestens wenn Ihr Kind abgenabelt wurde, müssen Sie sich erst mal auf den Ihres Kindes konzentrieren. So weit, so gut, doch nun übertreiben Sie es natürlich gleich wieder: Das Kind wird die Sonne, um die Sie kreisen: Seht her, der Erlöser ist geboren! Das Kind wird zum Fetisch und zu einem zentralen Accessoire Ihrer egozentrischen Selbstdarstellungslust. Der kleine Tankred, der kleine Konradin, die kleine Sophinette: nur Ableger Ihrer wundervollen Persönlichkeit und ja, wenn die Welt nur von diesen Ihren Ablegern bevölkert wäre, dann wäre sie eine bessere! Vor allem eine, die sich nach Ihren persönlichen Vorstellungen und Wünschen gestaltet. Sie würden diese Welt endlich verstehen und die Welt Sie – was wiederum das Wichtigste von allem wäre. Ach übrigens: Selbstverständlich hat Ihr Kind gewisse Ähnlichkeiten mit Ihnen. Aber Sie sollten nicht davon ausgehen, dass es sich bei diesem Kind um Sie selbst in der 2.0.-Variante handelt. Es hat schon recht früh eine eigene Persönlichkeit.

Um die Welt doch noch auf Ihre Weise zu verbessern, haben Sie sich also an die Gebärfront begeben, und von nun an wird der Nachwuchs auf Hochleistung gedrillt, als ob das Kinderzimmer ein Al-Quaida-Ausbildungslager wäre. Sie basteln eben eifrig an Ihrer 2.0.-Variante. Das Kind wächst viersprachig auf, gerade weil Sie selbst nur zwei Fremdsprachen sprechen und davon auch nur eine einigermaßen fließend, nämlich Englisch. Mit Ihrem Dinglisch, das sich irgendwie nach der (Velvet-) Underground-Ikone Nico anhört, beglücken Sie den Nachwuchs morgens zwischen acht und zehn, die Erasmus-Studentin aus Paris, die nebenan wohnt, muss zwischen zehn und zwölf französische Kinderbücher vorlesen. Sogar die Putzfrau muss ran und diskutiert auf Ihre Anweisung hin mit Sophie über die neuesten Teletubbies-Folgen ausschließlich in polnischer Sprache. Wenn sie ein bisschen größer ist, können Sie Ihre Kleine ja auch stundenweise in der Döner-Bude an der Straßenecke abgeben: Schließlich wird Türkisch im Rahmen des irgendwann stattfindenden EU-Beitritts der Türkei von zunehmender Bedeutung sein und Sophie einen Standortvorteil sichern. So weit, so gut: Damit sind Sie wenigstens schon mal ungefähr auf dem Elternschafts-Dampfer – »Das Kind soll es mal besser haben«.

Er soll ja später nicht so verpeilt und verwirrt herumlaufen wie Sie, was Sie allerdings durch Ihre Langzeitadoleszenz-Pädagogik – was für ein Widerspruch! – beständig konterkarieren: »Du, Marie, wir hatten doch aber echt abgesprochen, dass du dich nicht mehr einfach auf die Straße fallen lässt und rumbrüllst. Das finde ich jetzt aber irgendwie nicht in Ordnung von dir.« Das sind dann so die Ansagen, die Sie machen. Die gleichen Ansagen, die Sie ihren Freunden und Partnern schon immer gemacht haben. Gleich diffus. Gleich nichtssagend. Irgendwie. Die lieben Kleinen von Langzeitadoleszenten haben ein kleines Problem: Da ihre Eltern selbst noch nicht erwachsen und bestimmt bzw. bestimmend sind, bleiben sie sich selbst überlassen und tun, was man dann eben so tut als Kind: freidrehen, schreien, andere Kinder an den Haaren ziehen.

In einem bayerischen Restaurant im Zentrum eines Wallfahrtsortes hatte ich ein diesbezügliches Erweckungserlebnis. Eine kleine Göre bzw. ein kleines Dirndl, wie man dort sagt, verkündete mit lauter Stimme lokalfüllend: »MEIN NAME IST ANNE UND ICH MÖCHTE GERNE REIBERDATSCHI

ESSEN.« Gut gebrüllt, Anne. Doch dieses Bekenntnis verhallte ganz einfach im Nichts. Die Eltern verhielten sich, als würden sie mit der Shouterin ihrer Lieblingsband in einer illegalen Hinterhof-Bar abhängen. Verschonen Sie bitte Ihre Kinder mit dieser coolen Indifferenz, mit der Sie in Ihrem bisherigen Leben scheinbar so gut gefahren sind. Heben Sie sich das auf für Abende, an denen Sie einen Babysitter haben und mal wieder um die Häuser ziehen. Es dürfte Ihnen doch wohl klar sein, dass Sie Ihr Kind nicht behandeln können wie Ihre Kumpels.

Und hören Sie bitte auf, Ihrem Kind die Monte-Rationen zu klauen. Da ist jetzt wirklich mal eine Grenze. Der ernährungsphysiologisch problematische Schoko-Nuss-Pudding »Monte« geht Sie nichts an, Sie sollen das Zeug nur in ausreichenden Mengen bereitstellen. Monte ist für die Kinder von heute Nutella und Kinderschokolade in einem. Sie wissen doch eigentlich, wie es ist, wenn die eigenen Eltern größere Joints vertragen als Sie selbst und sich dann auch noch ungefragt an Ihren CDs bedienen. Soll denn das jetzt so weitergehen? Müssen Sie denn unbedingt die gleichen Schuhe tragen, Converse Chucks, die Sie auch Ihrem Kind verpassen? Ihr Kind sieht in seinem Mini-Kapuzenshirt, den Jeans und seinen Plastik-Latschen aus wie ein Hanuta-Abziehbild Ihrer selbst.

Sie sind gerade im Begriff, das Drama der bis zur Unkenntlichkeit verwischten Generationsgrenzen in die nächste Runde zu tragen. Und stehlen Ihrem Kind damit – wenn auch unbeabsichtigt – ein Stück seiner Kindheit. Indem Sie Ihr Kind zum Anlass nehmen, Ihre eigene Infantilität weiterzudrehen, befinden Sie sich auf einer nicht angemessenen Augenhöhe mit Ihrem Kind. Ihr Kind ist jedoch ein kleiner Zwerg und würde es gerne noch eine Weile bleiben. Das geht aber nicht, denn im Gegensatz zu Ihnen wird es gezwungen, immer früher erwachsen zu werden. Achtjährige bitten sich heute schon aus, dass sie am Sonntag bitte ausschlafen würden und weitere familiäre Verpflichtungen erst am frühen Nachmittag wahrnehmen möchten. Ihre Woche war ja auch vollgestopft mit Terminen: Ballett, Russisch-Unterricht, Termine bei der Logopädin mit integriertem frühkindlichem Nachrichtensprecher-Training. Zudem sind die Anforderungen in der teuren Privatschule ziemlich hoch. Außerdem dient man den eigenen Eltern noch als Ansprechpartner für ihre beruflichen und privaten Probleme. Das zehrt an den Nerven. Alles muss man sowieso schon alleine entscheiden, weil Mutter und Vater sich da gerade mal echt wieder nicht richtig im Klaren sind über ihre aktuelle Erziehungsstrategie: und dann das noch. Sogar die Geschlechtsreife setzt bei den modernen Kindern der westlichen Industriegesellschaften heute früher ein. Kein Mensch weiß so richtig, woran es liegt. Aber denken Sie ruhig mal darüber nach.

Es ist einfach absurd: Eltern, die nicht erwachsen werden wollen, verkürzen die Kindheit ihrer eigenen Kinder. Und dann sind da ja noch die total jungen Großeltern. Kein Wunder, dass die Kinder früh vergreisen. Einer muss ja die Verantwortung übernehmen. Ihr Kind braucht also gar keinen Schnuller, sondern eine Bankvollmacht, die Rentenunterlagen und die Reisepässe der Familie. Den Schnuller entfernen Sie bitte sofort aus Ihrer Umhängetasche. Oder gewöhnen Sie sich gerade das Rauchen ab?

## Eine Heimfahrkarte
## der Deutschen Bahn AG

Sie erinnern sich an den Schlüssel zu Ihrem Elternhaus, den Sie per Einschreiben nach Hause geschickt haben? Das haben Sie doch bereits getan – oder nicht? Ich warte.

Fertig? Dann dürfen Sie jetzt die Heimfahrkarte in Anspruch nehmen und »nach Hause« fahren, um Ihre Eltern zu besuchen. An der Haustür bitte klingeln. Diese Exkursion ist ein wichtiger Bestandteil auf dem Weg zu Ihrer erwachsenen Existenz. Mit der Bahnfahrt fängt es schon an: Im ICE-Großraumabteil befinden Sie sich in einem Transitraum. Während um Sie herum mit der *Zeit* geraschelt wird, Kinder einfach so schreien und Geschäftsleute gezielt in ihre Mobiltelefone brüllen, rasen Sie mit 200 Stundenkilometern durch ein bundesdeutsches Niemandsland, das weder mit Ihrer Kindheit und Jugend, noch mit Ihrem jetzigen, noch langzeitadoleszenten Standort zu tun hat. Merken Sie, wie Sie Kilometer um Kilometer zurücklegen? Über diese Strecke haben Sie Ihre Jugend und Kindheit verschleppt. Sie hängen an einem endlos langen Gummiband, das Sie mit aller Gewalt glauben festhalten zu müssen – und das Sie unangenehm fixiert.

In Wahrheit treten Sie jedoch gerade eine Rückreise zu einem Standort an, der nicht mehr der Ihre ist. Sie verfügen schließlich über eine Rückfahrkarte in Ihr eigenes Leben, also in Richtung Ihres tatsächlichen »zu Hause«. Es ist jetzt eine gute Gelegenheit, eine kleine Bilanz zu ziehen: Wo kommen Sie her, wo stehen Sie jetzt, wo wollen Sie hin? Es ist eine Frage des Standpunkts, und Sie sind jetzt wie eine Fliege, die in einem Zugwaggon hin und her summt: Der Waggon bewegt sich mit 200 Stundenkilometern, Sie können sich trotz dieser wahnwitzigen Umstände ganz langsam und bedacht im Waggon bewegen. Aber achten Sie auf Fliegenklatschen.

Keine Ahnung, wo Ihre Eltern wohnen: in einer Großstadt, in einem Dorf, in einer westfälischen Kleinstadt. Vielleicht sind Ihre Eltern auch geschieden, und Sie müssen sie getrennt besuchen. Wie dem auch sei: Nach dem Begrüßungsessen wird vielleicht eine Flasche Wein geöffnet oder ein Likör kredenzt. Statt nun Ihre besorgten Eltern unnötig aufzuregen, indem Sie von Ihren unbezahlten Rechnungen erzählen – in der Hoffnung, dass sie vielleicht beglichen werden –, fragen Sie Ihre Eltern mal nach einer Aufstellung der Kosten, die Sie in den letzten Jahren verursacht haben: Krankenkassenbeiträge, monatliche Apanage, Steuer und Versicherung für das Auto, Kleidung für die Praktika, Flüge und Zuschüsse für die Auslandsaufenthalte. Davon ziehen Sie die Steuerfreibeträge und das Kindergeld ab, das Ihre Eltern bis zur Vollendung Ihres 27. Lebensjahres vom Staat bekommen haben. Je nach Alimentierungsgrad werden Sie auf ein erschreckend erklecklichess Sümmchen kommen. Ihre Eltern hätten sich davon wahlweise einen Porsche oder gleich ein ganzes Haus kaufen können.

Ihre Eltern haben diese Summe aller Wahrscheinlichkeit nach gerne in Sie investiert, damit Sie es einmal gleich gut oder besser haben. Damit Sie glücklich werden. Damit Sie den Ruhm der Familie mehren. Damit Sie alle Chancen haben. Damit etwas aus Ihnen wird. Es gibt tausend gute Gründe für so viel Wohlwollen, aber warum müssen Ihre Eltern dieses Wohlwollen bis zum Erreichen Ihres, also nicht deren Rentenalters, aufbringen? »Vater Staat« ist da wie angedeutet strenger: Mit 27 Lebensjahren ist Schicht im Schacht. Aber Ihre Eltern sind nicht das Finanzamt oder die Wehrbehörde, und das wissen Sie ja auch ganz genau. Statt des Gerichtsvollziehers oder der Feldjäger schicken Ihre Eltern nur verzweifelte Ermahnungen oder Stoßseufzer zum Himmel. Und wenn Ihrem Vater mal wieder der Geduldsfaden zu reißen droht, dann können Sie immer noch mit Ihrer Mutter spazieren gehen und ihr klarmachen, dass das Ei schon an der Hühnchenrosette ist, Sie also kurz vor dem Durchbruch stehen. Und dass Sie ja neulich diese schwere depressive Phase hatten und dass das eigentlich daran lag, dass die Welt dann doch nicht so beschaffen sei, wie Sie es bei Michael Ende gelernt haben, woran ja nun die Mutter, die Ihnen *Die unendliche Geschichte* vorgelesen hat, nicht ganz unschuldig ist. Ihre Mutter wird den grantelnden Patriarchen dann schon wieder auf Linie bringen, nicht?

Es kommt natürlich auf Ihre Familie und auf deren Einkommen an: Aber wissen Sie denn wirklich so genau, worauf Ihre Eltern für Sie verzichtet haben? Es muss ja nicht gleich die Butter auf dem Brot sein, aber überlegen Sie sich doch einfach mal, welche Mühen es für Sie bedeuten würde, solche Summen aufzubringen. Und auch, wenn Ihre Eltern Ihretwegen lediglich von einem japanischen Ziergarten oder einer Bulthaup-Küche Abstand nehmen mussten: Sie hätten diese Dinge vielleicht gerne gehabt. Und zwar jetzt. Nämlich zu einem Zeitpunkt, an dem die Gelenke noch mitmachen. Stattdessen investieren Sie das Geld für Mutters Ziergarten in Bio-Bagels mit Lachs-Quark von Starbucks. In Zukunft sollten Sie sich mal besser ein Marmeladenbrot schmieren.

Teilen Sie Ihren Eltern mit, dass Sie von nun an ohne ihre Unterstützung auskommen werden. Bedanken Sie sich bei Ihren Eltern für alles, was sie für Sie getan haben. Das Glück und die Erleichterung auf ihren Gesichtern werden unermesslich sein. Denn diese Ansage Ihrerseits bedeutet für Ihre Eltern, dass Sie endlich auf eigenen Füßen stehen. Vielleicht werden Ihre Eltern auch in lautes Jubelgeschrei ausbrechen,

Ihre Mutter wird im linnenen Gewand Pirouetten im Vorgarten drehen, Ihr Vater eine Flasche Champagner öffnen. Oder beide brechen kurzzeitig erschöpft auf der Couch zusammen wie Marathonläufer nach der Zielgeraden: Beide haben in diesem Moment ein Rennen gewonnen, dessen Startschuss Ihre Geburt war.

Sie müssen sich deshalb nicht schämen. Freuen Sie sich für Ihre Eltern, denn von nun an werden nicht mehr Ihre eigenen Bedürfnisse im Vordergrund stehen, sondern diejenigen Ihrer Eltern. Je nachdem, wie alt Ihre Eltern bereits sind, haben sie mittlerweile gesundheitliche Sorgen und Probleme. Sie besuchen nicht nur Geburtstagsfeiern von Freunden, sondern regelmäßig auch Beerdigungen. Ihre Eltern müssen sich jetzt langsam Sorgen um ihre eigene Zukunft machen, anstatt sich immer nur um Ihre zu kümmern. Sie sind ein Teil dieser Zukunft, es sei denn, Sie beabsichtigen Ihre Eltern in einem preiswerten Altenheim zu parken und mit dem Geld, das Ihre Eltern dann ja nicht mehr brauchen, eine Surfschule in Thailand aufzumachen. Wenn Ihr Vater zu diesem Zeitpunkt dann nicht mehr die Kraft haben sollte, Ihnen die Löffel lang zu ziehen, übernimmt das übrigens Vater Staat. Bei eventuell erforderlichen Pflegeleistungen greift er nicht nur auf das Vermögen Ihrer Eltern, sondern auch auf Ihres zurück. Schon gewusst? Im Rahmen der Überarbeitung des Sozialstaates BRD wurde ganz nebenbei das Prinzip Großfamilie wieder eingeführt. Und das bedeutet: Kinder haften für ihre Eltern.

Die Eltern tragen ihre Kinder in den Morgen, die Kinder ihre Eltern in den Abend: Ihre Eltern haben die Schriften des Propheten Khalil Gibran wahrscheinlich irgendwo im Regal stehen, dieses Buch war mal sehr populär. Sie können nicht nur deshalb davon ausgehen, dass Ihre Eltern berechtigte Erwartungshaltungen bezüglich Ihres Verantwortungsbewusstseins an Sie stellen, auch wenn sie das nicht so deutlich sagen. Wie könnten sie auch, wenn sie doch den Eindruck haben, dass Sie im Prinzip immer noch so drauf sind wie ein Pennäler.

Falls Ihre Eltern noch jünger sind und über intakte Koronargefäße und Kniegelenke verfügen, dann halten Sie sich doch bitte die für Sie vielleicht herzlos anmutende Tatsache vor Augen, dass Ihre »Alten« es auch ganz schön finden könnten, sich mit voller Kraft einem neuen Lebensabschnitt zu widmen, in dem nun ihre Interessen im Vordergrund stehen. Vielleicht will Ihre Mutter gerne eine Töpferwerkstatt in der Bretagne betreiben. Ihr Vater träumt vielleicht davon, mit einer Harley die Route 66 zu bereisen – und Sie drehen ihm einfach den Benzinhahn zu. Dabei wäre er so gerne noch einmal ein Rock'n'Roller wie Joschka Fischer. Die »Alten« wollen heute auch nicht mehr alt sein und beige Kleidung tragen, im Gegenteil. Manchen geht es so wie Ihnen: Sie wollen einfach nicht erwachsen werden. Zum einen sind auch sie vom Jugendkult des 20. Jahrhunderts geprägt, zum anderen haben sie noch biblische Sinnsprüche à la »Wenn ihr nicht werdet wie die Kinder« im Kopf. Das geht besonders gut, wenn die eigenen Kinder aus dem Haus sind. Falls Ihre Eltern so unterwegs sein sollten, dann haben Sie einen weiteren Grund, endlich erwachsen zu werden, vor Augen: Nach diesem Lebensabschnitt kommt nämlich schon das Dasein als »junger Alter« bzw. »Junggebliebener«. Wenn Sie so weitermachen wie bisher und den Zug des Lebens ewig warten lassen, streikt irgendwann der Lokführer, und Sie bleiben auf dem Bahnsteig zurück. Und zwar als »junger Alter«.

Um nochmal auf Joschka Fischer zurückzukommen: Wenn Ihre Eltern eine Fleischerei besitzen sollten, dann wäre es jetzt an der Zeit, diese zu übernehmen. Handwerk hat im Gegensatz zur Digitalen Boheme tatsächlich goldenen Boden. Sie könnten ja zum Beispiel einen lokalen Online-Vertrieb für Ihre Produkte aufbauen oder auf Bio-Schlachterei umstellen.

Hippes Handwerk. Eine Fleischerei ist ja kein Bauernhof, Sie müssen sich also keine Sorgen machen, dass Sie keinen Partner finden, weil die Leute heute keine Lust mehr haben, Kühe zu melken, und denken, die Bio-Milch käme von einem nachhaltig wirtschaftenden Subunternehmer aus China. Sie sind also nicht darauf angewiesen, Ihre Frau oder Ihren zukünftigen Mann über den Umweg des sich zum Deppenmachens im Privatfernsehen klarzumachen. Wenn Sie nun Vegetarier sind – wenigstens eine ideologische Grundüberzeugung glaubt man sich ja heute leisten zu müssen –, dann reden Sie sich einfach glücklich, indem Sie sich über Ihre zutiefst ausgeglichene Work-Life-Balance freuen.

Falls es keinen Betrieb gibt, den zu übernehmen Sie dereinst in die Welt gesetzt wurden, dann gilt es doch auch andere Traditionen zu bewahren. Sie wissen ja, dass es nirgends so gut schmeckt wie bei Muttern, also lassen Sie sich endlich mal die Rezepte geben und in die geheim gehaltenen Zubereitungsvarianten einweihen. Ein unvorgesehener Flugzeugabsturz über der Karibik und Sie werden nie wieder diese herrliche Grüne Soße, die Reibekuchen oder das Gulasch auf der Basis von Urgroßtante Hildegards Rezepten schmecken. Und Ihre Kinder auch nicht.

Andere Traditionen gilt es im Rahmen dieser Heimat-Exkursion mit Stumpf und Stiel auszurotten. Bestellen Sie für den Tag vor Ihrer Abreise einen Schutt-Container und machen Sie sich ans Werk: Ihr altes Jugendzimmer kommt endgültig auf den Müll. Weder Sie noch Ihre Eltern haben irgendetwas davon, wenn sich in der zweiten Etage ein Mausoleum Ihrer Jugendtage befindet. Womöglich auch noch aus Pressspan. Nehmen Sie zentrale Dokumente – der erste Liebesbrief – an sich. Wählen Sie fünf besonders denkwürdige Exemplare Ihrer alten Schülerzeitung aus und schmeißen Sie den Rest weg. Die alten Poster kommen von der Wand, ebenso existenzialistische Sinnsprüche, Kuscheltiere, die Cola-Dosen-Sammlung und was Sie da sonst noch so an pubertärem Tinnef herumstehen haben. Ihre Eltern können nun im Ex-Mausoleum eine Sauna einrichten, einen begehbaren Schrank, ein Gästezimmer. Für Sie zum Beispiel, wenn Sie mal wieder zu Besuch sind.

Bevor Sie den größten Teil dieser Sachen wegwerfen, nehmen Sie sich Zeit zur ausgiebigen Lektüre. Nicht nur der erste Liebesbrief, sondern auch die folgenden 340 werden Ihnen noch einmal vor Augen führen, dass Jugend nicht per se etwas Erstrebenswertes ist. In der Jugendzeit ist man vor allen Dingen hilflos und ohnmächtig. Mächtigen Instanzen wie Schule und Elternhaus unterworfen. Was Liebe wirklich bedeutet, weiß man nicht, stattdessen lebt man unter einer Dunstglocke von Hormonen. Erinnern Sie sich gerne noch einmal zurück, und überlegen Sie gut, ob Sie weiter beabsichtigen zu regredieren. Stellen Sie sich nur für einen Moment vor, wie es wäre, wenn das Gummiband Sie mit einem Ruck in diese Welt zurückkatapultieren würde. Aua.

Wenn Sie all diese Dinge erledigt haben, werden Sie feststellen, dass nicht nur Sie plötzlich ein ganz anderer Mensch sind. Sie haben eine weitere Stufe auf der steinigen Treppe erklommen, die zum manchmal recht zugigen Olymp des Erwachsenendaseins führt. Damit nähern Sie sich Ihren Eltern erstmals – und zwar auf Augenhöhe. Ihre Eltern können Sie nun in dem sicheren Gefühl, dass Sie auf eigenen Beinen stehen, ernst nehmen. Die Gespräche werden sich verändern, plötzlich werden Ihre »Alten« Ihnen Geschichten erzählen, die Sie noch nie zuvor gehört haben. Und wenn Sie sich darauf einlassen und zuhören, werden Sie auch Ihr eigenes Leben in neuem Lichte sehen. Die Zeiten der Anklage, »ihr habt«; »ihr müsst«; »ihr seid schuld, dass« sind jetzt einfach mal vorbei.

Sie werden feststellen, dass Sie mittlerweile eigene Kreise

ziehen. Ihr Leben ist wie ein Ast am großen Lebensbaum Ihrer Familie. Sie stehen zwar noch mit dem Stamm in Verbindung, doch die Nährstoffe, die Sie aus ihm beziehen, sind nicht mehr materieller Natur. Und Ihr persönlicher Ast bildet, Ring um Ring, eine eigene Welt. Wenn Sie sich dieser Welt sicher sind, dann müssen Sie auch nicht mehr durchdrehen, wenn Sie die Heimreise in Ihr Elternhaus antreten. Sie können dann auch mal länger als zwei Tage bei Ihrer Familie übernachten ohne ständige Telefonsitzungen mit Ihrem Therapeuten.

So, die abgestempelte Heimfahrkarte der Deutschen Bahn AG nehmen Sie nun bitte aus Ihrer Tasche und heften Sie bei Ihren Steuerunterlagen ab. Sie können den Spaß absetzen, wenn Sie sich einen beruflichen Grund ausdenken, der Sie in Ihre Heimatregion getrieben hat, aber von mir haben Sie den Tipp nicht. Das Finanzamt darf auch nicht erfahren, dass Ihre Mutter die Karte bezahlt hat. Das wäre dann nämlich Betrug. Sie ahnen schon, worauf es hinausläuft: Ihre »Heimfahrkarten« müssen Sie in Zukunft selbst bezahlen.

In einer Reisetasche führen Sie mit sich: Marmelade aus dem heimischen Garten, Rezepte für Linsensuppe und Käsekuchen, den ersten aller Liebesbriefe und fünf Schülerzeitungen. Und wenn Sie das nächste Mal nach Hause fahren, bringen Sie Ihren Eltern mal was mit, anstatt immer nur irgendetwas wegzuschleppen. Zum Beispiel ein Enkelkind.

## Ein unbezahlter Strafzettel

Neulich übte ich mich mal wieder im aktiven Widerstand gegen die deutsche Ordnungsgesellschaft. In der Küche stapelten sich Tonnen von Altpapier, Hausmüll und Flaschen. Eisern hatte ich diese Bastion des Grünen Punkts gehalten. Zwei Wochen. Drei Wochen. Dann konnte man sich kaum noch im Raum bewegen, ich war ausmanövriert und daher gezwungen, mich dem Diktat der Ordnung zu beugen. Ich schleppte also das ganze Zeug, aus dem brennende Barrikaden zu bauen kein Problem dargestellt hätte, in den Hinterhof, um es zu entsorgen. Die niedrigschwellige korrekte Entsorgung, Flaschen und Papier, brachte ich noch hinter mich, ohne mich gleich wie ein Hausmeister mit NPD-Parteibuch zu fühlen. Doch angesichts des großen, blauen Müllsacks verließ mich die Bereitschaft, meinen widerwillig internalisierten Pflicht- & Akzeptanzwerten frische Luft zu gönnen. Ich stopfte die Tüte mit Misch-Müll einfach in die Hausmülltonne. Auf dem Rückweg blickte ich grimmig in den vierten Stock, wo die Blockwart-Lesben wohnen: Na, wohl gerade nicht aufgepasst? Die müllpolizeilichen Pflichten nicht wahrgenommen? Denen hatte ich es mal wieder gezeigt – und schließlich ist hier Berlin und nicht Böblingen, wo man dem Vernehmen nach die Mülltonnen mit Schlössern sichert.

Siegesgewiss nahm ich daraufhin einen Kaffee zu mir und blickte versonnen in den Hinterhof. Prompt hatten die »Tonnen-Boys« von der Berliner Straßenreinigungsgesellschaft ihren Auftritt – »Tonnen-Boys« heißen die, weil sich in dieser Stadt sogar die Müllmänner dem Zwang zum Hype nicht entziehen können. Sie müssen sich für Kalender halbnackt ausziehen und auf ihren orangenen Fahrzeugen todlustige Slogans spazieren fahren, die sich nette junge Hipster mit Agentur-Brillen ausdenken. Die wackeren »Tonnen-Boys« verrichteten nun bei 30 Grad im Schatten ihr wenig beschauliches, rumpelndes Handwerk. Das Ganze wäre eine Sache von drei Minuten gewesen, wenn da nicht der große, blaue Müllsack in der Hausmülltonne gewesen wäre. Dose für Dose, Zeitung für Zeitung, Glas für Glas: Die »Tonnen-Boys« trennten den Müll. Meinen Müll. Und wischten sich anschließend den Schweiß ab. Ich schämte mich einfach nur ins Bodenlose.

Solcherlei schnöselige Haltungen, die meist nur dazu dienen, die eigene Faulheit und Defizite in der persönlichen Organisation zu kaschieren, sind pennälerhaft und gehören somit zum Formenkreis der Langzeitadoleszenz. Die Weigerung oder Unfähigkeit, Verantwortung für sich und andere zu übernehmen, wird notdürftig mit einem Revoluzzer-Mäntelchen bedeckt. Bei Geschwindigkeitsübertretungen oder Falschparken wird notfalls auch noch die alte »Bullenschweine«-Nummer aus den 80er Jahren hervorgekramt. Haben Sie sich die »Bullen« von heute mal genau angeschaut? Das sind schon lange keine tumben Schnurrbartträger mehr. Im Gegensatz zu Ihnen haben die meisten von ihnen ein abgeschlossenes FH-Studium. Wenn Sie denen was von Faschismus erzählen, haben Sie eine halbstündige Debatte über verschiedene Interpretationsansätze zum Nationalsozialismus an der Backe, bei der Sie am Ende schlecht aussehen. Auch weil die Damen und Herren in Grün (oder Blau) heute alle aussehen wie aus dem Katalog. Manche dieser Beamten haben sogar Foucault gelesen und überreichen Ihnen den Strafzettel gerne mit einem ironischen Grinsen, wenn Ihnen das lieber ist. Überwachen und Strafen – auch nur ein Job.

Bei meiner persönlichen Gerichtsvollzieherin beim Finanzamt Neukölln hängen zum Beispiel »Tom«-Comics an der Wand. Das sind dort alles sehr nette Leute, und man freut sich mittlerweile schon, wenn ich zur Tür reinkomme. Wir kennen uns, weil es seit Jahren zu meiner Beschäftigungstherapie gehört, Mahnungen zu ignorieren, Vorsteuerleistungen lächerlich zu finden, die GEZ zu verachten und Strafzettel nicht zu bezahlen, weil ich nicht bestraft werden will wie ein kleiner Schuljunge. Weshalb ich mich wiederum genauso aufführe.

Ich habe nun einen Steuerberater beauftragt, sich meiner anzunehmen. In fernen Gefilden fragte mich einst ein junger Mensch, »if it is true that Germans put everything in a Leitz-Ordner«. Ich antwortete, dass mein Vater dies zwar gewiss und auch gewissenhaft tue, ich selbst hingegen auf einen Schuhkarton zurückgreife. Er war sehr enttäuscht.

Fortan bedienen Sie bitte die Erwartungshaltungen, die man im Rest der Welt aufgrund Ihrer nationalen Herkunft an Sie hegt, und kaufen sich zunächst fünf bis zehn Aktenordner der Firma Leitz. Das kommt zum einen Ihrem Stil- und ästhetisch motivierten Manufactum-Traditionsbewusstsein entgegen, zum anderen legen diese Ordner den Grundstein für die Hoffnung, dass Sie Ihr Leben doch noch in den Griff bekommen. Um eine persönliche Buchhaltung kommen Sie einfach nicht herum. Wenn Sie tatsächlich zu den Menschen gehören, denen diese Tätigkeit nicht nur Seelenpein, sondern zusätzlich körperliche Beschwerden verursacht, dann müssen Sie Ihr Einkommen derart nach oben modifizieren, dass ein Outsourcing möglich wird: Es gibt Schreibbüros und Steuerberater mit Buchhaltungsservice. Falls Sie nicht in der Lage sind, solche Unternehmensteile auszulagern, dann müssen Sie sich zusammenreißen. Setzen Sie sich am besten einmal in der Woche an Ihren Schreibtisch – oder wenigstens alle zwei Wochen – und arbeiten Sie Ihren Papierkram ab.

Vermeiden Sie vorher, währenddessen und nachher Haufenbildung. Jedes Papier hat einen Platz. Entweder im Mülleimer, der sich direkt unter Ihrem Schreibtisch befindet, oder in der einzigen Ablage, die Sie besitzen dürfen und auf der »To do« steht. Sonstige Ablagerungen, egal ob in Regalen, Rollcontainern oder Schuhkartons, sind streng verboten.

Erwerben Sie Briefmarken – verschnörkelte Sondermarken sind erlaubt, um Ihrem Spieltrieb entgegenzukommen – und erledigen Sie Ihre Korrespondenz. Sie haben nämlich gar nicht das Geld, um all die Mahngebühren zu bezahlen, die sich aufgrund Ihrer passiven Angststarre ergeben. Das Finanzamt zum Beispiel hat bei dieser Verhaltensweise – nicht zum Briefkasten gehen, Briefe nicht öffnen – überhaupt kein Problem damit, ganz einfach Ihre Existenz zu ruinieren. Sie können Ihre Außenstände natürlich auch begleichen, indem Sie ins Gefängnis gehen. Bedenken Sie jedoch, dass Sie aufgrund Ihrer Mentalität dort kaum überlebensfähig sind. Langzeitadoleszente Macken stoßen dort weder auf Verständnis noch auf indifferent-kuscheliges »Ja, wenn du meinst«-Verständnis. Dort regiert eine Jugendkultur, die weniger mit der Theorie von Hip Hop und Rap, sondern eher mit deren Praxis zu tun hat. »Aggro« ist nicht nur ein Plattenlabel. Es gibt sehr viele Menschen in diesem Land, die froh wären, wenn sie in ihrem Leben auch nur ein kleines Stück weit eine Jugend wie die Ihre hätten in Anspruch nehmen können: mit der Option, sich auszuprobieren und vor allem Irrwege zu beschreiten und Fehler zu machen. Die Gefängnisse sind voll von jungen Menschen, deren Strafmaß für die Fehltritte ihrer Jugend wesentlich höher war als drei Wochen Herzeleid. Vielleicht treffen Sie dort sogar Ihren Ex-Dealer – wenn er nicht in Ihrem Badezimmer wohnt –, obwohl dieses Treffen niemals so vorgesehen war: Der Staat bestraft ja nur die Händler – Söhne von türkischen Gemüsehändlern – und verschont wohlweislich die Konsumenten: Söhne und Töchter von Lehrern, Richtern und Handwerkern aus Villingen-Schwenningen.

Die Ausgestaltung dieses Strafvollzuges finanzieren Sie mit Ihren Steuer- und indirekt auch mit Ihren Bußgeldern. Bezahlen Sie also den verdammten Strafzettel und engagieren Sie sich in einer lokalen Initiative für die Verbesserung der Zustände in den überfüllten Knästen. Sie haben gegen die gesellschaftlich ausgehandelte Ordnung verstoßen und ermöglichen nun mit Hilfe des Bußgeldes Ihrer Heimatgemeinde, ein paar neue Waschbetonkübel mit Geranien in der Fußgängerzone aufzustellen. Kümmern Sie sich um Ihre Steuern, denn ohne dieses Geld funktioniert jener Staat, der Ihre Ausbildung finanziert hat und Ihnen Straßen Gott weiß wohin baut, nicht.

Wobei wir beim Thema Geld an sich wären. Erwachsensein bedeutet einen verantwortungsbewussten Umgang mit Geld. Sie hingegen behandeln Ihren Dispokredit wie das Sparkassen-Sparschwein Ihrer Jugendtage, das unten ein kleines Kläppchen mit Schlüssel hatte, sodass Sie immer wieder ohne Konsequenz und Reue etwas herausnehmen konnten. Das heimelige Badewannen-Gefühl à la *Generation Golf*. Früher hatte man Sparschweine, die richtig geschlachtet, also in diesem Fall zertrümmert werden mussten. Das hat einen Knall verursacht und einen dem Anlass angemessenen Verlustschmerz. Doch Sie sind in einer Zeit aufgewachsen, in der Geld immer abstrakter wurde und zunehmend nur noch in Plastikform oder als Bildschirmanzeige vorkommt. Ob da vor der Summe ein Minus oder ein Plus steht, ist dann irgendwann auch egal, ist ja sowieso alles relativ und nur gedacht. Hauptsache, der Automat spuckt noch was aus.

Das ist das alltägliche Lotteriespiel, jeden Tag zweimal zur Bank und immer nur 20 Euro abheben, weil man vermeiden möchte, das frisch gezogene Geld gleich wieder unter die Leute zu bringen. Und selbstverständlich sehen Sie sich Ihren

Kontostand lieber gar nicht erst an, und die Kontoauszüge, die Ihnen Ihre Bank irgendwann schickt, weil Sie nie Ihre Auszüge kontrollieren, lassen Sie ungeöffnet im Schuhkarton verschwinden. Irgendwann stehen Sie dann im Regen und müssen mal wieder Freunde anpumpen, die eigentlich selbst kein Geld haben. So, wie Sie ständig Geld ausgeben, das Sie nicht haben, geben Sie Geld aus, das Sie noch nicht haben. Sie wissen, dass Sie noch eine Honorarzahlung in zwei Monaten bekommen, kaufen den neuen Mantel aber lieber jetzt schon, weil er so schön ist und Sie ja auch einen brauchen. Und zwar genau diesen Mantel, weil er gut zu Ihrem Charisma passt und Sie deshalb quasi einen Anspruch auf diesen Mantel haben, den Sie sich aber nicht leisten können. Irgendwas stimmt also nicht, entweder mit Ihrem Charisma oder mit Ihrem Einkommen. Ihre Wut richtet sich jedoch lieber auf die Bank, die wahnwitzige Überziehungszinsen fordert und dann auch noch ab einer gewissen Summe den Hahn zudreht, obwohl Sie doch heute Abend mit Ihren Freunden zum Konzert wollen. Niemals würden Sie auf die Idee kommen, den Konzert-Besuch abzusagen. Sie leihen sich stattdessen das Geld für den Eintritt und lassen sich von Ihren Freunden das Bier ausgeben, weil Sie sich dieses popkulturelle Ereignis nicht entgehen lassen können. Es wäre unter Ihrer Würde. Prost.

Die notorische Klammheit ist ein bei Langzeitadoleszenten fast immer anzutreffendes Phänomen. Das liegt daran, dass der persönliche Finanzhaushalt auf ebenso provisorischen Füßen steht wie der Rest des Daseins. Man kann mit ein bis zwei Jobs, ein wenig familiärer Unterstützung hier und dort, einigermaßen über die Runden kommen. Man verharrt dann auf der studentischen Ebene und fühlt sich einigermaßen auf der sicheren Seite, denn die unsichere Seite heißt Hartz IV und macht Angst. Nein, man sitzt nicht schon morgens mit der Bierdose vor dem Supermarkt. Aber man kann auch nicht mitfliegen, wenn die bereits berufstätigen Freunde mal eben nach Gran Canaria oder Barcelona düsen. Stattdessen sitzt man zu Hause vor dem Rechner und schaut sich die schönen Digi-Pics an, die statt Postkarte noch am selben Wochenende im Mail-Fach gelandet sind. Draußen ist zu diesem Zeitpunkt November, und das Leben fühlt sich so elend an, dass eine Dose Bier vor dem nächsten Kaisers gerade recht wäre. Nervt es Sie nicht manchmal, dass Sie im Restaurant immer behaupten müssen, dass Sie nur Appetit auf eine Suppe haben und dann so lange verstohlen gierig auf die Gnocci mit Salbeibutter oder das Entrecote Ihrer erfolgreichen Freundin starren, bis diese Ihnen versichert, dass sie gar nicht so viel Hunger hätte und Ihnen etwas abgibt?

Sie können ja gerne anführen, dass unsolides Finanzmanagement ein generelles Phänomen unserer Gesellschaft ist und die Politiker diesbezüglich mit schlechtem Beispiel vorangehen. Heißen Sie etwa Steinbrück? Wenn dem so ist, Glückwunsch: Der Finanzminister ist wenigstens auf dem richtigen Weg. Bei anderen sieht es weniger gut aus. Mein persönlicher Automechaniker klagte mir zum Beispiel neulich das Leid, das seine Tochter auf sein ergrautes Haupt wirft. Sie hat unglaublich hohe Handy-Rechnungen, die sie am Ende des Monats so wenig zahlen kann wie die Miete ihrer gerade bezogenen ersten, eigenen Wohnung. Ständig steht sie bei Papa auf der Matte und bettelt um monetären Nachschub – den er ihr auch stets gewährt, damit die Kleine nicht unter der Brücke landet. Ich sah die niedliche Mandy vor meinem geistigen Auge, ein Klingelton-Teenie, gerade mal von der Zahnspange befreit und mit den Widrigkeiten der rauen Welt noch nicht vertraut – was ich dem gestrengen Vater zum Zwecke ihrer Entlastung versuchte an die schwielige Hand zu reichen: »Was heißt hier Teenie?!«, entgegnete er. Die kleine Mandy ist 32 Jahre alt.

Selbstverständlich können Sie nun auch behaupten, dass Sie doch eigentlich sparsam seien, weil Sie doch schon seit Jahren Ihr Kleingeld aus den Hosentaschen und Ihrem stets mit zu viel kleinteiligem Metall gefüllten Portemonnaie in einem Suppenkochtopf sammeln und diesen im Kofferraum Ihres Autos spazieren fahren. Das finden Sie absurd? Ich habe das jahrelang getan. Fragen Sie besser nicht warum, sondern befolgen Sie weiter meine Anweisungen.

All die unbezahlten Rechnungen, Anschreiben, Zeugnisse und schriftlichen Widersprüche, die Sie jeden Tag in Ihrer Umhängetasche durch die Fußgängerzone tragen, weil Sie ihre Erledigung vor sich herschieben, befinden sich jedenfalls von nun an dort, wo sie hingehören: nämlich auf Ihrem Schreibtisch. Und ich muss mal kurz zu meinem Auto.

## Ein Mobiltelefon


**S**ind Sie zufrieden mit dem aktuellen Zustand Ihres Freundeskreises? Oder würde es Ihnen spontan schwer fallen, eine Bestandsanalyse abzuliefern? Vielleicht könnten Sie gar nicht auf Anhieb sagen, wen aus Ihrem Umfeld Sie als tatsächlichen Freund, als ernsthafte Freundin bezeichnen könnten – und wer von diesen Menschen lediglich ein Kontakt ist. Eine Option, ein Link zu einem bestimmten wirtschaftlich-kulturellen Teilbereich der lokalen Ökonomie: Der Klaus ist Webdesigner und kennt sich auch noch mit Hardware aus, die Sybille ist ganz gut in der Kunstszene verdrahtet und bekommt immer die richtigen Einladungen, der Malte ist in den Medien und könnte irgendwann wichtig sein, egal wozu. Versammeln Sie mal vor Ihrem geistigen Auge die Menschen, zu denen Sie eine Bindung haben, die nicht oder nicht ausschließlich von materiellen oder beruflichen Interessen überlagert ist, und laden Sie diese zu einer virtuellen Geburtstagsfeier ein. Wahrscheinlich bekommen Sie gerade mal die Küche voll. Und das, obwohl es bei Ihren Geburtstagsfeiern sonst so rege zugeht, dass man kaum atmen kann, weil sich sogar im Badezimmer Menschen um die mit Bierflaschen gefüllte Badewanne drängeln.

Abgesehen von diesen Typen mit Fusselbart, die sich einfach selbst eingeladen haben, besitzen Sie zwar sämtliche Telefonnummern dieser Leute, die gerade Ihren Badezimmerfußboden mit abgepulten Bierflaschen-Etiketten verzieren – aber würden Sie von jedem Einzelnen einen Gebrauchtwagen kaufen? Und glauben Sie, dass jeder Ihrer Gäste Ihnen Ihren Gebrauchtwagen abkaufen würde, ohne vorher ein unabhängiges Gutachten machen zu lassen, womöglich ohne Ihnen etwas davon zu sagen? Vertrauen heißt das Stichwort, und Sie haben nicht ohne Grund das Badezimmerschränkchen (mit der reparierten Spiegeltür?!?) von peinlichem bzw. uncoolem Ballast befreit. Ekzem-Salbe und Nasenhaarschneider gehören nicht zu Ihrer Selbstinszenierung – Ihre Eltern haben das übrigens genauso gemacht. Richtige Freunde hingegen schenken einem einen Nasenhaarschneider oder einen Tiegel Anti-Krähenfüße-Schleifpaste als diskrete Unterstützung im komplizierten Prozess des Älterwerdens. Weil sie Sie so sehen, wie Sie sind, mit allen Schwächen, Macken, Ängsten und sonstigen Neurosen, die sich im Laufe der Jahre angesammelt haben.

Für gute Freunde ist es überhaupt kein Problem, wenn Sie im Verlauf eines ganz normalen Abendessens irgendwann halbnackt, schreiend und weinend berichten, dass man Sie im Job immer benachteiligt oder Ihr Freund Sie ständig betrügt und Ihr Selbstbewusstsein auf die Größe einer Haselnuss zurückgeschrumpft ist, die auch noch innen hohl ist. Gute Freunde bekommen Ihre Augenbrauen höchstens auf halbe Anne-Will-Höhe, wenn Sie in einem Akt der Verzweiflung eine Beule in den Kotflügel ihres Gebrauchtwagens treten. Sie fragen dann höchstens: »Geht es dir jetzt besser?« Richtige Freunde sind treue Begleiter, die nicht plötzlich verschwinden, wenn es unzumutbar wird.

Als ich einmal so richtig am Boden lag – plötzlich waren sämtliche Unternehmensteile meiner komplex strukturierten Ich-AG auf einmal weggebrochen und das Kapital befand sich im oberen Minusbereich des Dispokredits – sagte ich zu meinem besten Freund: »Ich habe gerade irgendwie Angst abzurutschen.« Woraufhin er nur meinte: »Wieso Angst abzurutschen? Du bist doch schon ganz unten!« Auch wahr, anschließend tranken wir in der Hotelbar des exklusivsten

Hauses der Stadt ein Glas Champagner. Mit dem letzten Geld. Von nun an konnte es nur noch bergauf gehen, und so kam es dann auch. Er hatte an mich geglaubt, und das war von existenzieller Bedeutung in einem Moment, in dem ich nicht mal mehr so genau hätte sagen können, wer ich überhaupt bin.

Haben Sie solche Freunde? Bestimmt. Also passen Sie gut auf sie auf, und behandeln Sie diese Menschen nicht wie eine disponible Verschiebemasse im flexiblen Flow Ihrer auf Bindungslosigkeit abonnierten, postmodernen Existenz. Die Begrüßungs- und Verabschiedungsrituale, die bei Treffen im Freundeskreis mittlerweile zelebriert werden, sind lediglich ein Oberflächenphänomen, das demonstrativ über einen Abgrund von mangelnder Verbindlichkeit gespannt wird: Wenn sich fünf Menschen in einem Café treffen, dauern Begrüßung und Verabschiedung deutlich länger als das eigentliche Beisammensein. Bussis à la Munich, Umarmungen, die wirken, als würden sie nie enden, hier noch ein Streichen über die Schulter, dort noch eine Hand-in-Hand-Reichung und dann, nach mindestens 20 Minuten der Abschiedssatz: »Wir telefonieren, ja?«

Daraus wird dann meistens nichts, jedenfalls nicht, wenn es darauf ankommt. Das »Wir telefonieren« ist längst an die Stelle konkreter, verbindlicher Verabredungen getreten. Langzeitadoleszente benehmen sich in dieser Hinsicht wie quiekende Teenager, die ihre Eltern über den Umweg horrender Handy-Rechnungen in den Ruin treiben. Quiekende Teenager organisieren über BASE Kleinstadt-umspannende Netzwerke, nach Art eines Vogelschwarms verständigen sie sich über SMS-Gepiepse und finden sich plötzlich in großen Trauben an der Bushaltestelle am Ortsausgang West ein. Kaum versammelt, lösen sich schon wieder Einzelne aus dem Verband und schnüren in Richtung Tankstelle, weil dort »was geht«. Sie agieren in unbestimmten, vagen Suchbewegungen. Immer auf der Suche nach einer neuen Sensation, um ihre noch fest gespannten Nerven zum Vibrieren zu bringen.

Als Erwachsener benimmt man sich nicht so. Streng genommen schickt man als richtiger Erwachsener schriftliche Einladungen auf handgeschöpftem Papier und bittet um Zu- oder Absagen. Aber wir wollen es an dieser Stelle nicht übertreiben. Es reicht völlig, wenn Sie in Zukunft zurückrufen, wenn Ihnen gute Freunde auf die Mailbox sprechen. Zu diesem Zweck ist es nötig, eine Mailbox zu haben. Wir leben nun mal in einem Zeitalter permanenter Erreichbarkeit, und Sie sind nicht der Papst, der sich von seiner Kurie abschirmen lässt. So viel zum Thema »ständige Erreichbarkeit ist nur was für Dienstboten«. Es ist für Ihre Freunde kränkend, wenn Sie sich nicht zurückmelden, denn schließlich wissen Sie genau, dass das Funkloch, in dem Sie sich angeblich gerade befinden, einfach nur Loch Ness ist, in dem Sie Nessie spielen: abgetaucht. Vielleicht gibt es Sie auch gar nicht? Vielleicht sind Sie nur eine Freundschafts-Legende, wer weiß das schon.

Getroffene Verabredungen werden nicht eine halbe Stunde vorher abgesagt, weil sich eine spannendere Option aufgetan hat: Selbstverständlich halten Sie sich immer mehrere Möglichkeiten offen, und wenn es mit dem Eintrag auf der Gästeliste dort nicht klappt, dann klappt es eben mit dem gepflegten Bierchen bei Anne und Stefan oder mit der Preview, für die Susanne noch Karten organisiert hat. Für lau. Der Mensch, mit dem Sie sich jeweils verabredet haben, rechnet vielleicht fest mit diesem Treffen und hat sich darauf gefreut. Vielleicht hat er sogar ein Anliegen, das er gerne mit Ihnen besprechen würde. Und dem Sie nicht bereit sind, Ihre Aufmerksamkeit zu widmen. Denn nicht Zeit ist heute das höchste, luxuriöseste Gut, sondern Aufmerksamkeit. Ihren Freunden gegenüber sollten Sie mit diesen Gütern prassen, also mit der Zeit zuzuhören. Wenn Sie sich jedoch nur mit Leuten umgeben, für die Sie ein Kontakt sind, müssen Sie eben auch damit rechnen, dass sich deren Zeitfenster ziemlich schnell schließen, wenn Sie mal ein Problem haben oder einfach nur reden wollen, weil bei Ihnen die Kulissen ins Wanken gekommen sind.

Gerade in den Kreisen der Langzeitadoleszenten finden sich häufig Beziehungsgeflechte, die von partiellen Interessenkongruenzen geprägt sind und diesen Tatbestand offensiv leugnen. Die eine Gruppe hat man eigentlich noch nie bei Tageslicht gesehen, sondern immer nur im Stroboskop-Licht. Das Verhältnis zu diesen Menschen beruht häufig auf dem gemeinsamen Konsum von illegalen Substanzen, und es wäre nicht klug, einen von ihnen zu fragen, ob er vielleicht beim Umzug helfen könnte. Dann gibt es noch den Themenkreis Beruf/ Karriere, in dem man sich trifft, um Aufträge zu akquirieren oder auf dem neuesten Insider-Stand zu bleiben. Hier gilt das Prinzip der Schlangengrube, und Schlangen können ebenfalls keine Umzugskartons tragen, sie sind zu glitschig und haben außerdem keine Hände. Das Problem in den verschiedenen Langzeitadoleszenten-Szenen ist meist die mangelnde Trennschärfe. Es gibt fast kaum gesellschaftliche Rahmenbedingungen, die einer solchen Vorschub leisten würden. Etwa einen klassischen Empfang, bei dem von vornherein klar ist, dass es nur darum geht, Skat mit Visitenkarten zu spielen. In der Lounge wabert eben alles zu einem Brei, der so diffus ist wie die Musik, die dort gespielt wird. Als ob, vielleicht, eventuell. Ja, aber.

Als erwachsener Mensch begreift man, dass tatsächliche Freunde nicht nur Begleiter eines spezifischen Lebensabschnittes sind. Es kann sehr frustrierend sein, wenn man plötzlich Opfer einer tektonischen Verschiebung im Lebenslauf von Freunden ist und weggeklickt wird wie ein Pop-Up, das die Benutzeroberfläche blockiert. Manche Menschen schmeißen bei einem Umzug in eine andere Stadt nicht nur überflüssige Regale und die alte Kommode von Tante Lile weg, sondern entsorgen auch zwischenmenschlichen Ballast, um den man sich in Zukunft nicht mehr kümmern möchte. Schenken Sie ihnen eine Kaktee zum Abschied, notfalls schicken Sie das Ding mit der Post nach, versehen mit dem Hinweis, dass man diese Pflanze nur einmal im Jahr gießen müsse und insofern keine Überforderung darstelle. Andere haben plötzlich eine Partnerin und trinken nun lieber jeden Tag Bohnenkaffee anstatt billigen Ersatz. Schenken Sie ihm einen Beutel mit vergiftetem Espresso-Pulver. Und dann bedenken Sie bitte: »Was du nicht willst, das man dir tu, das füg auch keinem anderen zu.«

Ein Spruch, den Sie aus Ihrer Kindheit kennen. In Bezug auf zwischenmenschliche Beziehungen ist nun der Bezug auf die Kindheit ausnahmsweise erlaubt. Sie erinnern sich sicher an die Lektüre von Antoine de Saint-Exupérys *Der kleine Prinz*. Präzise an die Stelle mit dem kleinen Fuchs: Ein Wesen, das man sich einmal gezähmt hat, für das ist man ein ganzes Leben lang verantwortlich. Nun war Saint-Exupéry im wirklichen Leben ein ziemlicher Stenz, ein Flieger, der zum Leidwesen seiner Frau mal hier und mal dort war und am Ende einfach ohne Wiederkehr spurlos verschwand. Doch von ihm stammt auch der fromme Wunsch, dass doch unsere Ideale bitte die Sterne sein sollten, nach denen wir unseren Weg ausrichten.

Sie sind jetzt in einem Alter, in dem man keine Peer-Group mehr um sich schart, die dem Einüben der eigenen Persönlichkeit dient, sondern über einen gestandenen Freundeskreis verfügt. Diesen muss man pflegen, wozu übrigens auch regelmäßige Städtereisen gehören: Es ist fast unmöglich, alle seine Lieben in einer Stadt zu versammeln. Zweimal im Jahr sollte man sich in diesem Fall schon zu Gesicht bekommen, anderenfalls verliert man sich im wahrsten Sinne des Wortes aus den Augen. Man bekommt Veränderungen, neue Haltungen und Entwicklungen einfach nicht mehr mit und ist sich am Ende fremd. Ein Wochenendtrip ins regennasse Hamburg kann für Ihr Leben viel entscheidender sein als ein Kurztrip nach Bali. Ihre Freunde gründen Familien, gehen ins Ausland oder machen eine Psychoanalyse: All diese Erfahrungen ziehen Veränderungen nach sich, auf die einzustellen einige Mühe erfordern kann. Sie müssen sich darauf einlassen. Alternativ können Sie natürlich so weitermachen wie bisher und Menschen behandeln wie Kleidungsstücke von Zara: Ex & Hopp.

Ihre Freunde sind Ihre Freunde und nicht Ihre Peer-Group und auch nicht Ihre (Ersatz-) Familie. Sie sind ein wahrhaftig »hohes Gut«, vor allem in einer Zeit, in der man tendenziell auf mehrsäulige Lebenskonzepte setzt: Familie, Freunde, Beruf und Kollegen bilden die Stützpfeiler, die das Plateau des eigenen Lebens tragen. Behalten Sie die Pfeiler im Auge, sonst droht Ihnen das Schicksal von Venedig. Im Prinzip müssen alle Pfeiler standfest sein, es ist auch schwer, weggebrochene Teile mit übrig gebliebenen zu ersetzen: Freundschaften werden immer wichtiger, weil die Institution Partnerschaft bzw. Ehe längst eine mit ungewissem Haltbarkeitsdatum geworden ist. Und selbstverständlich können Sie nicht damit rechnen, dass Sie an Ihrem Arbeitsplatz, falls Sie einen haben, bleiben werden bis zur Rente, falls Sie eine bekommen. Der Freundeskreis, die Wahlverwandtschaft, kann jedoch nicht alle Defizite auffangen. Sie überfordern ihn damit.

Das Erwachsensein ist auf solide, nachhaltige Entwicklungen ausgerichtet. Und Freundschaften sind wie alle Beziehungen zunächst kleine Pflänzchen, die man gießen und hegen muss. Wenn man darauf aufpasst, steht man am Ende in einem schönen Wald. Jugendliche hingegen holzen über die Wiese und treten zarte Gänseblümchen einfach platt oder reißen sie einfach aus. Jugendliche und Langzeitadoleszente rechnen stets mit neuen Spielkameraden, die schon an der nächsten Straßenecke auf sie warten. Durch das ständige Sich-Einlassen auf neue Menschen, das eben auch regelmäßige Trennungen nach sich zieht, lernen junge Menschen sich selbst kennen. Sie lernen gerne auch mal die falschen Leute kennen, um daraus zu lernen. In Ihrem Alter haben Sie sich aber schon ziemlich gut kennengelernt und können einschätzen, zu welchen Personen Sie einen innigen Kontakt möchten oder zu welchen nicht.

Das Prinzip der »wahren Freundschaft« gehört übrigens zu jenen deutschen Nationaldenkmälern, die vergleichsweise attraktiv sind und sämtliche Diktaturen relativ unbeschadet überstanden haben. Setzen Sie diese persönlichen »Errungenschaften« nicht leichtfertig aufs Spiel, lassen Sie sie nicht von Berufsstress oder dem Themenkomplex Familie und Kinder völlig überblenden. Eine Freundin schrieb mir gerade einen klugen, doch auch traurigen Brief: Sie werde mich nun wohl loslassen müssen, weil ich nun mal meine eigenen Kreise ziehe. Dabei wäre es mir viel lieber, wenn sie mich mal öfter festhalten würde. Doch dazu müsste ich ihr dann auch Gelegenheit geben, anstatt immer nur für eine Nacht und unangemeldet bei ihr aufzutauchen, weil ich in ihrer Stadt zu tun habe. Da muss ich dringend mit dem Kärcher ran, um das Denkmal von Moos und Flechten zu befreien.

Das Mobiltelefon nehmen Sie nun bitte aus Ihrer Umhängetasche und tragen es fortan in der Hosentasche oder in der Jackeninnentasche. Dann hören Sie wenigstens, wenn es klingelt, und können dringliche Anrufe Ihrer Freunde entgegennehmen.

## Die Zeitschrift *Bunte*

**F**rüher haben Sie diese ganzen Zeitschriften höchstens beim Zahnarzt gelesen, aber heute haben Sie diese Zeitschrift mit den vielen bunten Bildern als Leitmedium akzeptiert, während Sie den *Spiegel* nur noch online lesen. Das macht insofern nichts, als der »Celebrity«-Kult längst auch in die so genannten seriösen Medien eingedrungen ist. Das kann man beweinen und depressiv als weiteres Zeichen dessen deuten, dass das Abendland nun aber endgültig untergeht. Man kann es auch euphorisch als Zeichen einer positiv verstandenen Individualisierung der Gesellschaft sehen, in der nicht mehr nur abstrakte Strukturen oder der liebe Gott in welcher Variante auch immer sinnstiftend sind, sondern einzelne Persönlichkeiten. Zum Beispiel Paris Hilton und Britney Spears.

Paris Hilton ist nun in mehrfacher Hinsicht ein Aushängeschild unserer Zeit. Sie kann nichts, weiß nichts, hat ein Aussehen, das über eine äußerst knappe Distanz zur Durchschnittlichkeit verfügt, und ist trotzdem total erfolgreich. Das macht die Dame zu einem perfekten Gesprächsgegenstand, weil man sich eben über Paris Hilton unterhalten kann und nicht über sich selbst sprechen muss. Zudem ist sie eine öffentliche Versuchsanordnung zum Thema Adoleszenz. Alle Schritte ihres Erwachsenwerdens sind öffentlich dokumentiert: sexuelle Erfahrungen, Drogenmissbrauch, exzessives Partyleben, Fahren ohne Führerschein. Sogar im Gefängnis war sie schon. Sie hat alles, was man als junger Mensch heute so braucht: neben viel Geld zum Beispiel auch ADS – Aufmerksamkeits-Defizit-Syndrom –, eine der Lifestyleerkrankungen überhaupt, deren Symptomatik von Kleinkindern längst in den Alltag Adoleszenter und Langzeitadoleszenter integriert ist. Sie kann nicht genug bekommen von jenem knappen Gut namens Aufmerksamkeit – in einem solchen Fall bekommt man eigentlich Tabletten, doch Frau Hilton bekommt stattdessen Schlagzeilen und Titelgeschichten.

Aber im Gegensatz zu Ihnen befindet sich Frau Hilton mit ihren jugendlichen Irrungen und Wirrungen noch immer im mittelamerikanischen Zeitlimit. Sie ist gerade mal Mitte 20 und hat bereits öffentlich Abbitte geleistet, und zwar in Larry Kings Talkshow. Sie hat versprochen, sich von nun an um soziale Belange zu kümmern und sich ordentlich zu benehmen. Vor der großen Gemeinde hat sie öffentlich ihre Sünden gestanden, Reue gezeigt und Besserung gelobt. Innerhalb der Möglichkeiten ihres Standes wird sie nun wohl in die Rolle schlüpfen, die ihr vorbestimmt ist: Charity und Shoppen. Nehmen Sie sich ein Beispiel daran und versuchen Sie einen Auftritt bei *Johannes B. Kerner* oder *Beckmann* zu organisieren. Mit Ihrer Medienkompetenz schaffen Sie das schon – schließlich gehören Sie einer Generation an, die im Falle einer Entführung oder eines Unfalls genau weiß, wie man in die Kameras der herbeigeeilten Fernsehteams zu schauen hat (auf die obere Begrenzung der Kamera-Linse schauen, nicht?) und welche Sätze in welcher Länge sendefähig sind. Wenn Sie mal entführt werden, besteht Ihre erste Amtshandlung darin, einen Exklusivvertrag mit dem *Stern* abzuschließen. Im Hamburger Studio angekommen, gestehen Sie bitte alles, was einigermaßen jugendfrei ist. Dann ist es endlich mal raus, und Sie können die nächste Stufe Ihres Daseins erklimmen. Ihr persönliches Elend auf Ihrem persönlichen Blog kundzutun reicht Ihnen ja nicht – denn in Anbetracht der Klickzahlen könnten Sie genauso gut zur Beichte gehen.

Der depressive Robbie Williams, die zugedröhnte Kate

Moss, die betrunkene Britney Spears, die vergisst, ihren Schlüpfer anzuziehen und sich aus lauter Verzweiflung eine Glatze scheren lässt – ob Sie es zugeben oder nicht: Sie wissen über diese Leute ganz gut Bescheid. Diese Celebreties funktionieren als Ihre Stellvertreter. Sie müssen für Sie scheitern und durchdrehen, Erfolg haben und sich ständig neu erfinden, unglücklich sein und neue Lieben finden, die sich nach zwei Monaten schon wieder erledigt haben. Diese armen Leutchen müssen einen ziemlichen Knochenjob machen – dagegen war das Leben einer klassischen Diva ein Zuckerschlecken. Damals wurde man auf weißen Tuberosen gebettet, heute sitzt der Paparazzi in der Duschkabine und wartet auf einen Schnappschuss.

Sie dürfen diese Zeitungen von *Bunte* bis *Gala* erst wieder in die Hand nehmen, wenn Sie eine eigene Zahnarztpraxis eröffnet haben und Material für das Wartezimmer brauchen. Oder wenn Sie auf der Titelseite oder wenigstens irgendwo unter Panorama und Gedöns vermeldet sind, weil Sie etwas Eigenes auf die Beine gestellt haben. Mit auf dem Foto zu sein, weil Sie durch Ihren Job beim VIP-Catering-Service zufällig beim Filmball waren, wenn auch leider mit einem Tablett in der Hand, gilt übrigens nicht!

Menschen mit Umhängetaschen glauben seltsamerweise stets, dass sie mit diesen Taschen bei Events rumhängen müssen, auf die man nur kommt, wenn man auf der Gästeliste steht. Dieser Vermerk ist die einzige, schriftliche Bestätigung für die eigene Existenz. Eine Quittung, die Dazugehörigkeit beweist. Dabei wird es doch schon peinlich, wenn man sich um einen solchen Eintrag erstens bemüht und zweitens sich auch noch wirklich ernsthaft bemühen muss, weil von selbst niemand auf die Idee käme, einen auf eine solche Liste zu setzen. Also muss mal wieder Ihr Kumpel ran, der zufällig einen Aushilfsjob als Nachtportier bei Grundy UFA hat und dem es gelungen ist, das Intranet zu knacken. Oder Ihre beste Freundin, die zufällig neulich eine Affäre mit dem Nebendar- steller einer Fernsehproduktion hatte und außerdem jeman- den von der Event-Agentur kennt. Am Ende stehen Sie dann zitternd in Ihrem kleinen Schwarzen, das auch schon bessere Tage gesehen hat, am Einlassbereich herum und hoffen, dass es auch geklappt hat. Wenn es geklappt hat, sind Sie frustriert, weil Sie kein VIP-Bändchen bekommen haben und für einen Prosecco auf Eis zehn Euro bezahlen sollen, die Sie nicht ha- ben, während die, die es gar nicht nötig hätten, alles umsonst bekommen und sich in einem mit einer roten Kordel abge- trennten Bereich ostentativ amüsieren – auf Ihre Kosten. Es gibt nicht mal wie im Flugzeug einen gnädigen Vorhang, der die Privilegierten vom Fußvolk trennt. Und zwar mit Absicht. Warum gehen Sie nicht einfach alleine in einen Liebesfilm, wenn Sie unbedingt deprimiert sein wollen? Was wollen Sie denn hier überhaupt? Sich nach oben schlafen?

Das wäre dann eine ernste Maßnahme, die ein gerüttelt Maß an Entschlossenheit erfordern würde – zum Beispiel einen beherzten Sprung über die rote Kordel. Aber eigentlich wollen Sie nur auch mal für eine Nacht ein Glühwürmchen sein und leuchten und glitzern wie ein Stern oder wenigstens ein kleines Sternchen. Ein Glanz sein. Das ist zwar nicht lang- zeitadoleszent, sondern nur ein bisschen kindisch – besonders wenn es sich bei diesem Event bloß um irgendeine Promo- Party irgendeines Konzerns anlässlich irgendeines Festivals handelt –, aber bedenklich ist es doch, wenn Sie die Sache nicht unter Kontrolle behalten. Wenn Sie Ihr Augenmaß ver- lieren, halten Sie Ihre Geschicklichkeit, auf Gästelisten zu ge- langen, schon für einen Erfolg. Sinnvoller wäre es jedoch, sich auf den Abschluss Ihres Studiums oder Ihr berufliches oder »unternehmerisches« Fortkommen zu konzentrieren. Sobald Sie dort etwas erreicht haben, kommen die Einladungen von alleine. Zudem können Sie sich ein Outfit zulegen, in dem Sie sich wirklich wohlfühlen – und strahlen womöglich ein tatsächliches und nicht nur aufgesetztes Selbstbewusstsein aus. In dieser Position können Sie plötzlich auch viel besser erkennen, welch flache Grütze auf solchen Events geplappert wird, und werden Ihre Abende in Zukunft sinnvolleren Inhalten widmen. Laden Sie doch einfach interessante Menschen in Ihre Farbkonzept-Wohnung ein, und führen Sie ein angeregtes, vertrautes Gespräch. Wenn es Ihnen dabei besser geht, können Sie ja eine rote Kordel um sich herum ziehen und sich freuen: »Ich bin drin!« Kultivierte Gäste werden kein Wort über eine solche Grille verlieren, trauen Sie sich nur.

Ich war schon auf mehr Events dieser Art, als gut für die Seele ist – irgendwann findet man, dass Patrick Batemann aus *American Psycho* eigentlich ein ganz normaler, netter Typ von nebenan ist. Oftmals gelang es mir auch, in den Besitz eines VIP-Bändchens zu kommen. Was gar nicht schwer ist, wenn man jemanden hinter der roten Kordel kennt, von dem man sich allerdings fragt, wie nun ausgerechnet DER in den Besitz eines solchen Bändchens gelangt ist. Man bekommt dann Portiönchen von Rehrücken im Ikebana-Schälchen, und irgendwann kotzt einem irgendein total betrunkener Werbegrafiker auf die Schuhe, nachdem er vorher jedem erzählt hat, dass er nun wirklich der Beste sei. Einer der fünf Besten Deutschlands. Europas. Der Welt. Fein. Richtig nett behandelt wird man übrigens nur auf Events, bei denen keine aus Funk und Fernsehen bekannten Personen des öffentlichen Lebens präsent sind, sondern Menschen, die sich eher hinter den Kulissen aufblasen. Dort wird man dann nicht einfach angerempelt oder auf den Zeh getreten: Man könnte schließlich wichtig sein.

Genau deshalb gehen die Leute schließlich zu Event-Veranstaltungen. Es handelt sich um gesellschaftliche Börsenveranstaltungen, bei denen Kapitalwerte verhandelt werden: Beziehungen, Kontakte, Aufträge, Jobs, Verträge. Sie müssen dort also schon etwas anzubieten haben. Das kann Ihr Körper (und/oder) Ihre Seele, ein Auftrag, ein konkretes also vermarktbares und präsentationsfähiges Talent oder ein entsprechender Beruf sein. Irgendwas müssen Sie in der Tasche, Bluse oder Hose haben, sonst haben Sie auf diesen Messen der Eitelkeit eigentlich gar nichts verloren. Stattdessen sind Sie beleidigt, wenn man Sie nach zwei Minuten Gespräch einfach stehen lässt, und verwünschen die unbarmherzige, menschenverachtende Menschheit. Wasch mir den Pelz, aber mach mich nicht nass.

Nehmen Sie nun bitte diese Celebrity-Zeitung aus Ihrer Umhängetasche und befördern Sie selbige in die blaue Tonne, damit daraus Eierkartons und andere sinnvolle Produkte hergestellt werden können. Dann schauen Sie bitte in den – nun aber tatsächlich reparierten – Badezimmerspiegel: Sie können was, Sie wissen was, und Ihr Gesicht gibt es nur einmal auf der Welt. Sie haben Anerkennung verdient. Und Aufmerksamkeit. Sie können beides nicht erzwingen, sondern werden in der Regel von der Gesellschaft genau das zurückbekommen, was Sie ihr geben. Anerkennen Sie die Menschen in Ihrer Umgebung und schenken Sie ihnen Ihre Aufmerksamkeit. Dann sind Sie ein Star. Eine Zierde der Menschheit. Weil Sie menschlich sind. Und erwachsen.

## Eine Dose Red Bull

Immer noch Gummibärchen, wenn auch in flüssigem Aggregatzustand. No sleep till Brooklyn. Schlafen kann ich schließlich, wenn ich tot bin. Noch ein Schuss Wodka rein, dann haben Sie Kokain für Arme. Verleiht Flügel. Ha Ha. Eigentlich trinken Sie Ihr ganzes Leben lang ständig irgendeinen Blödsinn, der Sie wach oder fit machen soll. Warum sind Sie denn eigentlich ständig müde? Der Espresso mit aufgeschäumtem Milchfirlefanz und die diversen Energy-Drinks, die Sie zu sich nehmen, müssten eigentlich genug Schub freisetzen, um Sie auf den Mond zu katapultieren. Aber ein solches Ziel nennen Sie ja nicht ihr Eigen, stattdessen sitzen Sie im Zug nach Nirgendwo und werden immer hibbeliger.

Wenn Sie Ihr Tagewerk auch am helllichten Tag verrichten würden, abends dann noch schön schwimmen gehen, Badminton oder mit der Modelleisenbahn im Keller spielen, dann würden Sie den Schlaf der Gerechten schlafen und wären morgens fit. Stattdessen grölen Sie abends in Straßencafés herum, und wenn dann ein Anwohner vom Balkon herunterschreit, dass er nicht schlafen kann und morgen früh arbeiten muss, brüllen Sie nur höhnisch zurück: »Ich auch, aber erst um 12« und lachen sich eins ins Umhängetäschchen. Fläzen sich noch tiefer ins Lounge-Kissen. Fühlen sich dank Heizpilz ganz mediterran, obwohl es längst November ist. Sie Lümmel.

Aber morgens, wenn Sie mal wieder viel zu früh von den Geräuschen der zur Arbeit aufbrechenden Bevölkerung wach werden oder die Drückerkolonne zweimal klingelt, dann haben Sie ein schlechtes Gewissen. Nicht etwa, weil Sie den

Nachbarn vom Schlaf abgehalten haben, sondern weil Sie selbst sich gerade mal wieder total haltlos fühlen. Sie stehen außerhalb alltäglicher Zusammenhänge wie Arbeitsbeginn und Feierabend, und jeder Tag ist wie Sonntag. Und den muss man sich verdienen – so hallt es mahnend aus der Tiefe Ihres Unterbewusstseins, das vollgestopft ist mit kleinbürgerlichem Plunder, protestantischer Erwerbsethik und katholischer Erbsünde. Diese Ahnung ist dann so belastend, dass Sie lieber gleich im Bett liegen bleiben. Wieder einschlafen können Sie nicht, stattdessen dämmern Sie mit leichten Anflügen von Herzrasen und Beklemmungsgefühlen um den Solarplexus herum im schuldhaften Halbschlaf. Sie können ihn weder genießen, noch verhilft er Ihrem Körper zu Erholung. Und der Rücken ...

Deshalb müssen Sie nun für den Rest des Tages, der erst ab dem frühen Mittag beginnt, aufputschende Getränke zu sich nehmen, damit Sie durchhalten. Ist ja auch alles stressig: Die Behördenzeitfenster sind nur noch ganz klein, jetzt noch aufbrechen, um das Projekt anzuschieben, lohnt sich eigentlich nicht mehr. Die Uni-Bibliothek ist zu weit weg. Der Abgabetermin für die Zeichnungen, die Präsentation, den Entwurf, die Graphik ist ja erst nächste Woche, und Sie können ja auch zwei Tage vorher die Nacht durcharbeiten. Bis zur nächsten Lounge schaffen Sie es am Abend schließlich nur noch mit mindestens zwei Dosen Red Bull – und dann kommt ja endlich der rettende Alkohol.

Sie sehen: Auch das geht so nicht weiter. Sie brauchen einen einigermaßen strukturierten Tagesablauf. Früher hat man Ihnen das abgenommen, heute müssen Sie das eben selbst machen. Statt Techno-Drinks und Geschäum trinken Sie am besten morgens eine Tasse Filterkaffee. Sie haben richtig gehört: Filterkaffee. Das liegt daran, dass es hierzulande einen tradierten Widerspruch zwischen Genuss und Fleiß gibt, den zu internalisieren in Ihrer derzeitigen Lage mal ganz sinnvoll wäre. Dieses hysterische Crema-Getue können Sie ja dann immer noch nach Feierabend zelebrieren. Der gute, alte Filterkaffee ist jedoch das Heißgetränk der arbeitenden Bevölkerung. Sie kennen das aus dem Fernsehen: Man steht mit einem Pappbecher Filterkaffee morgens um sechs am Tatort und wartet auf die Kollegen von der Spurensicherung. A propos: Den sonntäglichen Tatort können Sie sich ruhig mal anschauen. Er ist fast immer in den schönsten grauen Farben des Alltags inszeniert, um die Bevölkerung schon mal sanft auf den Schock des Montagmorgen vorzubereiten. Und vor dem haben doch gerade Sie eine höllische Angst.

Was Sie vor allem brauchen, ist regelmäßiger Schlaf. Wer schläft, liebt nicht? Schlaf ist eine Vorstufe zum Tod? Vergessen Sie diesen Quatsch doch einfach mal. Trösten Sie sich stattdessen damit, dass Sie schon recht bald von der präsenilen Bettflucht heimgesucht werden: Immer mehr Menschen müssen nachts raus. Sie brauchen mit dem Alter immer weniger Schlaf und haben dementsprechend viel Zeit zu lieben und gewinnen auf diese Art auch noch ein wenig zusätzliche Lebenszeit. Aber im Moment sind Sie einfach nur ständig müde, weil Sie sich mit Ihren täglichen Ansprüchen an positiv gestimmter Vitalität und juveniler Lebensfreude andauernd überfordern. Sie haben längst keine Hummeln mehr im Hintern und müssen diese daher ständig mit zitterig machenden Getränken heraufbeschwören.

Die Dose Red Bull in Ihrer Umhängetasche dürfen Sie noch austrinken. Sie müssen ja gleich noch zur Lounge. Und dann fliegt das Ding in die Gelbe Tonne. Glauben Sie denn im Ernst, Sie könnten fliegen? Mit Easy Jet vielleicht.

## Kinderschokolade

**G**ehört zu den Proust'schen Madeleines der Kindheit und nicht in Ihre Tasche. Kinderschokolade ist ein regressiver Snack, mit dessen spezifischen Geschmacksstoffen Sie zu Kinderzeiten von heimtückischen Konzernen angefixt wurden, unter dem Radar Ihrer *Eltern Heute* lesenden Eltern hindurch. Selbst wenn Ihre Eltern Artillerie-Einheiten gegen die Überraschungseier in Stellung gebracht haben: Sie hatten keine Chance an der Supermarktkasse, denn die so genannte »Quengelware« hätte auch nach Ihnen benannt werden können. Susanne-Ware, Christian-Ware, Michael-Ware.

Ähnlich verhält es sich mit dem Brotaufstrich »Nutella«, ein klebriger Generationskitt, der keineswegs aus Milch, sondern fast ausschließlich aus Fett und Zucker besteht und mit dem Sie sich am liebsten heute noch die Milchzähne kaputt machen würden, wenn Sie noch welche hätten und nicht stattdessen gerade darüber nachdenken müssten, wovon Sie die letzte Zahnarztrechnung bezahlen sollen. Wobei sich in Ihrem Mund ausschließlich Beton-Provisorien befinden, da Sie das Geld für höhere Zuzahlungen partout nicht aufbringen können. Investieren Sie das Geld, das Sie im Monat für Kindergarten-Schokolade ausgeben, lieber in einen Fonds für alternative Energien, damit Sie sich mit dem Erlös später mal Stiftzähne leisten können. Sie wollen ja schließlich ewig leben und auch noch jung und gut dabei aussehen. Wenn Sie sich jedoch keine Stiftzähne leisten können, hören Sie sich mit siebzig an wie Hildegard Knef auf ihrer allerletzten Platte: Das Gebiss klappert.

Erwachsene Menschen konsumieren Zartbitter-Schokolade, weil sie so schmeckt wie das Leben selbst: bittersüß. Schokolade ist ein ernsthafter Snack: Sie rettet Bergsteigern in Form einer kalorienreichen Notration das Leben und kann so hilfreich und unterstützend sein wie ein Hubschrauber der Schweizer Rettungswacht, wenn man sich gerade aufgrund von Liebeskummer in einen Abgrund von Verzweiflung stürzen will. Schokolade ist also gar nichts für Kinder, weshalb diese sie auch meist nur in minderwertiger Form in die kleinen, verklebten Patschhändchen bekommen.

Falls diese Erkenntnis Sie schon gestreift haben sollte, dann machen Sie bitte trotzdem nicht schon wieder einen Hype daraus, sonst nützt Ihnen die Erkenntnis nichts. Sie müssen nicht vor jedem Geschlechtsverkehr Schokolade mit Pfeffer essen und auch nicht 20 Prozent Ihres Monatseinkommens in die Schokoladen-Manufaktur tragen, in der Sie 100 000 verschiedene Sorten aus 360 Ländern erhalten, inklusive Begleittext im Umfang eines mittelgroßen Ratgebers für Steuerrecht im Taschenbuchformat. Essen Sie einfach vernünftige, hochwertige Schokolade, wenn Ihnen danach ist. Sie müssen sich deswegen ja nicht gleich fünf Coffee-Table-Books mit Schokoladen-Fotografien auf Ihr Beistelltischchen wuchten. Das bricht ja zusammen. Wenn Sie schon Buhei um Schokolade machen wollen, dann wenigstens einen sinnvollen: Kaufen Sie Schokolade, die aus fair gehandeltem Kakao hergestellt wurde.

Die regressiven »Kinder«-Riegel schenken Sie irgendeinem Kind, aber bitte nicht auf dem nächsten Spielplatz, sonst werden Sie umgehend verhaftet oder an Ort und Stelle von jungen Müttern mit Ponyfrisur gelyncht. Wählen Sie ein Kind aus der Verwandtschaft oder aus dem Bekanntenkreis. Das ist ganz richtig so: Die Kleinen sollen den Geschmack der Kindheit, milchig-cremig-süß, ruhig auskosten und sich hinterher die

Zähne putzen. Erst dann werden sie später begreifen, was Erwachsensein bedeutet. Bis dahin können Sie ja erst mal die braunen Flecken aus geschmolzener Schokolade von Ihrer Tasche wischen. Und steigen Sie jetzt nicht auf Gummibärchen um. Die soll der Berufsjugendliche Thomas Gottschalk alleine aufessen.

## Ein Zeitungsausriss
## mit Ihrem Jahreshoroskop

**N**un sagen Sie mir: Wie halten Sie es mit der Religion? Ich ahne es ja schon wieder. Sie zahlen Kirchensteuer, obwohl Sie »mit Kirche nichts am Hut haben«. Zumindest behaupten Sie das, aber warum zahlen Sie dann noch Kirchensteuer? Ist das eine Art Notversicherung für den Fall, dass irgendwann Ihr letztes Stündlein schlagen könnte und Sie dann doch einer sedierenden Ration Opium fürs Volk bedürftig sein könnten? Zwischenzeitlich befragen Sie jedoch lieber das Horoskop in der aktuellen Werbebeilage oder eine teure Wahrsagerin, wenn Sie mal nicht wissen, wie es weitergeht. Da könnten Sie sich auch gleich mal bei Ihrem persönlichen Geistlichen zum Kaffee einladen. Sie zahlen ja schließlich dafür. Selbst wenn es nur fünf Euro im Jahr sind, weil Sie sich mit Ihrem Einkommen noch immer in peinigender Nähe zum nicht zu versteuernden Existenzminimum befinden. Dienstleistung ist Dienstleistung. Sie haben eine Flatrate mit einkommensabhängiger Gebühr.

Sie leiden unter metaphysischer Obdachlosigkeit. Das muss nicht schlimm sein, denn so haben Sie einen freien Blick auf den Sternenhimmel. Sie sind eben diesbezüglich ein Penner, und Pennern geht es so wie den Reichen: Geld kann Ihnen egal sein. Will sagen: Eine entspannte, gepflegte Indifferenz bzw. Gelassenheit gegenüber den Dingen kann man sowohl erreichen, wenn man sich darauf verlässt, dass im Jenseits das Paradies auf einen wartet, als auch wenn man weiß, dass beim Tode einfach das Licht ausgeht und man es sich deshalb im Diesseits behaglich eingerichtet hat. Eigentlich geht es für Sie jetzt einfach nur darum, sich mal eine Weltanschauung anzueignen, die länger hält als bis zur nächsten Folge der Simpsons. Das Angebot an solchen übersteigt zwar längst die Warenkomplexität eines riesigen »Kaufland«-Supermarktes vor den Türen einer x-beliebigen ostdeutschen Kleinstadt, aber Sie sind schließlich ein ziemlich erfahrener Shopper. Sie hatten doch lange genug Zeit, sich etwas auszusuchen. Zur Kasse, bitte!

Ist ja richtig: Wenn Sie dann später umtauschen wollen, kommen Sie gleich in die Konvertiten-Kartei und haben schon fast ein Flugticket nach Guantánamo. Trotzdem. Sie könnten sich ja immerhin auch für gar keine Religion entscheiden und sich mit sich selbst darauf einigen, dass es Gott vielleicht in den Dingen oder in den Menschen selbst gibt, aber keineswegs in Form einer Kirche oder Sekte. Dann dürfen Sie fortan »Agnostiker« in die auszufüllenden Felder schreiben. Oder Sie entscheiden sich für den Schluss, dass es Gott ganz einfach nicht gibt. Dann schreiben Sie »Atheist« in das kleine Kästchen. Wenn dort nur die Auswahl »ev.« und »kath.« steht, dann streichen Sie eben beides durch und schreiben »ag.« oder »ath.« hin. Oder Sie bleiben »ev.« oder »kath.« und nehmen diese Identität dann auch an. Dann reicht das mit dem bloßen Ankreuzen aber nicht. Sie sollten dann auch mal ins nächste Gotteshaus gehen, wenn dort eine Veranstaltung ist. Kleiner Tipp: Sonntags geht da meistens was.

Die Weltreligionen sind ja nun zurückgekehrt, falls Sie es noch nicht mitbekommen haben: Sie wummern gerade ziemlich laut an Ihre Haustür. Die Zeugen Jehovas sind dagegen geradezu unaufdringlich. Und wenn Sie nicht aufpassen, erinnern Sie sich an das Rauchverbot, dann ist es ruck-zuck wieder vorbei mit der Trennung von Staat und Kirche. Dann müssen Sie ein Kreuzchen in einem der vorgegebenen Kästchen machen. Wenn nicht, hackt man Ihnen das Fingerchen ab oder verbrennt Sie auf einem kleinen Scheiterhäufchen. Wobei es mit der Trennung von Staat und Kirche in Ihrem Heimatland ja ohnehin schon nicht so weit her ist, denn sonst würde der Staat nicht die Kirchensteuer eintreiben. Neulich erzählte zum Beispiel jemand, dass er noch nicht aus der Kirche ausgetreten sei, weil er keine Lust hätte, deshalb in sein Heimatdorf fahren zu müssen, um sich beim örtlichen Pfarrer aus dem Kirchenbuch streichen zu lassen. Fehlt nur noch, dass die Leute glauben, sie müssten auf blutigen Knien vor den Thron des Bischofs kriechen und ihm den Ring küssen, damit sie gnädig aus der Kirche entlassen werden. Wenn Sie austreten wollen, teilen Sie diesen Entschluss Ihrem zuständigen Einwohnermeldeamt, Standesamt oder Amtsgericht mit, das variiert von Bundesland zu Bundesland (*www.kirchen-einsparen.de*). Fertig. Das ist fast so einfach, wie den Stromanbieter zu wechseln. Was übrigens noch eine Marktlücke für Sie wäre: Veranstalten Sie doch Kirchenaustritts-Partys zu Halloween. Denn mögen die rückkehrenden Weltreligionen auch noch so viel Spektakel vor der Haustür veranstalten: Die meisten Menschen machen ganz einfach die Tür nicht auf, es berichtet nur niemand darüber. Wir befinden uns ganz einfach in einer Epoche fortschreitender, nachhaltiger Säkularisierung.

Es geht nur darum, sich genau zu überlegen, was man möchte – und die Risiken abzuwägen. Wenn Sie streng katholisch erzogen worden sind, kann es Ihnen passieren, dass Sie nach aktiver Abwendung vom Glauben mutterseelenallein mit der Erbsünde dastehen. Dann müssen Sie eine Psychoanalyse machen und liegen regelmäßig auf der Couch, anstatt im Beichtstuhl zu sitzen. Als mäßig streng erzogener Protestant haben Sie hingegen gute Aussichten, auch ohne aktive Vereinsmitgliedschaft wohlhabend zu werden, weil man Ihnen beigebracht hat, dass Ihre Arbeitsamkeit und das auf dem Konto angehäufte Geld Gottes Wohlgefallen erregen. Praktisch. Wenn nur nicht die zentnerschwere Verantwortung auf Ihnen lasten würde, die keine Gemeinde mit Ihnen zu tragen mehr bereit ist. Müssen Sie halt ein Buch schreiben, um sich zu entlasten (natürlich nur gegen exorbitantes Salär). Der Glauben, in dem Sie mehr oder weniger erzogen wurden, hat Sie geprägt, wenn auch manchmal nur indirekt über das Milieu, in dem Sie aufgewachsen sind. Machen Sie sich das bewusst, egal welche Entscheidung Sie treffen, denn diese Prägung gehört zu Ihnen.

Ich sitze zum Beispiel gerade mit Brummschädel am Schreibtisch und muss heute extra fleißig sein, denn gestern habe ich gesündigt. Ich trank unzählige Biere in einer Kreuzberger Bar namens »Möbel Olfe« und muss nun Buße tun. Wie dem auch sei: Meine persönliche Entscheidung zu fällen wurde mir relativ leicht gemacht. Als sexuell Andersbegabter kommt man eigentlich in allen religiösen Clubs nicht am Türsteher vorbei, es sei denn, man wird selbst Türsteher und trägt fortan schwarze Soutane. Ansonsten hat man als »bekennender Homosexueller«, wie das so schön heißt, sein Glaubenszeugnis schon abgelegt. Ein Zeugnis, das in einigen islamischen Ländern nicht zur Versetzung reicht, stattdessen wird man lebendig begraben, stranguliert oder von den eigenen Brüdern umgebracht. In Deutschland macht man das selbst, die Suizidrate unter schwulen Jugendlichen ist noch immer siebenmal höher als bei Heterosexuellen, auch dank der weiterhin repressiven christlichen Propaganda, die auf dem Lande noch immer Wirkung zeigt und in die Politik hineinwirkt. Da ich S/M nicht so spannend finde, will ich auch gar nicht in einen Club, der mich abwertet und mir höchstens Gnade zukommen lässt, wenn es hoch kommt.

Selbst wenn ich noch zögerlich gewesen wäre, dann hätte mich spätestens der Besuch des »Gay Pride 2007« in Jerusalem überzeugt, die Finger von der Religion zu lassen: Nicht mal der Staat Israel war in der Lage, die Sicherheit der Schwulen und Lesben zu garantieren, die durch die Altstadt von Jerusalem marschieren wollten. Während wir also stattdessen in einem Jerusalemer Fußballstadion quasi im Kreis liefen, war für diesen einen Moment Friede zwischen den Religionen der Welt: egal ob fundamental gesinnte Christen, Juden oder Moslems. Alle waren sich einig, dass diese Parade in der Heiligen Stadt nicht sein dürfe. Kaum waren die Homos weg bzw. einfach wieder im nahen Tel Aviv, konnten sie sich wieder die Köpfe darob einschlagen, wer nun der heiligste von allen ist. So hat man als Homo wenigstens mal einen vorübergehenden Beitrag zum Weltfrieden leisten können.

Für mich lag eine Entscheidung irgendwann auf der Hand, und ich mache mein Kreuzchen bei »ag.«, andere Schwule und Lesben wollen sich ihren Glauben nicht wegnehmen lassen und kämpfen stattdessen um ihre innerkirchliche Anerkennung – sie haben ebenfalls eine Entscheidung getroffen. Und Sie?

Gläubig sind Sie ja auf jeden Fall. Sie glauben vielleicht an die Kraft der Liebe, die freie soziale Marktwirtschaft, an sich selbst und an die Wirksamkeit Ihres Anti-Schuppen-Haarwaschmittels, denn sonst würden Sie es ja nicht immer wieder kaufen. Das Problem ist natürlich, dass der Glaube an Produkte und Marken irgendwann nicht mehr reicht. Man kann eine Zeit lang Calvin Klein anbeten und Manolo Blahnik göttlich finden, aber irgendwann läuft die Kreditkarte heiß, und die Seele ist so leer wie das Konto. Wenn Sie abends mit Tiefkühlpizza vor der Glotze liegen, werden die Messen des Warenfetischismus in Intervallen, die man Werbeunterbrechung nennt, gesendet: »Monster sind glücklicher«, »Vertrau auf Pink!«; »Hilft, weniger zu essen«. Dann vertrauen Sie mal auf Pink, dass Sie in Zukunft weniger essen, Sie Monster. In Ihrer Generation hat man eine eigene Strategie entwickelt, um mit der

Werbeflut klarzukommen. Man integriert sie einfach in Alltag, Weltanschauung, Kunst und Persönlichkeit, um sie auf
diese Weise biologisch abzubauen. Das ist im Prinzip keine
schlechte Strategie des Widerstands: Die geballte Macht der
weltweiten Werbeetats versandet in einem Nichts aus Ironie
und Witz. Aber unterschätzen Sie dieses Empire nicht, denn
es gilt auch hier der alte Grundsatz: Irgendwas bleibt immer
hängen. Sind Sie sicher, dass sich nicht irgendwo in Ihrem
Körper Werbebotschaften abgelagert haben? Manche von
ihnen haben eine Halbwertzeit wie Plutonium, sie liegen wie
Blei im Magen. Geiz ist geil. Reklamefuzzis, die ihr Handwerk verstehen, holen Sie eben dort ab, wo Sie stehen: am
Zentralen Omnibusbahnhof namens Desorientierung. Am
Ende gerät dann die Wahl einer Jeans zum Glaubensbekenntnis, das Badezimmerregal mit erlesenen Designerdüften zum
Schrein und der Alfa Romeo zum Versprechen persönlichen
Heils. Doch auch die Marketingabteilung des Vatikans ist
nicht auf den Kopf gefallen – »Wir haben verstanden!« Man
setzt dort auf die Kernkompetenzen der Marke und will die
Messe nun wieder auf Latein lesen. Die jugendliche Zielgrup-
pe ist begeistert und kommt in Massen zu »Papst«-Events und
Kirchentagen. Der Content kann ruhig auf Latein vorgetragen
werden. Denn auch wenn man kein Wort versteht: Es geht
um das Dabeisein, ein Erlebnis von Gemeinschaft und um die
Sehnsucht nach Führung. Wiederum andere haben im Biolo-
gie-Unterricht nicht aufgepasst, als die Evolutionslehre nach
Darwin durchgenommen wurde – und denken nun, dass die
Erde vor 3000 Jahren von einem kreativen Designer entworfen
wurde. Wer sich so inbrünstig an den Hals der Gegenaufklä-
rung wirft, will die Predigt des Priesters gar nicht erst verstehen. Er denkt stattdessen darüber nach, ob das Priestergewand
eventuell von Valentino entworfen sein könnte.

Ihnen ist nicht nach hysterischen Ausbrüchen und Weihwasser, Valentino ist Ihnen egal, und außerdem glauben Sie in Design-Fragen ausschließlich an das 1. Gebot, das da lautet »Form follows Function«? Wahrscheinlich machen Sie es stattdessen wie die meisten. Sie haben sich einen Glaubens-Quilt aus verschiedenen Stofffetzen zusammengeklöppelt. Ein bisschen Dalai Lama, ein bisschen alte Kirchen besichtigen, eine Prise Kabbala-Center und einen gehörigen Schuss Esoterik. Der Quilt soll Sie wärmen in der Kälte des Universums. Größerer Beliebtheit, gerade auch in eigentlich aufgeklärten Kreisen, erfreuen sich nun auch verstärkt die weiße und schwarze Magie – der Einstieg erfolgt häufig über den Gang zur Wahrsagerin, oft ein niedrigschwelliger Ersatz für eine eventuelle anständige Gestalttherapie: Wie verhalte ich mich richtig, welche Entscheidung soll ich treffen? Intelligente, gebildete Menschen verlassen urplötzlich die Plattform der Aufklärung durch das unsichtbare Portal 9 ¾ auf dem Bahnhof King's Cross und besuchen Hexenkurse und Steine-Seminare. Mit dem Hogwarts Express verschwinden sie in befremdende Sphären und bekommen ein leicht irres Glimmen in den Augen. Wenn Sie solche Leute in Ihrem Freundeskreis haben, dann passen Sie auf, dass Ihre Espresso-Maschine beim nächsten Besuch nicht plötzlich in ein Kaninchen verwandelt wird. Sie können dann nur noch bei der »Parapsychologischen Beratungsstelle« in Freiburg anrufen.

Die harmlosere Hokus-Pokus-Variante ist die Beschäftigung mit Sternzeichen und Horoskopen. Sie gilt längst als anerkannte Volkskrankheit, und auch in Ihrem Blut lassen sich wahrscheinlich Antikörper nachweisen. Vielleicht ist ja was dran? Wer weiß? Bedenklich wird es erst, wenn Sie Ihren Urlaub, die Karriere und die Partnerwahl stets mit Aszendenten und Mondphasen korrelieren lassen. Es ist nicht schön, wenn man so ausgehungert nach Sinn ist. Eine Freundin und ich schienen zum Beispiel mal ganz nah dran an der Erkenntnis.

Wir saßen am Pflegebett der fast hundertjährigen Großmutter meines Freundes, die damals bei uns wohnte. Sie winkte uns näher zu sich heran und flüsterte uns zu, was uns im nächsten Jahr bevorstehen würde. Mit großen, glänzenden Augen und leichtem Herzklopfen lauschten wir dem Orakel, eine feierliche Stille trat ein. Dann fragte sie, ob wir wissen wollten, woher sie ihre Weisheit beziehe. Aber ja! Daraufhin holte sie ein altes Zigarrenkistchen aus ihrem Nachttisch und zeigte uns, ein sardonisches Lächeln auf den schmalen Lippen, ausgerissene Horoskope aus dem *Goldenen Blatt*. Alte Menschen sind nicht immer lieb und nett. Sie können ganz schön bösartig sein. Aber eine Botschaft hatte sie doch für uns: Lasst euch nicht verarschen, von niemandem, auch nicht von mir.

Menschen scheinen ein Bedürfnis nach Spiritualität zu haben – und wenn sie sich von ihrer ursprünglichen Religion abgewendet haben, suchen sie nach einem wie auch immer gearteten Ersatz. Als Erwachsener hat man nun die Aufgabe, endlich ein wenig Ordnung in die persönliche Haltung zu bringen. Beenden Sie Ihre endlose Pilgerreise, und kommen Sie zu einem Ergebnis, oder machen Sie tatsächlich eine Pilgerreise, um zu einem Ergebnis zu gelangen. Sonst weiß der liebe Gott später nicht, in welche Abteilung Sie gehören, wenn Sie in den Himmel kommen. Sie sitzen dann ewig in der Warteschleife für »Displaced Persons« und müssen Skat spielen, bevor Sie zu Ihrem persönlichen Sachbearbeiter vorgelassen werden.

Das Horoskop können Sie jetzt wegschmeißen. Das hat die Praktikantin der Zeitschrift irgendwo gegoogelt oder aus dem Archiv kopiert.

# Eine Unterhose von 2$^{(x)}$ist

**K**leider machen Leute, aber was macht denn bitte die Unterhose in Ihrer Tasche? Man könnte meinen, Sie führen einen losen Lebenswandel. Weshalb es jetzt auch an der Zeit ist, in Ihrem Kleiderschrank mal so richtig aufzuräumen!

Gehen Sie bitte zunächst in den Flur – einen Schuhschrank nennen Sie wahrscheinlich nicht ihr Eigen –, und betrachten Sie Ihr Schuhwerk. Wahrscheinlich stehen dort ungefähr zwölf verschiedene Paar Sneakers, die genauso aussehen wie die Ihrer Kindheit. Zum Beispiel die notorischen Adidas »Samba« in Schwarz. Gehen Sie eigentlich auch mit dem Turnbeutel zur Arbeit?

Nehmen Sie Ihr Paar Converse-Chucks in die Hand, und gehen Sie in sich: Diese grotesk teuren Schuhe haben einen Materialwert von höchstens einem Euro. Sie verfügen über kein ordentliches Fußbett, vermitteln den Gelenken keinen Seitenhalt, sind extrem wasserdurchlässig und gehen schnell kaputt. Trotzdem haben Sie diesen Schuh, der schon von Ihren Vätern und Müttern getragen wurde, bereits Anfang der 90er Jahre getragen, weil er »hip« war. Nun sind wir längst im neuen Jahrtausend, und Sie tragen ihn aus denselben Gründen schon wieder.

Wenn Sie schon Ihr Leben lang die gleichen Schuhe tragen wollen, kaufen Sie sich handgenähte Budapester aus Pferdeleder. Die kosten zwar mindestens 500 Euro, halten aber dafür auch tatsächlich ein Leben lang, wenn Sie sie nicht jeden Tag anziehen und mindestens zwei bis drei weitere Paare festes Schuhwerk zum Wechseln besitzen. Festes Schuhwerk, womöglich mit Ledersohle, ermuntert zu aufrechtem, zielgerichtetem Gang. Turnschuhe verleiten zum Schlurfen, Tappsen und Trippeln. Wollen Sie einen sicheren Auftritt oder wollen Sie aussehen wie Cherno Jobatey?

Ein bisschen ist das so, als ob Sie immer noch mit kurzen Wanderhöschen herumliefen, nur dass es sich heute um Nicki-Pullöverchen von American Apparel handelt, die sich genauso kuschelig anfühlen wie die Äquivalente aus der Kindheit. Doch der wahre Nachfolger des kurzen Wanderhöschens ist natürlich die Jeans, früher auch despektierlich als »Nietenhose« bezeichnet. Sie ist der Dauerbrenner unter den allzeit bereiten, juvenilen Kleidungsstücken. Der Mao-Anzug der modernen Jugendgesellschaft. Die Jeans variiert nur in Schnitt, Materialien und vor allem Preislagen – und bleibt doch immer Jeans.

Die Jeans, Symbol von jugendlicher Rebellion und Unabhängigkeit, ist längst eine Uniform. Sie nehmen modische Dinge ja ziemlich ernst, aber meist nur aus der Angst heraus, aus dem Rahmen zu fallen: also unangenehm aufzufallen, indem Sie nicht mehr zeitgemäß sind. Nicht mehr dazugehören. Ein erwachsener Mensch hat es jedoch per definitionem nicht mehr nötig, irgendwo dazugehören zu müssen oder zu wollen. Er ist sich seiner sicher und unabhängig von oberflächlichen Gruppenbewertungen. Einige der interessantesten Menschen, die ich kenne, tragen zum Beispiel ausschließlich graue Anzüge oder ein anderes, stets konstantes und bewusst schlichtes Outfit. Modedesigner selbst tragen meist völlig unauffällige Kleidung, Models hingegen immer Ganzkörperjeansanzüge und die Schuhe vom letzten Shooting, was auch praktisch ist. Andere bemühen sich um ein tatsächlich individuelles Outfit und beauftragen fleißige Schneiderlein, durchkämmen Second-Hand-Läden und häufen einen Fundus von aparten Accessoires an.

Es ist überhaupt nichts dagegen einzuwenden, wenn Menschen sich für Mode interessieren und Spaß daran haben, ihre Zeit in Outfit-Pflege zu investieren. Bedenklich wird es, sobald man zum Fashion-Victim wird, in Berlin auch als »Mitte-Opfer« bezeichnet. Wenn knallenge Röhren-Jeans wieder aktuell werden, sollte man eben schon überlegen, ob man noch die Figur dazu hat und ob diese Mode zur eigenen Persönlichkeit – und vor allem zum Alter – passt. Es droht die Aura der Lächerlichkeit. Goldene Turnschühchen, Spinnenbeine und bedenklich angegrautes Haupthaar, das muss nicht sein. Ein Herr fortgeschrittenen Alters bewahrt seine Würde eher, indem er zum Beispiel ein Hemd trägt und Hosen in einem Schnitt, die seinen Proportionen entsprechen – während Röhrenhosen an gertenschlanken Jünglingen durchaus reizvoll aussehen können. Nur Nachthemden sehen an wirklich niemandem gut aus, vergessen Sie das nicht. Es muss auch nicht immer eine Mütze sein, die aussieht wie eine St.-Martins-Laterne. Karneval ist erst im Februar.

Notorisch wie die Converse-Chucks sind auch die Trainingsjacken. In unendlich scheinenden Retro-Wellen kommen sie über das Land, sodass man sich bei manchem Abend in der Kneipe vorkommt wie bei den Bundesjugendspielen. Nein, für dieses Outfit gibt es ab dreißig keine Ehrenurkunde mehr, im Gegenteil. Es ist entwürdigend. Sicher: Die Stretchstoffe sind so flexibel wie Ihr Bauchumfang. Dennoch ergibt sich aus der Reife, die Sie zumindest rein optisch ausstrahlen, und der 70er-Jahre-Turnhallen-Ästhetik ein unangenehm bis tragischer Kontrast. Besonders, weil Sie gerade in einer Tischtennis-Kneipe stehen und Ihrem frühkindlichen Hobby frönen. In dieser Kneipe riecht es so wie in der Umkleidekabine Ihrer C-Jugend-Zeit, nach Polyester-Schweiß und Turnschuh.

Das stört Sie natürlich nicht, denn das genau ist es ja, was Sie wollen: auf einem Lebensabschnitt beharren, sich an ihm festhalten. Und sei es nur oberflächlich, indem Sie sich entsprechend gewanden. Manchmal ist das aber auch nur eine Ausrede, weil Sie leider gar nicht das nötige Kleingeld haben, die Kleidung zu tragen, die Sie schön fänden. Sie wissen auch gar nicht, wie man ein Bügeleisen bedient. Und welche Hosengröße Sie haben, wissen Sie auch nicht, weil Sie mit der Angabe 32/34 noch immer die passende Jeans gefunden haben. Es kann Sie ja niemand zwingen – aber ist Ihr jetziger Kleidungsstil wirklich das Nonplusultra für den Rest Ihres Lebens? Soll das immer so weitergehen?

Kleidung ist nicht nur ein Teil Ihrer Außenwirkung, sondern hat auch Einfluss auf Ihre Eigenwahrnehmung. In Hemd und Jackett fühlt man sich anders als im Trainingsjäckchen, im Anzug anders als im Kapuzenpulli. Man hat einen anderen Auftritt – und der kann Ihnen eigentlich nicht schaden. Ihr jetziger Dauerfreizeit-Look mit Ed-Hardy-Kapuzenshirt und Abercrombie & Fitch-T-Shirt macht Sie zu einem herumschlunzenden, nölenden Teenager, der in Kaffeetassen ascht und der Welt mitteilt, dass sie ihn mal gern haben kann. So, wie Sie die Verantwortung für Ihr Äußeres scheuen und sich lieber für die Daueroption der Nachlässigkeit entscheiden, scheuen Sie auch die Verantwortung für die Welt und sich selbst. Das Loch im Pulli, die gerissene Naht in der Hose werden kurzerhand zum Teil Ihres persönlichen Vintage-Konzepts erklärt. Doch Ihre Heruntergekommenheit ist nicht Vintage, sondern echt und billig, nicht nur aufgenäht und teuer. Außerdem können Sie wahrscheinlich nicht mal einen Knopf annähen.

Also: Die $2^{(x)}$ist-Unterhose verschwindet jetzt mal aus der Tasche und auch aus Ihrem Leben. Sie sollten, wie gesagt, sowieso keine Hosen mehr tragen, die so tief hängen, dass der Unterhosenbund herausguckt. Diese kleinen weißen Streifen, die da zum Vorschein kommen – lassen wir das. Kaufen Sie

Unterwäsche, die Ihrem Lebenspartner oder ihrer Lebenspartnerin gefällt. Nur er oder sie bekommt fürderhin Ihre Unterwäsche zu sehen. Sie sind doch kein Zugvogel auf der Balz. Überlassen Sie die Sexualisierung des Alltages Menschen, die dafür kompetent sind: dem jungen Gemüse.

# Eine Packung Kaugummi

**N**achts sind alle Katzen grau, und Sie haben schon mal eine Hunderterpackung Kaugummi gekauft, weil Sie heute Nacht auf die Piste gehen wollen. Da braucht man langen und vor allem frischen Atem. Erstens, weil man sich aufgrund permanenter lauter Musik immer nur in totaler Gesichtsnähe unterhalten kann, zweitens, weil das zwischendurch eingeworfene Junk-Food dünstet, und drittens, weil man ja hofft, am Ende eventuell jemanden abschleppen zu können. Wenn das Junk-Food aus einem Döner bestand, können Sie Letzteres übrigens gleich vergessen.

Wie immer haben Sie sich auf Red-Bull zum Warm-Up-Treffen geschleppt. Sie sind ja eigentlich müde, und es hat Sie schon eine Unmenge Energie gekostet, sich einigermaßen präsentabel – also jugendlich – herzurichten. Die Rescue-Creme, die Ihnen eine Freundin aus New York auf Anfrage mitgebracht hat, war tatsächlich Ihre Rettung. Sonst hätten Sie schon wieder auf die Hämorrhoiden-Salbe zurückgreifen müssen. Der Warm-Up findet in einer der club-artig-gestalteten Wohnungen im Bekanntenkreis statt, wo schon softe elektronische Musik aus dem an den Mac angeschlossenen Subwoofer fiept und billige, alkoholische Getränke gereicht werden. Beim Warm-Up geht es auch darum, Geld zu sparen, denn eine Nacht auf der Piste kostet eigentlich ein Vermögen. Prosecco bei »Lidl« jedoch nur 1,75 Euro die Flasche. Leider wird Ihnen von der Säure auf nüchternen Magen im Laufe des Warm-Ups, bei dem es nur Erdnüsse gibt, schlecht, sodass Sie auf dem Weg zur ersten Location, einer Bar-Lounge-Sonstiges, dringend Ihre Magenwände beruhigen müssen. Sie brauchen billiges Essen to Go, damit Sie später in der Bar-Lounge-Sonstiges sagen können: Ich habe keinen Hunger. Und kommen daher darum herum, auf die teuren Pretiosen auf der Speisekarte zurückgreifen zu müssen. Wie sagte doch neulich jemand auf einer Feier, den Mund voller Rosmarin-Kartoffeln: »Das Schöne am Erwachsenwerden ist, dass das Essen besser wird.«

Um Sie herum sitzt eine Horde von Menschen, die von der Anzahl ungefähr einem Affen-Rudel entspricht. Die heutigen Party-People Ihrer Wahl, bei denen Sie sich eingeklinkt haben und die irgendwie genauso aussehen wie Sie selbst und die Sie in zwei Jahren auf der Straße nicht mehr grüßen werden. Entweder, weil Sie sich nicht mehr an sie erinnern können oder wollen. Egal: Im Hier und Jetzt ist das Ihre Kleinfamilie, Keimzelle der Party-Nation. In dieser Keimzelle wird nun gelabert bis … nein, der Arzt kommt leider nie. Im späteren Verlauf des Abends wird höchstens die Musik so laut, dass man nicht mehr sprechen kann. Erst dann legt sich die Gnade von 210 Dezibel über die plappernden Münder wie ein gnädig dämpfendes Handtuch. Vielleicht sitzen aber auch vorher schon alle herum, als hätten sie ein Handtuch im Mund. Schweigend. Weil sie sich nichts zu sagen haben. Gar nichts. Suchen Sie sich aus, welche Variante Ihnen lieber ist. Entweder, Sie hören sich stundenlange Monologe über Celebrities, lokal und international an, oder Sie fühlen sich wie in einem tibetanischen Kloster mit Schweigegelübde, umgeben von blasierten Kleinstadt-Buddhas, die schwer auf urban machen.

Sie werden Menschen begegnen, deren glänzende Augen eine Leere ausstrahlen, die beängstigend ist. Sie werden anderen Menschen begegnen, die sich eine Aura schweigsamer Unnahbarkeit zugelegt haben in der Hoffnung, für tiefgründig und bedeutend gehalten zu werden. Das funktioniert ganz gut in einer Gesellschaft, die eine trübe Pfütze automatisch für tief hält. Dabei kann man bloß nichts sehen – Marcel Reich-Ranicki hat dies einmal in Bezug auf die Literatur gesagt, aber es lässt sich ganz problemlos auf Menschen im Allgemeinen und im Besonderen auf ihre Performance im Nachtleben beziehen.

Doch nun geht es erst mal weiter zur nächsten Off-Vernissage, bei der wiederum magenzerfetzender, billiger Weißwein gereicht wird. Bei der Off-Vernissage ist es so ähnlich wie bei der On-Vernissage. Niemand interessiert sich für die Kunst, es geht nur darum, dabei zu sein und gesehen zu werden. Der Unterschied: Es fiept schon wieder elektronische Musik aus dem Subwoofer, und bei der Kunst handelt es sich um Video-Installationen und Digitalkram. Oder Konzeptkunst – aber da sind ja immer Texte dabei, und wer will die lesen? Man muss ja eh schon wieder weiter, weil hier nun doch nichts los ist und eine neue Bar aufgemacht hat, zu deren Eröffnungs-Event einer aus dem Affenrudel exklusiv eingeladen ist und nun ein Riesentheater darum veranstaltet, wen er auf seinen Namen mitnimmt und wen nicht – denn schließlich handelt es sich bei ihm oder ihr um eine »öffentliche Person«, und er oder sie hat »einen Namen zu verlieren«. Am Ende kommen alle rein, weil es sich bei der Gästeliste nur wieder um eine künstliche Verknappung gehandelt hat, um Leute anzulocken. Alter Trick, den der Türsteher schon im BWL-Grundstudium gelernt hat.

In der Bar ist das Gratis-Drink-Kontingent leider schon aufgebraucht, weshalb man hier auch nicht alt wird – um Gottes willen! Also doch zu dieser Privatparty, wo Sie aus Versehen drei Becher Ecstasy-Bowle trinken, weil Ihnen niemand gesagt hat, dass es sich um Ecstasy-Bowle handelt. Das finden manche Leute nämlich total witzig, und das schon seit es Ecstasy gibt. Wenn Sie mit dem Zeug umgehen können, enden Sie nicht wie Gotthilf Fischer auf der Love-Parade oder mit Blaulicht in der Psychiatrie Ihrer Wahl, sondern werden lediglich ein wenig aufdringlich, aber das merken die meisten Gäste ja nicht mehr. Wie auch, die haben ja gerade ihre Hand zwischen Ihren Beinen, während Sie mit ihnen über die Preiserhöhung bei Germanwings diskutieren.

Nachdem Sie für heute schon die dritte Schachtel Zigaretten geraucht haben, sind die alkoholischen Getränke auf der Geburtstagsfeier, von der Sie nicht mal wissen, wer der Gastgeber ist – vielleicht der Typ, der allein neben seinem Erbrochenen im Bad rumliegt, wer weiß das schon so genau? –, alle, und der Heuschrecken-Schwarm setzt sich wieder in Bewegung. In Richtung angesagter Club. Vorbei geht es raschen Schrittes an den Wartenden, denn wieder einer aus dem Affenrudel kennt den Türsteher, was Ihnen gerade das Gefühl gibt, die Präsidentin der Vereinigten Staaten, Brad Pitt oder wenigstens Ansagerin im Shopping-Kanal zu sein: eine Celebrity für fünf Minuten. Wer braucht da noch den Nobelpreis?

Überhaupt ist das Leben großartig, vor allem weil Sie schon total zugeknallt sind – und im Stroboskop-Licht sind alle Menschen gleich. Vor allem gleich jung. Wenn sich nur nicht gerade das einzige Menschenkind im Affenrudel, dem Sie wirklich nahe stehen, mit einer ziemlich heftigen Dosis Ketamin derart weggeschossen hätte, dass es ohne Ihre Hilfe gleich das Bewusstsein verlieren würde. Während Sie es davon zu überzeugen versuchen, dass sich weder sein Körper noch seine Seele gerade auflösen, sondern dass es noch da ist und Sie es beschützen, kommt Ihnen zum ersten Mal für heute jener Gedanke, der Sie des Öfteren überkommt und den Sie immer wieder verdrängen und betäuben: Was mache ich hier eigentlich? Was soll das? Was ist mit den Menschen los, dass sie so verloren sind und sich so zurichten müssen? Und warum mache ich das eigentlich auch? Doch dann, nach einer halben

Stunde ist der Ketamin-Flash vorbei, und es geht weiter. Sie ziehen noch ein Näschen und vergessen den Gedanken. Das Leben ist großartig, Sie sind großartig. Die Musik ist großartig, und die zuckenden Leiber auf der Tanzfläche sind ein Gemälde, und die Beats, die Ihren Herzrhythmus beschleunigen, sind der Rhythmus der wahren, wirklichen, richtigen, schönen Welt. Einer Welt, in der Sie zu Hause sind und sich geborgen fühlen. Weshalb Sie heute gar nicht mehr nach Hause gehen wollen. Chill Out forever.

Zu Hause kotzen Sie dann auch – aus Erschöpfung, Müdigkeit und Hunger. Alleine. Niemand hält Ihnen das Köpfchen. Und warum erzähle ich Ihnen das alles? Weil Sie sich ja nicht daran erinnern können, verdammt nochmal! Ich erzähle es Ihnen, weil Erwachsenwerden bedeutet, von Zeit zu Zeit über sich und sein Handeln nachzudenken. Erwachsene reflektieren sich und sind keineswegs festgefahrene, starre Wesen, die zu allem eine feste Meinung haben und im Prinzip scheintot sind. Vielleicht sind Sie ja auch festgefahren, und zwar in der Partykultur Ihrer Jugendtage. Vielleicht sind Sie längst ein Party-Zombie. Ein König oder eine Königin der Nacht, deren prächtige Gewänder bei Tageslicht verschlissen und schmutzig aussehen. Sie tragen sie trotzdem weiter, denn sie gehören sowohl zu Ihrem Selbstbild als auch zu Ihrem Image.

Der Kaugummi ist jetzt erst mal beschlagnahmt. Sie müssen jedoch wissen, was Sie tun. Eine wirklich erwachsene Nightlife-Kultur gibt es zugegebenermaßen (noch?) nicht. In Berlin gab es den Versuch, eine solche Kultur mit einem Laden namens »Goa« zu etablieren. Der Versuch ist grandios gescheitert. In diesem schicken Tempel, in dem gereiftes Publikum die Chance bekommen sollte, sich in Würde zu amüsieren, tobt nun wieder der Jugendkult und beschmiert die weißen Wände. Lassen Sie sich doch mal was Neues einfallen. Das, was Sie machen, ist jedenfalls im Prinzip nur eine aufgerüschte Wiederauflage der väterlich-teutonischen Alkoholkultur. Schützenfest in einem stillgelegten Straßenbahndepot – total abgefahren. Ingelheim Calling. Oder, um es mit Dieter Thomas Heck zu sagen: Das war Ihr Leben.

## Die Zeitschrift *Neon*

**D**as ist ja nun das einzige Printerzeugnis, das Sie im Abo haben. Wenn nicht, dann kaufen Sie es gelegentlich am Kiosk. Sie können eigentlich auch nichts dafür, Sie gehören ja nun mal zur Zielgruppe: »Eigentlich sollten wir erwachsen werden.« Was dem Jäger *Wild & Hund* ist dem Umhängetaschenträger *Neon*. Doch erstens: Wer ist denn – bitte schön »wir«? Zweitens: Was heißt hier »eigentlich«? Grüner wird's nicht.

Im Prinzip ist *Neon* ja so etwas wie eine WeightWatchers-Illustrierte, ein Selbsthilfegruppen-Fachblatt. Als ich ein solches Heft jüngst zur Hand nahm, ging ein Autor sogar so weit, die Abschaffung der Jugend zu fordern. Ein recht radikaler Ansatz, den Weg zum Erwachsensein zu finden. Der jedoch in Anbetracht anderer Beiträge in diesem Magazin durchaus berechtigt erscheint. Es äußerte sich zum Beispiel eine jung gebliebene Dame über eine Strecke von drei Seiten im Jargon uneigentlicher Ich-Befindlichkeiten. Ich könnte Ihnen jetzt auf Anhieb nicht mehr wiedergeben, worum es da eigentlich ging, irgendwie so. Vielleicht. Ja, aber. Die gefühlte Lesezeit lag irgendwann im Bereich des Neuen Testaments, das jedoch im Vergleich nicht nur aktuell, sondern geradezu prickelnd erscheint. »Ja, was denn nun?!!«, hätte man die Autorin gerne angeherrscht, um sich selbstverständlich gleich im Anschluss ob solch menschenverachtender Grobheit zu entschuldigen. Sie rang eben. Mit sich selbst. Dem Leben. Der harschen Umwelt. Dem Erwachsenwerden. Bei den WeightWatchers spricht man ja auch über seine Gefühle.

Es geht in dieser Zeitung, und nicht nur dort, immer um das »Wir«, dennoch fangen alle Sätze mit »Ich« an. Es geht wohl darum, all die einsamen »Spaziergänger in der Postmoderne« zu einer Wandergruppe zusammenzufassen. Damit sie sich nicht so alleine im Wald fühlen. Und wer alleine im Wald ist, pfeift gerne laut. Leider nicht nur »Young Folks« von Peter, Bjorn & John. Das Ergebnis hören Sie im Radio, sehen Sie im Fernsehen, lesen Sie in diversen Printerzeugnissen. Es gibt nur leider gar kein »Wir« – oder haben Sie mit sämtlichen anderen *Neon*-Lesern zusammen in der Sandkiste gespielt?

Scheinbar. Und Sie sitzen immer noch in der Sandkiste. Die ganze Republik ist eine Sandkiste, in der Menschen fortgeschrittenen Lebensalters mit Spielzeugautos herumfahren, etwa dem Mini oder dem Retro-Fiat 500 – und große Jungs spielen natürlich mit großen Spielzeugautos: XXL-Geländewagen. Schade, dass die viel mehr Benzin verbrauchen als ein richtiges Matchbox-Auto. Im Sandkasten Deutschland gibt es das Kasperletheater namens Fernsehen, in dem allezeit lustige Gecken ihre Scherze treiben. Sogar in den Nachrichten geht es zu wie auf dem Pausenhof – »Du, Gundula, ich leite jetzt mal zu dir über. Heute schon ein Eis gegessen?« – und wenn Gaby Bauer von schräg hinten links mit Bootcut-Jeans und Blüschen ins *ARD-Nachtstudio* gestakt kommt, dann ist das irgendwie voll »die Gaby«, die jetzt mal so locker plaudernd erzählt, was da heute wieder so los war in der Welt, echt mal. Und in den täglichen Talk-Formaten sitzen lauter große Lausbuben. Der Reinhold und der Johannes zum Beispiel.

Wenn Sie den Flatscreen anwerfen, schauen Sie im Prinzip ständig Teletubbies. Auch der zur Schau gestellte (Comedy-) Humor entspricht meist Grundschulniveau: immer auf Kosten anderer, gerne auch von Minderheiten – wobei man stets augenzwinkernd auf den doch so mutigen Bruch der »Political

Correctness«-Tabus verweist. Tatsächlich ist diese Art von Humor jedoch keineswegs »modern« oder »frech«, sondern dient dem Festzurren althergebrachter Strukturen. Frauen sind so, Männer sind so – zum Beispiel. »Meine Freundin hatte gestern wieder Kopfschmerzen ...«

Erwachsener Humor geht anders. Er ruht auf dem Fundament einer todernsten Realität und nimmt den Gegenstand seiner Pointen ebenfalls ernst. »Dittsche« ist zum Beispiel so eine Figur: Eine tragische, traurige und in ihrem Ringen mit der Welt doch tiefkomische Figur, dargestellt von Olli Dittrich im Bademantel. »Dittsche« hat eben alles verstanden, weil er fernsieht und *Bild* liest – und versucht, das Beste daraus zu machen. Erwachsener Humor – macht viel mehr Spaß als pubertärer. Jugendliche lachen sich lediglich scheckig, wenn jemand auf der Bananenschale ausrutscht. Sie quietschen und schütten sich aus, bekommen Erstickungsanfälle vor Lachen und werden rot im Gesicht. Weil sie so verdammt unsicher sind.

Erwachsensein macht also Spaß. Dieser Satz wirkt auf Sie wie ein Betonklotz mit verrosteten Stahlarmierungen. Weil Sie einen Zentimeter vor dem Klotz stehen und daher nichts sehen außer Betongrau. Man hat Ihnen diesen Klotz in den Weg gestellt. Sie sind damit aufgewachsen, weil Sie in der Welt der so genannten »Baby-Boomer« groß geworden sind. So bezeichnet man jene Menschen, die zu den Zeiten steigender Geburtenraten nach dem Zweiten Weltkrieg geboren wurden, in Deutschland zwischen Mitte der 50er und Mitte der 60er Jahre. Dieser Babyboom war die einzige Phase, in der die Geburtenrate in den westlichen Industrienationen wieder stieg, und das seit dem Ende des 19. Jahrhunderts. Beendet wurde diese Entwicklung erst durch den so genannten »Pillenknick«. Sie selbst sind also sozusagen trotz Pille auf der Welt – oder, weil Ihre Eltern noch ein Zimmer frei hatten. In der Regel jedenfalls, weil Ihre Eltern wirklich wollten, dass Sie das Licht der Welt erblicken.

Gute Startbedingungen also. Ihr Problem besteht jedoch darin, dass diese frohgemuten, optimistischen, unglaublich jugendlichen, Jeans tragenden Baby-Boomer derzeit die gesellschaftliche Mehrheit stellen und überall an den Hebeln sitzen. Weil sie überall an den Hebeln sitzen und auch über entsprechend dicke Bankkonten verfügen, sind sie kulturell überrepräsentiert – zumindest in jenem Teil der Wirklichkeit, der öffentlich dargestellt und verhandelt wird – so wie *FAZ*-Herausgeber Frank Schirrmacher mit seiner fast schon kindlichen Physiognomie, der auf der Basis solcher demoskopischen Befunde sein *Methusalem-Komplott* schmiedete und dem Vernehmen nach seitdem Porsche fährt. Diese Baby-Boomer-Kultur ist jugendlich, wenn auch aufgrund progredienten tatsächlichen Alters des Öfteren verkniffen-jugendlich. Mehr so Thomas-Gottschalk-jugendlich. Zäh jugendlich wie die Rolling Stones, diese Leute sind auf einer immerwährenden Tournee und wild entschlossen, niemals Moos anzusetzen.

Sie selbst, Stichwort »Pillenknick«, sind schon Teil einer gesellschaftlichen Minderheit, und die nun nachfolgenden »Jungen« müssen aufgrund ihrer kleinen Zahl aufpassen, dass sie sich nicht in gesellschaftlichen Ghettos wiederfinden. Um es nochmal deutlich zu sagen: Geben Sie diesen armen Menschen eine Chance, und werden wenigstens Sie erwachsen, dann kann man das Ruder vielleicht nochmal herumreißen. Sonst wird es auf Erden nie mehr Erwachsene geben. Aus dem UN-Gebäude in New York wird ein Kindergarten, die Bundestagssitzungen finden nicht mehr im Plenarsaal statt, sondern in der benachbarten Bundestags-Kita. Ach, Sie meinen, dann wäre die Welt eine bessere? Da wäre ich mir nicht so sicher. Amerikanische GI's ziehen zum Beispiel längst in den Krieg, als handele es sich dabei um ein irre krasses Videospiel. Mit iPod im Ohr lenken sie ihre Waffen, die auf dem Monitor gut sichtbar ihr Ziel erreichen. Wenn ihr nicht werdet wie die Kinder?

Die Baby-Boomer haben im Ergebnis eine Art Jugenddiktatur errichtet, und Sie laufen weiter mit im großen Fackelzug. Auch, weil Ihnen nichts Besseres einfällt. Selbst wenn Ihr Mick Jagger vielleicht Morrissey heißt – der Name des jeweiligen Säulenheiligen ist nicht entscheidend –, so haben sie doch nichts wirklich Originäres, Neues vorzuweisen außer ein wenig Digitalgeflimmer optischer oder akustischer Natur. Es gab bisher in Ihrem Leben keine »Roaring Twenties«, in denen etwas völlig Neues entstand, ein neues Bewusstsein, tatsächlich neue Kunstformen. In Ihrer Wirklichkeit gab es höchstens wenig Neues in der Wiederkehr des stets Gleichen.

Das ist nicht wirklich ein Drama, vor allem wenn Sie bedenken, mit welchen Dramen tatsächliche Umwälzungen oftmals eingeleitet wurden – nämlich mit martialischen Kriegen. Es ist – auch wenn es sich zynisch anhören mag – auf eine Art leichter, etwas Neues aufzubauen, wenn alles in Schutt und Asche liegt. Sie aber bewegen sich trotz aller Umwälzungen in einer im unmittelbaren Umfeld noch immer recht stabilen Welt – und Verhaltensänderungen in einem sonor summenden Alltag sind schwerer als in Ausnahmezuständen. Für manche Menschen kann die Geburt eines Kindes der Auslöser sein, eine erwachsenere, verantwortliche Haltung einzunehmen. Für andere ist es der Tod eines Elternteils oder eine schwere Erkrankung, die sie aufmerken lässt und einen Bewusstseinswandel herbeiführt: Wie will ich in Zukunft leben? Wie kann ich auf dem, was ich bis jetzt erreicht habe, aufbauen? Welche Schlüsse kann ich aus dem bis jetzt Gelernten ziehen? Aus dem »eigentlich sollten wir erwachsen werden« wird so irgendwann ein »ich bin erwachsener geworden«.

Selbstverständlich ist ein solcher Bewusstseinsprozess auch

ohne die Erfahrung einer lebensbedrohenden Tumor-Operation möglich. Ein Hilfsmittel ist die Autosuggestion: Sie kennen doch sicher das adrenalinsatte Gefühl, einem Unfall gerade noch so ausgewichen zu sein? Nochmal davongekommen. Diese Momente haben einen Hauch jener Wahrhaftigkeit, die selbst herbeizuführen recht schwierig ist. Also versuchen Sie doch einfach mal, sich an solche Momente zu erinnern – was haben Sie empfunden? Um welche Pläne und Träume wäre es schade gewesen? Von wem hätten Sie sich gerne noch verabschiedet? Ein Freund von mir ist zum Beispiel tatsächlich knapp vor dem Durchbruch: Sein von ihm aufgebautes Internet-Portal beginnt, Gewinne abzuwerfen. Ein Traum, für den er jahrelang gearbeitet hat, könnte schon bald Wirklichkeit werden: »Jetzt denke ich immer: Wenn mir jetzt was passiert, würde ich mir das niemals verzeihen«, sagt er.

Wahrscheinlich sind Sie auch bereits »eigentlich erwachsen« geworden, mehr oder weniger. Sie wollen es sich nur nicht eingestehen, weil Erwachsene in der Jugenddiktatur ständig denunziert werden. Erwachsene sind Spielverderber, Brunnenvergifter und vor allem Langweiler. Erwachsene sind für das Böse auf der Welt verantwortlich, zetteln Kriege an, tragen grauenhafte Klamotten und wohnen in Reihenhäusern. Sie haben sich und ihre Ideale längst aufgegeben und gehen in schlaffem Trott ihrem Alltag nach. Erwachsene sind eigentlich schon tot, während Sie noch immer die Fahne hochhalten und jeden Tag den Drachen reiten. Doch eigentlich sind Sie Opfer einer Gräuelpropaganda, die Sie jeden Tag mithelfen, weiter in die Welt hinauszuposaunen. Und das, obwohl Sie gemäß dem Jugenddiktatur-Motto »Trau keinem über 30« längst in Sibirien wären.

Sie sind noch nicht in Sibirien, weil es diese Diktatur gar nicht gibt. Es gibt sie nur in Ihrem Kopf. Ein Spießer – Synonym für Erwachsener in der Diktatur-Logik – kann man auch mit 21 sein. Und die Langzeitadoleszenten-Szene mit ihren ehernen Gewissheiten kann auch ganz schön spießig sein. Dress-Codes, Musik-Vorlieben und Essgewohnheiten werden in diesen Kreisen mit einer Sittenstrenge überwacht, die den Vergleich mit einer pietistisch geprägten Kleinstadt in den 50er Jahren nicht scheuen muss. Da ist man schneller ein Outlaw, als Sie gucken können. Versuchen Sie es doch mal und sagen beim nächsten Lounge-Event, dass Sie Quentin Tarantino überbewertet finden, dass Sie gerade in die SPD eingetreten sind und im Übrigen ganz gerne mal Sauerbraten essen. Wenn Sie Pech haben, wird man Ihnen Beton-Pantoffeln anziehen und Sie im nächsten Fluss versenken. Nur wenn Sie Glück haben, ist das Ihren Leutchen »echt voll zu stressig jetzt«. Beton-Pantoffeln klarmachen, Shuttle zum Fluss organisieren etc.

Wenn Sie Glück gehabt haben, können Sie nun ein neues Leben beginnen. Das mit der SPD können Sie auch wieder rückgängig machen, darauf kommt es nicht an. »Ja, aber« höre ich da nun schon wieder aus Ihrem Munde. »Ja, aber« ist *Neon*-Sprache. Die Sprache des Uneigentlichen. Sagen Sie doch mal »Ja« oder »Nein«. Dezidiert. Entschieden. Wenn Sie sich das nicht vorstellen können, dann machen Sie gerne ein buddhistisches Selbsterfahrungsprojekt. Im nächsten Urlaub packen Sie sich einen Rucksack auf den Rücken und sagen zu allem immer nur »Ja«. Fragt Sie ein freundlicher Autofahrer, ob Sie nach Paris mitfahren wollen, sagen Sie »Ja«. Wenn Sie dort jemand fragt, ob Sie an Ihren Ausgangspunkt zurückwollen, ebenfalls »Ja«. Am Ende landen Sie unter Umständen in einer Forschungsstation in der Antarktis oder in einem orientalischen Bordell. Auch wenn Sie dort keine vermögenswirksamen Leistungen bekommen: Wenigstens kommen Sie überhaupt irgendwo an. Schlimmer, als »Ja« zu sagen, ist für Sie wahrscheinlich nur das »Nein« sagen. Denn ein entschiedenes »Nein« erfordert eine solide Haltung. Ein fest vorgetragenes »Nein« erzeugt Gegenwind. Widerstände, Missgunst. Da kann es schon mal recht frisch werden in der Wanne, in der Sie mit Ihrem »Ja, aber« so gerne lau baden.

Sagen Sie nun bitte laut »Nein zu *Neon*« und überlassen Sie diese Lektüre jüngeren Kohorten & Konsorten. Die Zeitschrift entfernen Sie nun bitte aus Ihrer Tasche. Lesen Sie stattdessen mal *Le Monde Diplomatique* oder *Eltern Heute*. Reihen Sie sich doch einfach mal in die Zielgruppe ein, zu der Sie tatsächlich gehören.

## Großpackung Antidepressiva

Auch wenn in Ihrer Umhängetasche keine rezeptpflichtigen Medikamente aus dem reichhaltigen Arsenal der Pharmaindustrie auf ihren Einsatz lauern: Wann hatten Sie denn das letzte Depressiönchen? Das Wort »Depression« kommt einem ja heute so leicht von den Lippen, als bestellte man sich ein Glas Wasser. Bloß weil einem heute das Glas mal wieder halb leer statt halb voll vorkommt, wähnt man sich schon in einem Zustand behandlungsbedürftiger Neurasthenie. Erkrankungen sind eben immer auch eine Frage des Lifestyle. So dachte man um die Jahrhundertwende, dass das Fahren in großer Geschwindigkeit Hirnschäden und Wahnsinn verursache – Sie können sich nun aussuchen, ob Sie diese etwas verstaubte Ansicht erheiternd finden oder im Gegenteil endlich eine Erklärung für den heutigen Zustand der Welt gefunden haben.

Der französische Soziologe Alain Ehrenberg hat sich dem Modethema Depression diskursanalytisch genähert und ist auf eine Art kodifiziertes Chaos gestoßen – Mediziner und Psychologen wissen gar nicht genau, was sie behandeln, und bemühen sich umso wackerer, das menschliche Elend Bibliotheken füllend zu beschreiben. »Das erschöpfte Selbst«, in Frankreich bereits 1998 veröffentlicht, erschien vor einigen Jahren in der Schriftenreihe des Frankfurter Instituts für Sozialforschung auf Deutsch und zeichnet nach, wie der mentale Erschöpfungszustand im Laufe des 20. Jahrhunderts zur Massenerkrankung wurde. Ehrenberg kommt im Anschluss an Foucaults *Überwachen und Strafen* zu dem Schluss, dass die Depression die Krankheit einer Gesellschaft sei, »deren Verhaltensnorm nicht mehr auf Schuld und Disziplin gründet, sondern auf Verantwortung und Initiative«. Mit anderen Worten: Der moderne Mensch ist dem »Anything goes« einfach nicht gewachsen und verfällt angesichts zu vieler Optionen und vor allem der schier unmöglichen Anforderung, »man selbst« zu werden, in eine depressive Angststarre.

Und die Zahl der seelischen Leiden wird immer größer: Im Katalog der amerikanischen Veterans Administration waren nach dem Zweiten Weltkrieg gerade mal 26 Störungen aufgelistet, das jetzt gültige *Diagnostic and Statistical Manual of Mental Disorders* der Vereinigung der amerikanischen Psychiater zählt bereits 395 verschiedene Leiden auf. Aller Wahrscheinlichkeit nach jedoch gibt es über sechs Milliarden verschiedene Leidensmuster auf der Welt, nämlich so viele, wie es Menschen gibt. Jeder von uns trägt seine eigene Geschichte mit sich herum, seine eigene Depression in sich, die jederzeit zum Ausbruch gelangen kann. Man muss uns helfen.

Und wie geht es Ihnen so? Sie haben ja nun dieses Buch zur Hand genommen, weil Sie ein wenig ratlos sind. Wenn es schiefgegangen ist, sind Sie nun an einem Punkt, an dem Sie es nur noch mit Tabletten aushalten: Sie wollen erwachsen werden und sollen zu diesem Zweck einen Anforderungskatalog erfüllen – das Hamburger Telefonbuch auswendig zu lernen würde Ihnen jedoch leichter fallen: Sie sollen eine anständige Wohnung einrichten, sich für einen Glauben entscheiden, eine solide Partnerschaft leben, Kinder bekommen, Ihre berufliche Zukunft aktiv gestalten und vor allem endlich tatsächlich Sie selbst sein. Sie sollen. Sie müssen »endlich mal erwachsen werden«.

Für Sie ist das alles einfach nur Stress, und Stress wird gerne mit Verantwortung verwechselt. Wenn ein Feldhamster aus seinem nordrhein-westfälischen Bau kriecht, das ist Stress!

Überall lauern Feinde, jedes in die Backe gestopfte Weizenkorn könnte das letzte sein. Mal steht ein Bauer mit dem Klappspaten da, mal Bärbel Höhn, die nur mal streicheln möchte – oder ein vom Aussterben bedrohter Greifvogel geht spontan in den Sinkflug. Ist das bei Ihnen auch so, wenn Sie aus der Haustür gehen?

So ähnlich ist das mit der Depression. Wenn Sie tatsächlich unter einer handfesten Depression litten, kämen Sie gar nicht mehr aus Ihrem Bett heraus. Sie hätten nicht mal mehr Gefühle – Sie wären eine Art Topfpflanze. Ist das bei Ihnen so? Dann müssen Sie tatsächlich zum Arzt. Falls dem jedoch nicht so ist, helfen bewährte Hausmittelchen: Arbeiten, Handeln, den Abwasch erledigen, Sport machen. Stellen Sie sich mal einen Bauern vor, der im Jahr 1905 auf dem Rübenfeld steht und angesichts der bevorstehenden, arbeitsintensiven Ernte zu seiner Frau sagt: »Ingeborg, mir deucht, ich habe eine Depression.« Ingeborg hätte ihren Karl-Heinz wahrscheinlich mit der Mistgabel über das Feld gejagt.

Es gibt in Ihrem Leben niemanden, der mit einer Mistgabel hinter Ihnen her ist. In der Schule wurden Ihnen die Löffel nicht langgezogen, beim Militär mussten Sie nur Hemden gerade falten lernen, wenn Sie es wollten, und konnten sich bei Nichtgefallen auf Ihre Rechte als Bürger in Uniform berufen. Sie hatten Glück, denn Sie sind keine durch autoritäre Strukturen deformierte Persönlichkeit. Im Gegenteil sind Sie in dem Geist aufgewachsen, dass der Sinn Ihres Lebens ist, eben Ihr Leben zu leben und sich selbst zu verwirklichen. Um dieses Ziel unter den derzeit gegebenen Umständen realisieren zu können, haben Sie eine zentrale Bewältigungsstrategie entworfen: nämlich die ewiger Jugendlichkeit. Denn nur der Jugendliche ist aufgrund seiner mentalen und körperlichen Disposition in der Lage, den Anforderungen der modernen Gesellschaft gerecht zu werden. Sie müssen bereit sein, innerhalb von wenigen Wochen Ihren Wohnort zu wechseln, offen zu sein und sich permanent auf neue Menschen einzulassen. Sie müssen lebenslang lernen, neue Denkgebäude internalisieren und völlig neue Technologien in Ihren Alltag integrieren: Beantragen Sie mal einen Telefonanschluss bei der Deutschen Telekom, ein Greis wäre mit dieser Aufgabe längst überfordert. Ein Greis weiß nichts von DSL und XXL-Flatrate und Multi-Options-Semi-Flat-Paketen mit SMS-Funktion. Und Sie sind eigentlich schon genervt, wenn Ihr Mail-Provider das Design oder den Aufbau seiner Website verändert – denn jede Veränderung bedeutet eine Umstellung. Verlangt Flexibilität. Und auf die haben auch Sie eigentlich gar keine Lust. Sie müssen aber, denn sonst sind Sie ganz schnell so was von offline, d. h. weg vom Windows-Fenster.

Wenn Sie zum Beispiel in Berlin mal vier Wochen nicht in einem bestimmten Stadtbezirk waren und dann durch Zufall dort wieder auftauchen, dann zweifeln Sie an Ihrem Verstand: Entweder waren hier Filmschaffende und haben die Kulissen ausgetauscht oder Sie sind eine multiple Persönlichkeit und vor vier Wochen war ein anderer aus Ihrer Gruppe hier. Alles anders. Und das Spezialgeschäft für Neopren-Laptop-Hüllen ist auch verschwunden. Durch diese surrealen Umbau-Szenarien sieht man manchmal alte, verwirrte Menschen laufen, die es einfach nicht fassen können. Desorientiert und überfordert mit dem Tempo der Veränderungen und des Verkehrs. Manchmal werden sie einfach überfahren. Doch Sie als Berufsjugendlicher sind vor solchen Bedrängnissen gefeit. Als Berufsjugendlicher freut man sich über Geschwindigkeit und Veränderung.

Doch inmitten dieses Hochgeschwindigkeitslebens vergreisen Sie bereits, ohne es zu merken. Schon mit Anfang dreißig zeigen Sie Symptome der Alzheimer-Erkrankung und vergessen einfach alles. Je mehr Informationen Sie sich täglich auf Ihre mentale Festplatte ziehen, desto weniger können Sie sich zum Beispiel an Namen erinnern. Schon bald werden Sie ins Telefon rufen »Wer sind Sie, was wollen Sie, warum stören Sie?!«, wenn Ihre Mutter anruft. Auch Gespräche mit Ihren total jugendlichen Freunden werden sich bald erübrigen, weil niemand mehr ständig Ihr Gestammel hören will: »Ich war da neulich im Dingens, und da sagte der, wie heißt der noch.« Stattdessen werden Sie jeden Abend alleine zu Hause auf Ihrem Bett sitzen und einen Film anschauen, während Sie Ihren Laptop auf der Bettdecke liegen haben und Mails beantworten. Und gleichzeitig versuchen zu telefonieren und SMS zu versenden, wenn Ihnen der Name desjenigen, mit dem Sie gerne sprechen möchten, doch noch einfällt. Schauen Sie doch einfach mal im »Gesendet«-Ordner nach, vielleicht entdecken Sie dort eine Spur. Sie Tüdelchen.

Also doch schon ein junger Alter, aber dafür total vernetzt. Haben Sie das denn eigentlich schon drauf, das mit dem Filme-aus-dem-Netz runterladen und TV on Demand und Serien schon kennen, weil vom US-Server downgeloaded? Oder behaupten Sie stattdessen, dass Sie das jetzt gerade nicht so interessiert? Wenn Sie diese Techniken nicht aktiv beherrschen und die aktuellen Filesharing-Seiten weder kennen noch aussprechen können und Gnutella für einen Brotaufstrich halten – tja dann: Buchen Sie schon mal einen Platz im Altenheim. Sie können das auch telefonisch machen, keine Angst. Ein früh verrenteter Manager einer Reifenfabrik erzählte mir neulich vollkommen ernüchtert bei einem Glas Rotwein: »Wir haben alles mitgemacht. Just in Time. Outsourcing. Re-engineering. Und jetzt wird die Fabrik trotzdem nach Rumänien verlegt.« So was Ähnliches kann Ihnen auch passieren. Immer fleißig alle Vokabeln gelernt und trotzdem den Test nicht bestanden.

Sie können es also auch getrost wagen, einfach erwachsen

zu werden. Jede, wirklich jede Entscheidung birgt nun mal das Risiko des Scheiterns in sich. Nur wenn Sie überhaupt nichts tun und in Angststarre verharren, dann kommt tatsächlich früher oder später der Bauer mit dem Klappspaten und zieht Ihnen eins über die Rübe. Es stimmt ja tatsächlich, dass Sie aufgrund des hohen Tempos der gesellschaftlichen und technologischen Entwicklung flexibel bleiben müssen, wenn Sie partizipieren wollen. Sie sollten sich nur erstens die Frage stellen, ob Sie tatsächlich die Fähigkeit und auch die Neigung haben, immer an der Spitze dieser Bewegung mitlaufen zu wollen. Müssen Sie das? Wollen Sie das? Und welchen Preis sind Sie bereit, dafür zu bezahlen? Der Fackelträger an der Spitze hat einen harten und ziemlich einsamen Job.

Vielleicht gelingt es Ihnen ja stattdessen, ein eigenes Tempo zu entwickeln. Eines, bei dem Sie sich wohl fühlen und kein Seitenstechen bekommen. Seitenstechen bekommt man auch, wenn man im fortgeschrittenen Alter immer noch jeden Tag, 24 Stunden »total groovy drauf« sein möchte. Am Ende sind Sie total groggy. Der Soziologe Ralf Dahrendorf bekannte in seiner Autobiographie *Über Grenzen*, dass er sich ein Leben lang wie 28 gefühlt habe: Konsequent beendete er den Band mit seinen Erinnerungen an dem Tag seines 28. Geburtstages. In Wirklichkeit ist der Mann mittlerweile fast achtzig Jahre alt und sieht auch so aus. Nach seinem 28. Geburtstag war er Mitglied des Deutschen Bundestages, parlamentarischer Staatssekretär im Auswärtigen Amt, Direktor der London School of Economics – und wurde von der Queen in den Adelsstand erhoben.

Sir Ralf Dahrendorf ist ganz gewiss nicht mit Sneakers, Jeans auf halbmast und Messenger-Umhänge-Tasche im Buckingham-Palace erschienen. Selbstverständlich war er ordentlich gekleidet, trug Anzug und Krawatte. Er war frisch rasiert und hatte auch keine weißen iPod-Stöpsel im Ohr. Er wurde in den Adelsstand erhoben, weil er sich um die Gesellschaft verdient gemacht hatte, und nicht, weil er gerade überlegte, vielleicht doch eine neue Band zu gründen. Er hatte Verantwortung übernommen. Nur weil man sich wie 28 fühlt, muss man noch lange nicht so aussehen oder sich so benehmen. Der Mann hat etwas bewirkt in seinem Leben – und ist darüber keineswegs zum alten Langweiler geworden. Im Gegenteil, es ist noch immer ein Gewinn, ihm zuzuhören.

Ihr Problem im Moment besteht darin, dass Sie erwachsen werden sollen in einer Kultur, der Kritiker deutliche Züge des Infantilen, Unerwachsenen attestieren. Zudem haben Sie große Probleme, den Eingang zu diesem Lebensabschnitt zu finden, denn der ist nunmehr so schwierig auszumachen wie Dornröschen in der Hecke: Solide Partnerschaften, die erstmalig geschlossen wurden, bleiben meist nicht einmalig. Dementsprechend spät wird der Bund der Ehe geschlossen, wenn überhaupt. Die Ausbildungszeiten haben sich ins Endlose verlagert, nicht nur aufgrund des lebenslangen Lernens, sondern auch, weil man eben doch noch schnell seinen Doktor macht, um dem Odium der Arbeitslosigkeit zu entfliehen. Und das erste Kind bekommt man erst mit Mitte 30 oder später. Doch dieses Problem ist auch eine Riesenchance: Wer heute wann erwachsen ist, ist Verhandlungssache. Sie können diesen Lebensabschnitt, in gewissen Grenzen, inhaltlich neu definieren.

Lassen Sie sich also nicht entmutigen. Sie bekommen Ihr Leben schon in den Griff, auch ohne jugendliche Rüstung. Und hoffentlich auch ohne chemische oder homöopathische Hilfsmittel. Raus damit aus der Umhängetasche.

# Ein Fläschchen CK1

Der verheißungsvolle Duft der 90er, in denen die großen Unisex-Parolen ausgegeben wurden: Männer und
Frauen tragen diesen Duft gemeinsam auf der Haut – ein frisches Versprechen auf das Ende des Geschlechterkrieges: Wir
sind doch alle nur Menschen. Hat sich im Prinzip aber schon
wieder erledigt. Die Idee, dass Geschlechterrollen verhandelbar sind – männliche und weibliche Identität also eigentlich
nur gedacht sind –, erfreut sich zwar in Queer-Punk-Kneipen
und Universitätsseminaren weiterhin großer Popularität, im
gesellschaftlichen Mainstream jedoch backt Eva Herman
ihren Apfelkuchen und findet, dass Frauen einfach mal die
Klappe halten sollten. Leider befolgt nicht jeder Ratgeber
seine eigenen Ratschläge. Männer und Frauen, das ist eben
ein Thema, zu dem jeder sich berufen fühlt, etwas zu sagen.
Entweder abends beim fünften Bier oder gleich in Buchform.

Also weiter im Text. Populär sind nicht die schwer ver-
daulichen, postmodernen Traktate der Gender-Queen Judith
Butler, sondern Büchlein mit dem Titel *Warum Frauen nicht
einparken können und Männer die Butter im Kühlschrank
nicht finden.* Inhaltlich geht das ungefähr so: Männer finden
die Butter nicht, weil sie über ein biologisch differentes Seh-
vermögen verfügen und als alter Jäger auf diese kurze Distanz
nichts erkennen können. Die Frage, ob es auch daran liegen
könnte, dass immer seine Frau einkauft und dementsprechend eher weiß, wo die Butter liegt, wird nicht gestellt. Zu
kompliziert, gefragt sind am Ende einfache Antworten, mit
denen man lustige Fernsehshows und Small-Talk gestalten

kann. All das Geplapper verdeckt jedoch nur, dass ein Sich-Einlassen auf das biologistische Deutungsmuster auch bedeutet, die Geschlechterverhältnisse zu zementieren. Frauen sind so, Männer sind so. Basta.

Die Generation Umhängetasche mache ja ganz gerne Unisex, dachte man immer. Wie sieht es denn bei Ihnen so aus? Was ist übrig geblieben von Ihrer einstigen Utopie einer Geschlechterdemokratie? Sie urinieren als Mann im Sitzen? Das ist brav. Sie drängeln als Frau auch mal auf der Autobahn? Das ist wacker. Und sonst?

Falls Sie es als Mann im Laufe Ihres bisherigen Daseins zum gestandenen so genannten »Metrosexuellen« gebracht haben, eine eher oberflächliche Medien-Chiffre für einen bestimmten Typus der sich im Wandel befindenden hegemonialen Männlichkeitsbilder, sich also brav die Achseln rasieren und auch sonst Ihren Körper recht fein zurechtzupfen und cremen, anstatt dem Vorbild des Neandertalers zu folgen, falls Sie sich entschlossen haben, Frauen ernst zu nehmen und sie weder auf ein Podest zu stellen noch mit dem Rohrstock zu züchtigen, wenn sie nicht willig sind –, dann sind Sie rein modisch betrachtet gerade schon wieder auf dem falschen Dampfer.

Der militärisch-aggressive, gestählte, Bart tragende und nach Schweiß riechende Typus des Kriegers ist zurück auf der Weltbühne, während David Beckham unter weitestgehendem Ausschluss der Öffentlichkeit Fußball in den USA spielt. Sie waren jedoch nicht mal bei der Bundeswehr: »Haben Sie gedient?!«, schallt es nun schnarrend in Ihren Ohren, und wenn Sie auf Ihre wertvollen Erfahrungen in der Zeit Ihres Zivildienstes verweisen, müssen Sie im Prinzip vor Scham erröten. Sie gelten nun nicht mehr als Avantgarde des Neuen Mannes, sondern als Schnulli. Ein Metro-Weichei mit Schmierfrisur, das keinen Dübel in die Wand bekommt. Nur für den Notfall: Falls Sie ein nun wieder keck gewordener, *Der Landser*-lesender Rentner in der Bahn anmachen sollte, dass man mit Typen wie Ihnen keinen Krieg gewinnen könne, dann entgegnen Sie nonchalant: »Mit Typen wie Ihnen haben wir ihn ja auch nicht gewonnen.« Dann ist Ruhe.

Mit den hegemonialen Männlichkeitsbildern ist es wie mit den Jeans: Mal trägt man sie weit, mal trägt man sie eng, mal mit Schlag, mal ohne. Aber am Ende ist es nur eine Jeans und Sie sind auch nur ein Mann. Jedenfalls, darauf läuft es nun hinaus, sind Sie nun eben ein Mann und kein Junge mehr. Was das nun heute tatsächlich sein soll, weiß man nicht genau. Es ist wie mit den Erwachsenen. Sie müssen es am Ende selbst herausfinden, ich kann nur versuchen, Ihnen ein paar Anregungen zu geben und Ihnen ein paar absolute No-Nos an die kräftigen, behaarten Pranken zu geben.

Männlichkeit verursacht ja eine Menge Stress, denn sie muss jeden Tag 24 Stunden hergestellt und immer wieder bewiesen werden. Man kann den Status der Männlichkeit verlieren wie einen Hut, und sie wächst auch nicht jeden Tag automatisch nach wie der Bart: »Mann oder Memme.« Da ist es natürlich bequemer, ein Junge zu bleiben, dem der eine oder andere Ausrutscher, vielleicht ein unbeabsichtigtes Schlackern mit dem Handgelenk oder auch die Insolvenz der frischgegründeten Firma im Filmbereich, mit einem nachsichtigen Lächeln verziehen wird. Also drucksen Sie lieber mit hängenden Schultern herum und grinsen ein bisschen scheel um die Ecke, haben Schwitzhände und zupfen sich immer nervös am linken Ohrläppchen, als wären Sie James Dean im Dialog mit Big Daddy. »Speak up«, wie meine Englischlehrerin immer zu sagen pflegte. Versuchen Sie mal mit fester, leicht aus dem Bauch gestützter Stimme zu sprechen, anstatt leise zu nuscheln. Sie sind ein dringender Fall für ein Coming-out. Sie haben richtig gehört. Nehmen Sie all Ihren Mut zusammen und bekennen Sie gegenüber sich selbst, Ihrer

Familie und Ihren Mitmenschen: »Ich bin ein heterosexueller Mann.«

Am Anfang wird es für manche Menschen in Ihrer Umgebung schwierig sein, mit dieser Ansage umzugehen. Vielleicht werden Ihre Eltern enttäuscht sein. Geben Sie ihnen Zeit: Es ist, als ob das Bild, das sie von Ihrem Jungen hatten, einfach nur kurz von der Wand gefallen sei. Sie müssen es nun neu rahmen, aber Sie werden den Menschen auf dem Foto weiter lieben. Glauben Sie mir. In der Folgezeit werden Sie damit leben müssen, an Stereotypen gemessen zu werden: Heterosexuelle Männer saufen Bier, waschen sich nicht unter den Achseln, rülpsen, sind aggressiv, denken immer nur an Sex, sind untreu, sind Kriegstreiber und überhaupt in jeder Beziehung Täter und niemals Opfer.

Damit müssen Sie nun leben. Doch ist der Ruf erst ruiniert, lebt sich's gänzlich ungeniert: Da die Verhältnisse nun geklärt sind, können Sie erst mal in Ruhe Ihre Runden im Goldfischglas drehen. Sie müssen sich auch nicht gleich eine Flinte kaufen, um im Wald Bären zu erlegen. Es gibt dort sowieso keine. Und wenn, dann handelt es sich um Problembären, und Probleme haben Sie schon genug. Gehen Sie stattdessen in Ihr Badezimmer, und schließen Sie die Tür hinter sich. Entspannen Sie sich, atmen Sie tief durch und erschrecken Sie bitte nicht bei dem, was ich Ihnen jetzt sage. Sonst klappt es am Ende wieder nicht: Urinieren Sie im Stehen. Los!

Und, hat es geklappt? Oder wissen Sie gar nicht mehr, wie es geht? Als erwachsener Mann dürfen Sie so etwas in Ihrer eigenen Wohnung tun. Auch weil Sie hinterher putzen dürfen und müssen – schließlich wurde der Kampf um das Sitzpinkeln mit dem flammenden Schwert des Hygiene-Arguments geführt – denn wer damit ordentlich herumfuchtelt, lenkt von der kleinen, im Gewand verborgenen Schwanz-ab-Schere ab.

Diese kleine Übung muss nun als Ersatz für Männergruppen-Schwitzhütten-Seminare im Elbsandsteingebirge dienen. Der Selbstfindung wegen. Und beruhigen Sie sich mal wieder: Im Stehen pinkeln ist nach dem Bürgerlichen Gesetzbuch nicht strafbar. Und ich sage es auch nicht Ihrer Freundin. Solcherart gestählt, verrate ich Ihnen jetzt, unter der Hand sozusagen, noch ein paar Dinge, die mir als keuschem Beichtvater von jungen Frauen anvertraut wurden. Zum Beispiel, dass Frauen es gar nicht immer soooo toll finden, wenn Sie sich, falls es mal zum Äußersten kommen sollte, immer wie ein Oberkellner im Adlon aufführen und alle zwei Sekunden nachfragen, ob denn alles recht sei. Sie kann Ihnen das nur nicht so recht mitteilen, weil eine bürgerliche Frau auch im 21. Jahrhundert nur bedingt über eine selbstbewusste Sexualität verfügen darf. Dieses Privileg ist zumeist den niederen Ständen vorbehalten. Sie müssen Ihr Sexualleben nun auch nicht gleich mit einem billigen Pornofilm mit billigen Männerphantasien verwechseln, in dem Frauen erniedrigt werden. Sex dient der gegenseitigen Erfüllung. Wissen Sie eigentlich, wie es ist, richtig begehrt zu werden? Oder macht Ihnen dieser Gedanke ob der passiven Position Angst? Wenn nicht: Leben Sie wenigstens, im Rahmen der Grenzen Ihres Gegenübers, Ihre eigene Begierde aus, der Rest fügt sich von alleine.

Jetzt noch ein heikler Punkt. Lesen Sie weiter und reißen Sie die Seite anschließend raus, damit die Lektüre nicht als Beweismittel gegen Sie eingesetzt werden kann: Falls Sie sich bereit zeigen, allzeit auf alle 252 Befindlichkeitsstufen Ihres weiblichen Gegenübers einzugehen, und dies bezieht sich keineswegs auf das Schlafgemach, dann haben Sie irgendwann ein richtiges Problem. Sie wissen dann erstens nicht mehr, wo rechts und links ist – und das kann im Straßenverkehr gefährlich werden. Die Butter finden Sie dann im Kühlschrank erst recht nicht mehr. Zweitens sucht sich dann Ihr weibliches Gegenüber in Bälde ein anderes männliches Gegenüber. Eines, das in der Lage ist, mehr wärmende Reibungsenergie zu erzeugen. Möchten Sie denn mit jemandem befreundet sein, der nicht so richtig weiß, wer er ist, und deshalb auch nicht dazu steht? Der Sie stattdessen immer auf ein Podestchen stellt? Der Angst vor Ihnen hat und zeitgleich emotional von Ihnen abhängig ist?

Sie sind auch weder ein Söldner-Typ noch ein potenzieller Vergewaltiger, wenn Sie Ihren männlichen Freundeskreis trotz fester Beziehung weiterpflegen und auch mal »Ihr Ding« machen. Es ist keineswegs unerwachsen und prä-pubertär, weiterhin ab und an »mit den Jungs« um die Häuser zu ziehen. Im Gegenteil: Es dient nicht nur Ihrem Wohlbefinden, sondern auch der Beziehung. Gott sei Dank sind Sie nicht mehr der Typus des emotional verkrüppelten Mannes, der – wenn überhaupt – nur hinter verschlossenen Schlafzimmertüren und ausschließlich mit seinem Eheweib über emotionales »Gedöns« sprechen kann. Nur noch ein bisschen, nicht? Also bleiben Sie dran: Pflegen Sie Männerfreundschaften, die über reines Fußballgucken hinausgehen. Sie sind schließlich nicht nur abonniert auf die Rolle des neuen Vaters, sondern haben auch das Recht, die Rolle als neuer Mann zu genießen. Der neue Vater darf an der Kindererziehung aktiv und emotional teilnehmen, er ist nicht mehr auf die Rolle des Ernährers reduziert. Der neue Mann darf jedoch nicht nur Vatergefühle haben, sondern auch eigene. Theoretisch darf der neue Mann einfach er selbst sein – warum sollte dieses moderne Versprechen nicht für Sie gelten? Nur, weil Sie ein Mann sind und deshalb unter Generalverdacht stehen?

Lassen Sie sich mal nicht ins Bockshorn jagen. Brust raus, Schultern gerade, fester Schritt. Es kann doch wohl nicht wahr sein, dass es richtige Kerle nur noch in der Homo-Bar gibt. Nach Ihrem Coming-out als heterosexueller Mann müssen Sie die Menschen in jeweiligen Einzelbehandlungen davon überzeugen, dass die Klischees nur bedingt oder gar nicht stimmen. Sie sind Sie selbst und keine wandelnde Karikatur – und falls Sie tatsächlich gerne mal im Unterhemd Fußball gucken: bitte. Das Schöne daran ist, dass Sie im Gegenzug auch Ihren alten Teddy-Bären behalten dürfen. Wenn Sie möchten, darf er sogar mit ins Bett. Ich erlaube es Ihnen.

Das Fläschchen Unisex-CK1 fliegt jetzt einfach aus der Tasche. Riechen Sie mal kurz ganz vorsichtig – jetzt nicht so übertrieben wie Kevin Kline in *Ein Fisch namens Wanda* – unter Ihren Achseln. Riecht das nach Frau? Also.

## Noch ein Fläschchen CK1,
## aber mit Zerstäuber

Liebes, ich mache Ihnen dann jetzt mal den Bruce Darrell, o.k.? Von einem netten Homo lassen Sie sich doch auch sonst mal ganz gerne beraten. Wie sagte doch eine Kollegin neulich: »Erst hatte ich ein Pferd und dann einen besten schwulen Freund.« Zunächst: CK1 ist ganz schön durch. Aber gut, egal. Auch Sie müssen nun durch die befreiende Coming-out-Hölle. Ich muss Sie zu diesem Zweck leider ein wenig über den Laufsteg jagen. Aber dort ist wenigstens geheizt, und Sie müssen nicht im Bikini bei minus 20 Grad an der Ostsee herumstehen. Und die schöne, schreckliche Heidi mit den kalten Haifischaugen ist auch nicht da.

Sie waren mittlerweile schon freches Girlie, Tank-Girl, Neo-Barbie, Neo-Feministin und Underground-Queen. Im Moment haben Sie sich irgendwo bei Pony-Girl eingependelt, aber so richtig geht's gerade nicht weiter. Alice Schwarzer oder Verona Pooth? Simone de Beauvoir oder Nelly Furtado? Nico oder Sarah Kuttner? Oder lieber gar keine von allen, weil Sie mit Frauen gar nicht so gut können? Sogar die Role-Models können ganz schön zickig sein untereinander, ich weiß.

An der Universität haben Sie im Nebenfach womöglich Gender-Studies belegt. Wenn nicht, haben Sie zumindest in einer Ihrer Seminararbeiten oder sogar in der Abschlussarbeit ein wenig gegendert. Nichts dankbarer als das: Hat man Frau Butler einmal verstanden – es gibt ja auch zusammenfassende Aufsätze –, ist der Rest ein analytisches Kinderspiel. Das läuft dann wie geschnitten Brot. Probieren Sie es ruhig nochmal aus und gendern Sie das obige Kapitel *Eine Flasche*

*CK1* gründlich durch. Es wird ein Kinderspiel sein, Unmengen von nicht zulässigen Konstruktionen von Männlichkeit und Weiblichkeit, Differenz, Sexismus etc. zu finden. Selbstreferenzielle Systeme machen so viel Spaß wie eine wunderschöne Spielzeugeisenbahn mit putzigen, kleinen Bahnhöfen, Tunnels und Papp-Pferdchen. Das Ergebnis reichen Sie bitte bei Ihrem Dozenten ein – das reicht locker für einen Schein, und Sie können ins Kino gehen. Leider verhält es sich mit der postmodernen Gender-Theorie ein wenig so wie mit dem Kinofilm: Drinnen im Saal denkt man fast, der Film ist die Wirklichkeit. Und kaum steht man wieder draußen auf der Straße, regnet es, und man wird nass und fast von einem Taxi überfahren. Auch Ihre Mutter versteht immer nicht, was Sie denn jetzt bitte genau mit dem Wort Heteronormativität meinen. Ihr Freund auch nicht.

Die Botschaft ist trotzdem im Prinzip richtig: Männer- und Frauen-Rollen sind konstruiert und daher verhandelbar. Und Sie stehen gerade trotzdem vor der Frage, wie Sie das nun anstellen mit Kind und Beruf. Vor allem weil Sie weder einen richtigen Beruf noch eine solide Aussicht auf Mutterschaft haben, aber beides eigentlich möchten. Warum auch nicht, denn schließlich gehören Sie zur ersten Generation von Frauen, die genauso gut ausgebildet sind wie ihre männlichen Mitsandkastenbenutzer. Alles gleich so weit, alles auf Augenhöhe. Aber die Sache mit der Gebärmutter haben Sie trotzdem alleine an der Backe. Und damit auch noch gleich die Verantwortung für die Zukunft des Sozialstaates. Zudem ist alles, was Sie zum Thema Mutterschaft auch nur leise denken, gleich ein riesiges Problem, denn es handelt sich um ein derart vermintes Terrain, dass sogar Lady Di davor kapituliert hätte. Wenn Sie noch nicht Mutter sind, müssen Sie sowieso schon mal die Klappe halten, weil Sie nicht mitreden können. Wenn Sie schon Mutter sind, müssen Sie sich entweder dafür rechtfertigen, dass Sie a) arbeiten oder b) nicht arbeiten.

Ihr Coming-out als heterosexuelle Frau besteht also im Prinzip aus einer Art Urschrei, der da lautet: »Sagt mal, Leute, was geht euch denn das eigentlich an, was ich mit meiner Gebärmutter mache oder nicht mache?!? Verpisst euch!!« Öffnen Sie nun also bitte das Fenster und brüllen Sie diese beiden Sätze so laut wie möglich auf die Straße. Das musste einfach mal gesagt werden, und Ihre Mitmenschen werden Verständnis für Ihr Bedürfnis aufbringen. Haben Sie das gemacht? Das ist so großartig, Baby! Ich bin stolz auf Sie! Mir kommen die Tränen. Vor allem, weil es einfach unglaublich ist, zu beobachten, wie sehr der aktuelle Gebärdiskurs Druck auf junge Frauen ausübt, wie sehr er in ihre persönliche Freiheit und in ihr Denken eindringt. Es ist, als ob ständig an jenen Frauen im gebärfähigen Alter herumgerissen wird wie an einer Puppe. Auf der einen Seite zerren angeblich wohlmeinende Gewohnheitsfeministinnen, denen es auch darum geht, ihren eigenen Lebenslauf vor der Geschichte zu verteidigen – also damals auf Madame de Beauvoir gehört zu haben, die in der zweiten Hälfte des 20. Jahrhunderts zum Verdikt erhoben hatte, dass eine Frau, die beruflich Erfolg haben will, keine Kinder haben dürfe. Am anderen Ende zerren die Patriarchen, die nicht nur zu allem, sondern insbesondere zu einem, nämlich der Rolle der Frau und ihrer natürlichen Aufgabe als Brutstätte, etwas zu sagen haben. Mit diesem Palaver verhält es sich ein bisschen so wie mit der angeblichen sexuellen Revolution: Gelöst wurde da eigentlich gar nichts, also liegt alles weiter in Ihren Händen.

Das ist auch ganz gut so. Sie müssen nur aufpassen, dass man Ihnen jene Freiheiten und Möglichkeiten, die von Ihren Müttern und Großmüttern erkämpft wurden, nicht unauffällig wieder wegnimmt. Zum Beispiel Ihr (bedingtes) Recht auf

Abtreibung. Seien Sie wachsam, wenn sich in der Zeitung Berichte darüber häufen, wie gesundheitsschädigend doch die regelmäßige Einnahme der Pille sei, denn die Kräfte der Reaktion hauen mittlerweile auch nicht mehr blindlings mit der Eisenstange um sich. Scheiterhaufen und Folterinstrumente stehen nicht mehr zur Verfügung, also bedient man sich der List und der Heimtücke: Man greift nicht mehr zu autoritären oder moralischen Argumenten, sondern zu denen der Gesundheit und der Hygiene. Damit ist man immer auf der sicheren Seite bzw. mitten im Mainstream. Was ist das Wichtigste? Jawohl: die Gesundheit. Schon hat man Ihnen die Pille aus der Hand gewunden, und Sie arbeiten in Zukunft mit der Vatikan-Methode: schön Temperatur messen und den Eisprung im Auge behalten. Die Jungs in Rom werden schon wissen, was gut für Sie ist. Bleiben Sie auf dem Quivive.

Und noch was zum Themenkreis Mutterschaft: Im Französischen gibt es das Wort »Rabenmutter« gar nicht. Es gilt in Frankreich längst als ausgemacht, dass Frauen Karriere und Kinder kombinieren können und dürfen, wenn sie wollen. Sie dürfen auch gar keine Kinder bekommen, wenn es ihnen gerade mal so passt. Nur die crazy Krauts glauben, aus der Angelegenheit einen riesigen Hirnkrampf machen zu müssen. Ein Teil der neurotischen Familiengeschichte, sorry, dass Sie sich noch immer damit beschäftigen müssen. In einer ordentlichen Familienaufstellung würde man feststellen, dass Onkel Wilhelm damals im 19. Jahrhundert der Meinung war, dass ein Kind nur in der heiligen deutschen Kleinfamilie gedeihen und wachsen könne, und alles, was sich mehr als zehn Meter von den Rockschößen der nährenden Mutter abspielt, den Nachwuchs in den Abgrund führt. Weshalb man hierzulande den Ganztags-Unterricht und die Internatserziehung noch immer fürchtet wie der Teufel das Weihwasser. Nun ja, und dann war da ja noch Onkel Adolf. Mehr so Mitte des 20. Jahrhunderts. Mit dem Geschlechtlichen hatte er es eigentlich nicht so, aber eine Meinung zur Rolle der Frau natürlich schon. Immer schön fleißig Soldaten für das Vaterland rausschießen. Früher gab es dafür ein eisernes Mutterkreuz, heute einen Strauß Blumen von der Bundesversicherungsanstalt für Arbeit.

Als erwachsene Frau können Sie sich Ihre Primeln selbst kaufen, wenn Ihnen danach ist. Als erwachsene Frau fällen Sie die Entscheidung für oder gegen ein Kind alleine oder im Idealfall zusammen mit Ihrem Partner. Sie haben ein Zeitfenster, das sich spätestens im fünften Lebensjahrzehnt schließt. Treffen Sie eine Entscheidung, die unabhängig ist von Zeitgeist und Mode. Und wenn Sie keine Kinder möchten, ist das auch o. k. Vielleicht mögen Sie ja auch einfach nur Sex. Sex Sex Sex. Sie müssen nicht rot werden, das ist kein Verbrechen, und Sie sind deswegen auch nicht dazu verdammt, eine Handelskette für Erotikbedarf zu eröffnen.

So, und jetzt wird der liebe Bruce Darnell nochmal strenger. Die Kontrolle über Ihre Gebärmutter haben Sie gerade wieder erlangt, gerade noch so. Jetzt müssen Sie nur noch mal an Ihr Selbstbild und die daran angeflanschte Außendarstellung ran. Eine emanzipierte, erwachsene, gleichberechtigte Frau zu sein bedeutet das ungefähre Gegenteil von einem »Girlie«. Der Trend ist zwar schon ziemlich lange her, hat Ihnen aber so gut gefallen, dass Sie ihn noch immer in Ihrem kleinen Schatzkästlein mit den Attitüden-Accessoires aufbewahren und gelegentlich auftragen, wenn er zum Pulli passt. Das ist dann die Nummer: Ich darf alles, will alles und bekomme auch alles – weil ich ein Mädchen bin. Mit dieser so gefälligen wie bequemen Pose – ich will Fußball spielen und trotzdem heulen, wenn mich jemand vors Schienbein tritt, ich will geil schnell Auto fahren, aber Reifen wechseln muss der Macker – treten Sie als schamlose Profiteurin der traditionellen

Geschlechterapartheid auf. Und schneiden sich damit ins eigene Fleisch. Sie geben damit dem Affen Mann Zucker, der Sie dann vielleicht auf Händen trägt, aber im Gegenzug nicht richtig ernst nimmt. Was bedeutet: Wenn Ihnen ein höflicher junger Mann Feuer gibt, bedanken Sie sich ganz einfach höflich, anstatt diese Geste hinzunehmen wie Kleopatra ein ihr zu Ehren begangenes Feueropfer.

Wenn Sie das Podest, das Ihnen Caesar linkisch hinstellt, akzeptieren, stehen Sie am Ende ziemlich dumm auf dem Ding herum und können sich nicht mehr bewegen. Auch wenn Sie das Teil zunächst einen Kopf größer zu machen scheint: Sie sind nicht auf Augenhöhe. Das sind Sie übrigens auch nicht, wenn Sie die Männer in Ihrer Umgebung – insbesondere Ihren Angebeteten – ständig vordergründig zum Affen machen, indem Sie ihn mit angeblich »typisch männlichen« Eigenschaften konfrontieren und aufziehen. Sie spielen damit das älteste Spielchen der Welt und bestätigen doch mit jedem »Männer sind so« und »Frauen sind so« die althergebrachten Geschlechterverhältnisse. Auf der abstrakteren Ebene gilt das auch für kitschige Allerweltsweisheiten wie: »Wenn Frauen die Welt regierten, wäre sie eine bessere.« Dieser Spruch lebt alleine vom Konjunktiv und verdeckt elegant die Tatsache, dass sie noch immer weitgehend von Männern regiert wird.

Gleiches gilt für jene Opferrolle, die Frau noch immer in Erbpacht hält. Wie Mann die Täterrolle. Zur Erringung der Gleichberechtigung hat sie sich historisch als nützlich erwiesen, besonders weil sie den Tatsachen entsprach. Doch nun gilt: Kein Handeln ohne die Möglichkeit schuldhafter Verstrickung. Kaufen Sie sich Taubenleder-Handschuhe, wenn Sie keine schmutzigen Finger bekommen wollen. Auf der Opferbank brauchen Sie keine. Dort liegt man in der Regel untätig rum und harrt der Täter, die da kommen. Kaufen Sie sich ein Angela-Merkel-Plakat und hängen es in Ihr Wohnzimmer, anstatt über deren Frisur und die zugegeben manchmal gróttige Kleidung herzuziehen.

Großartig, Baby. Sie sind großartig, Baby! Sie schaffen das und machen alles richtig. Was das Fläschchen CK1 angeht: Schauen Sie kurz, ob niemand da ist, und dann mal kurze Riechprobe unter den Achseln. Riecht das nach Mann? Weg mit dem Fläschchen, her mit Chanel Nr. 5. Noch schnell ein Tränchen verdrücken, und nun, Brüste raus und Schultern gerade, rauf auf den Laufsteg, Baby. Und denken Sie immer daran, dass Ihr Geliebter weder ein Pferd noch Ihr bester schwuler Freund ist. Sie sind großartig, Baby!

## Fläschchen Türschlossenteiser

**F**alls Sie tatsächlich dem Klischee entsprechend einen Golf besitzen sollten, dann entfernen Sie jetzt bitte sofort den »Abi 1992«-Aufkleber von der Heckscheibe. Ihr Golf ist schon ganz schön verrostet und hat auch keine Berechtigung mehr, in die Innenstadt vorzudringen. Zu Recht. Ihr Golf, den Sie irgendwann mal von Ihrer Mutter übernommen haben, um damit in die große, weite Welt hinauszufahren, stinkt. Und von einem neuwertigen Golf können Sie nur träumen. Schlimmer noch: Sie rutschen sogar elegant unterhalb der Kriterien durch, die Ihr freundlicher VW-Händler für die Gewährung einer Finanzierung aufgestellt hat. Man braucht zum Beispiel ein geregeltes Einkommen.

Das Kennzeichen Ihres Automobils trägt noch die dreistellige Provinz-Ziffer, weil der Wagen auf Ihren Vater oder Ihre Mutter angemeldet ist, der oder die auch Steuer und Versicherung übernimmt? Gehen Sie bitte zur nächsten Zulassungsstelle und melden Sie das Auto auf Ihren Hauptwohnsitz um. Das können Sie sich nicht leisten? Wer sich kein Auto leisten kann, muss es nicht ummelden, sondern abmelden.

Auch was Ihren privaten Fuhrpark angeht, gilt es nun zu handeln. Es gibt verschiedene Varianten. Eine davon wäre: Sie haben sich ja zwischenzeitlich sicher gemäß der Anweisungen eine geregelte Arbeit besorgt, sind eine feste Partnerschaft eingegangen und stehen in den Startlöchern zur Familiengründung. Dann brauchen Sie jetzt einen Kombi oder ein wie auch immer geartetes, jedoch auf jeden Fall verbrauch- und schadstoffarmes »Family«-Car. Also keinen flotten, roten Italiener, kein Cabriolet japanischer oder bayerischer Provenienz. Mehr so VW Touran oder Citroën Picasso. Statt vorne große Chromfresse hinten große Klappe: für den Zwillingskinder- wagen. Und statt nach sportlich-eleganten Alufelgen schauen Sie sich doch schon mal nach passenden Kindersitzen um. Sie kennen das Szenario aus *Ich heirate eine Familie* mit Thekla Carola Wied und Peter Weck. Allerdings haben Sie gar keinen Porsche, von dem Sie sich trennen müssten.

Die zweite Variante: Sie haben eine geregelte Arbeit, aber noch keine feste Partnerschaft und daher keine feste Option auf Mutter- bzw. Vaterschaft. Nun heißt es zunächst von den erwähnten, regressiven Spielzeugautos Abstand zu neh- men. Der Mini säuft, der Fiat 500 ist zu klein. SUVs saufen sowieso, wie das Kürzel ja auch bereits suggeriert. Wenn Sie da Gas geben, hören Sie es im Tank gluckern. Und für jeden Kick-Down muss ein NATO-Soldat sterben oder ein kleines Kind im Irak. War das drastisch genug? Wenn nicht: In der Beringstraße braucht man bald keine Eisbrecher mehr, das Eis schmilzt auch so. Wenn Sie sich gegenüber allen anderen Gliedern der Gesellschaft erhaben fühlen wollen, dann zie- hen Sie eben in ein Hochhaus. Vom Balkon aus können Sie dann allen auf die Köpfe spucken. Versuchen Sie das mal im Straßenverkehr, wenn Sie in einem Geländewagen sitzen. Ist nicht hoch genug.

Abstand zu nehmen ist weiterhin von so genannten »kul- tigen« Gebrauchtwagen, die helfen sollen, Ihr Charisma spa- zieren zu fahren. Das Wort »kultig« ist von nun an sowieso verboten. Ebenso wie spritsaufende Saab 900, alte Bauern- Mercedes mit Traktor-Diesel-Motor, das goldene E-Klasse- Coupé Ihrer Großmutter aus dem Jahr 1981, die Ford-Modelle Granada und Taunus – und so weiter. Diese Fahrzeuge gehören vielleicht in den Fundus von Video-Clip-Produktionsfirmen, nicht aber in Ihren Besitz. Auch von sonstigen Oldtimern à la Volvo Amazon und Citroën DS lassen Sie bitte die Finger. Das ist nur was für Theaterkritiker um die 50 mit schwarzem Hut.

Sie hingegen haben als Erwachsener begriffen, dass das Führen eines solchen Automobils unverantwortlich ist. Sie haben das begriffen, weil der Club of Rome ungefähr zu der Zeit, in der Sie das Licht der Welt erblickten, erstmals erschreckende Analysen über den Zustand des Planeten veröffentlichte. Bis der Tanker Menschheit auch nur anfing ernsthaft über die ökologischen Konsequenzen seines Handelns nachzudenken, verging fast Ihr halbes Menschenleben. Zwischenzeitlich mussten Millionen von Joghurt-Bechern abgespült und in den Gelben Sack gepackt, Millionen von Pfandflaschen zurückgebracht und LKW-Ladungen voller Energiesparlampen verkauft werden. Die Nachricht ist nunmehr angekommen, mittlerweile bekommen Sie Solar-Wasseraufbereitungsanlagen ganz normal im Baumarkt. Ökologisches Bewusstsein ist in der Mitte der Gesellschaft angekommen – und für Sie ist es schon lange normal, beim Discounter »Bio Bio«-Produkte in den Korb zu legen. Es besteht also gerade für Sie kein Grund, überhaupt erst in die PS-Spirale einzusteigen. Sie sind es gewohnt, nicht mit 220 über die Autobahn zu brettern. Sie brauchen kein Auto, das über 100 PS hat, weil Sie wissen, dass Sie in Ihrem bisherigen Leben auch prima mit 60 PS ausgekommen sind. Ihre Langzeitadoleszenz bringt also auch ausnahmsweise mal Vorteile: Bestimmte Fehler müssen Sie gar nicht mehr machen. Sie können sie getrost überspringen.

Da Sie also gerade im Begriff sind, ernsthaft erwachsen zu werden, haben Sie es auch nicht mehr nötig, mit Hilfe eines neuen Saabs auszudrücken, dass Sie zwar gut verdienen, aber dennoch ein unkonventioneller Mensch geblieben sind, der die Dinge auch mal »querbürstet«. Kein Mensch weiß so genau, warum ausgerechnet die Fahrzeuge des schwedischen

Flugzeugherstellers Saab imstande sein sollen, eine solche Wertekonstellation zu transportieren. Wirklich interessant an der Marke ist nur der Name der Stadt, in der sich die Zentrale befindet: Trollhättan. Wenn es gar nicht anders geht, dann mieten Sie eben einen, wenn Sie zum nächsten Klassentreffen fahren. Aber im wirklichen Leben kaufen Sie sich bitte ein Auto mit der geringsten Schadstoffklasse! Ein winziger Smart, ein Citroën C1 und wie sie alle heißen. Drei Literchen Diesel auf hundert Kilometer und ordentlich Turbo-Dampf für den Start an der Ampel, Radio und ein Schiebedach, damit Sie auf die bescheuerte Klimaanlage verzichten können. Oder sind wir hier in der Wüste von Arizona? Der taz-»Ökosex«-Kolumnist Martin Unfried rät übrigens zum Kauf eines gebrauchten Audi A 2 1.2, den Sie dann bitte auf Pflanzenöl aus Ihrer Region umrüsten. Er schätzt die Gesamtkosten auf circa 15 000 Euro. Dann hätten Sie ein Automobil, das zugleich stylish (Audi!) und öko (3,5 Liter auf hundert Kilometer!) ist.

Wer in Ihrer Generation ganz vorn sein will, fährt nicht wie die verstorbene Gräfin Dönhoff einen Porsche, sondern eine Drei-Liter-Knutschkugel. Als Frau einen Sportwagen zu fahren hatte einen emanzipatorischen Wert zu einer Zeit, in der junge Mädchen noch das so genannte Pudding-Abitur machten. Hat sich erledigt. Man trägt doch auch beim Fahren keine Lederhandschuhe mehr. Und dem jungen Herrn von heute ist die Zurschaustellung hubraumgestützter Potenzkulissen längst einfach nur peinlich. Dieter Bohlen im Ferrari ist schließlich eine Karikatur, kein Vorbild. Sie wollen modern und jung geblieben wirken – und fahren in Wahrheit mit einer Dampfmaschine durch die Gegend. Ein Otto- oder Dieselmotor ist nämlich nichts anderes.

Nun haben wir, nun ja, natürlich noch die dritte Variante: noch immer keinen Job, auch keine Lebenspartnerschaft und sowieso keine Option auf Reproduktion. Die Karre rostet weiter vor der Tür. Abi-Aufkleber schon ab? Das Provinzkennzeichen auszutauschen wurden Sie ja schon lange vorher aufgefordert. Ich gehe also davon aus, dass Sie eine Ummeldung vorgenommen haben und nun gerade staunen, wie viel so eine Kfz-Versicherung im Monat kostet, wenn man sie selbst überweisen muss und nicht auf Vaters niedrigen Prozenten und solidem Bankkonto fährt. Haben Sie wenigstens mal nach dem Kühlwasser geschaut? Öl? Bremsflüssigkeit? Das ist das Mindeste, was Ihr Auto von Ihnen verlangen kann. Sie lachen? Ich kenne Menschen, die haben das letzte Mal nach dem Kühlwasser geschaut, als Shell wegen der »Brent Spar« bestreikt wurde und Sie sich daher plötzlich für Tankstellen-Zusammenhänge interessierten. Wer sich so verhält, wird irgendwann ganz von alleine zum Experten für Antriebsaggregate – man muss sich dann ganz plötzlich mit Begriffen wie »Zylinderkopfdichtung« auseinandersetzen, wenn man weiter vorankommen möchte.

Richtig erwachsen kommen Sie übrigens daher, wenn Sie Ihre Nicht-Neuanschaffung einfach als Konsumentenboykott deklarieren – und zwar vor dem glaubwürdigen Hintergrund, dass der derzeitige Automarkt noch immer keine ernsthaft ökologischen Neuwagen anbietet. Die »Macher« von der Industrie brauchen noch ein wenig Zeit zur Umsetzung – auch wenn die Konzepte für Hybridantrieb und sonstige alternative Motorkonzepte eigentlich schon lange in der Schublade liegen.

Fahren Sie also in Gottes Namen erst mal weiter, aber leeren Sie vielleicht mal den Aschenbecher. Und holen Sie doch bitte den mittlerweile muffig riechenden Schlafsack aus dem Kofferraum, der Ihnen beim Roskilde-Festival 2002 so gute Dienste geleistet hat. Er ist verschimmelt. Dann schauen Sie bitte mal aus dem Fenster. Wenn draußen auf der Straße überall Menschen in kurzen Hosen herumlaufen, brauchen Sie keinen Enteiser. Doch auch wenn dort überall Menschen mit Zipfelmützen flanieren, kommt das Fläschchen nun aus dem Täschchen. Lagern Sie es in Ihrer Garderobe und verwenden Sie es bei Bedarf. Sonst benutzen Sie das Zeug am Ende aus Versehen als Eau de Cologne.

## Ein Ampelmännchen-Anhänger

Retro-Tinnef, an dem gar nichts hängt außer Ihren Erinnerungen – falls Sie Ossi-Langzeitadoleszenter sind und nicht ein Wessi-Langzeitadoleszenter, der diesen Anhänger nur als Souvenir in Berlin gekauft hat und seitdem sinnlos mit sich trägt. Für Sie als Ossi-Langzeitadoleszenter gelten die gleichen Handlungsanweisungen wie für alle anderen Leser auch.

Nein, Sie sind keine autoritär-depressive Persönlichkeit, weil Sie früher in der Kindertagesstätte immer ohne Trennwand in Reihe aufs Töpfchen mussten. Sie sind nur weniger verklemmt als Ihre westdeutschen Altersgenossen. Was diese aber nicht wissen, weil sie eigentlich kaum etwas wissen über die ehemalige DDR und die spezifischen Befindlichkeiten, die aus dieser Vergangenheit resultieren. Ihre westdeutschen Altersgenossen kennen die DDR eigentlich nur in Form der Ostalgie. Sie trinken ihr Bier in Bars, die mit Einrichtungselementen der DDR-Moderne ausstaffiert sind, und ziehen vielleicht mal ironisch ein FDJ-T-Shirt an. Oder eines mit Ampelmännchen.

Für Sie bedeuten diese Dinge etwas anderes und meistens mehr als nur einen Witz, auch wenn Sie sich gerne von diesem Plunder distanzieren. Die Wende hat für Sie nicht die Vernichtung Ihrer Zukunftschancen bedeutet – theoretisch zumindest. Sie waren zum Zeitpunkt des Mauerfalls jung genug. Sie waren noch mitten in der Ausbildung oder standen an ihrem Anfang, während ältere gelernte DDR-Bürger nun erfahren mussten, dass ihre Ausbildung völlig entwertet ist.

Ich kenne einen ehemaligen Dresdner Museums-Kurator in mittleren Jahren, der nunmehr in Sachsen-Anhalt bei einer auf Schlager und Volksmusik spezialisierten Konzertveranstalterin arbeitet. Er muss Juliane Werding und Tony Marshall auf Turnhallen-Bühnen schieben und dafür Sorge tragen, dass im Hotelzimmer ausreichend Erfrischungstücher mit »Grüner Tee«-Aroma bereitstehen, damit sich gewisse Musikantenstadl-Diven ohne Nervenzusammenbruch abschminken können. Gerettet haben ihn nicht der Alkohol, sondern sein Humor und die große Kathedrale seiner inneren Freiräume.

Anderen hat die Wende das Genick gebrochen. Vielleicht sogar Ihren eigenen Eltern – das Ausbleiben eines ernsthaft ausgetragenen Generationskonflikts ist denn auch in Ostdeutschland weniger den ineinandergerutschten Generationsidentitäten geschuldet, sondern menschlicher Rücksichtnahme: Auf Menschen, die ohnehin schon am Boden liegen, trampelt man nicht auch noch herum. Das ist verständlich, wird aber schwierig, wenn Sie diese Solidarität insofern übertreiben, als dass Sie nun auch noch mit den Wölfen heulen. In diesem Fall: mit den Ossis nölen und jammern. Der allumfassende und jedes eigene Bestreben zersetzende, friedliche Konsens besteht dann darin, gemeinsam im eigenen Mief zu dünsten und sich damit glücklichzureden, dass früher alles besser war. Auf dieser Basis hat sich, von der Öffentlichkeit zumeist unbemerkt, die DDR in großflächigen Reservaten gehalten. Man fährt eben nicht mit dem Trabbi zur Datsche, sondern mit einem Hyundai.

Das, was Ihren Eltern widerfahren ist, entbehrt nicht einer gewissen Tragik, und es ist nett von Ihnen, sie in Ihrer Trauer und Ohnmacht zu begleiten. Aber es bringt Sie selbstverständlich auch nicht wirklich weiter. Weite Teile Ihres ehemaligen Freundeskreises haben schon längst »rübergemacht« und sich eine neue Existenz in Bayern oder Baden-Württemberg auf-

gebaut. Während Sie sich der Melancholie zwar (aus-)ster-
bender, aber umso heftiger blühender Landschaften ergeben.
Die ehemalige DDR ist im Begriff, ein Naturschutzgebiet zu
werden – wenn Sie eine Pension für Radfahr-Touristen auf-
machen, könnten Sie sogar Nutzen daraus ziehen. Wenn Sie
sich dafür entschieden, das Beste aus der jetzigen Situation
zu machen. Was bestimmt nicht leicht ist, wenn man Ihnen
immer wieder hämisch unter die Nase reibt, dass Sie voll
DDR sind: der dumme Rest, der immer noch ausharrt, statt
woanders sein Glück zu suchen. Der dumme Rest, der nicht
gleich nach der Wende in Richtung Kanada verschwunden ist
oder wenigstens in Westdeutschland reüssiert hat, inklusive
der dort verlangten, manchmal demütigenden Anpassungs-
leistungen.

Manche Ihrer Generationsgenossen haben sich dementsprechend längst komplett abgewendet und tun nun so, als
hätte es die DDR nie gegeben. Sie betonen stets, dass sie ausschließlich »im Hier und Jetzt« leben, und führen sich auf,
als hätten sie den Westen erfunden. Sie verleugnen ihre Zu-
gehörigkeit zu diesem Verein, der ihnen peinlich ist, mit dem
Eifer der Konvertiten. So wollen Sie nun auch nicht sein?
Müssen Sie doch auch nicht. Die DDR-Vergangenheit ist ein
Teil Ihrer selbst, die DDR war der Ort Ihrer Kindheit – ein
Tatbestand, der in zahllosen Büchern und Filmen (*Sonnen-
allee*) nunmehr hinreichend gewürdigt wurde. Sie werden
trotzdem feststellen, dass die meisten Menschen diese Vergangenheit und dieses Lebensgefühl nicht nachvollziehen
können und nur wenige bereit sind, sich auf solche mitunter
komplizierten Erzählungen und Erklärungen einzulassen. Die
Debatte reduziert sich meist auf Stasi, Honi, Mauer und auf
die Frage, ob das Sandmännchen Ost oder das Sandmännchen
West besser war.

Im Prinzip haben Sie trotzdem einen Standortvorteil, denn

in Ihrem Teil des Landes wurden die Menschen 1989 quasi gezwungen, erwachsen zu werden: Das Land Ihrer Kindheit und Jugend hörte einfach auf zu existieren. Und wer sich nicht krampfhaft und stur in sein Reservat zurückzog, musste sich einem völlig neuen Lebensabschnitt stellen. Ohne den Hauch einer Chance, einfach so weiterzumachen wie bisher. Das gilt wohl auch für Sie – denn auch wenn Ihre Eltern zu DDR-Zeiten Teil der Nomenklatura waren und Ihnen gemäß der auch dort wieder üblich gewordenen Eliten-Selbstreproduktion gute berufliche Chancen ins Haus gestanden hätten: aus und vorbei. Die Verhältnisse sind andere geworden, es gelten andere Verhaltenscodes. Diese Vokabeln haben Sie längst gelernt, Sie können sich verständigen. Nutzen Sie also Ihre Sprachkenntnisse: Deutsch ist am Ende einfach nur Deutsch. Und Sie haben wenigstens begriffen, dass es die DDR nicht mehr gibt. Im Gegensatz zu den meisten Ihrer Generationsgenossen aus dem Westen, die noch immer nicht begreifen wollen, dass es ihre gute, alte, satte und semi-sozialistische Nutella-Republik BRD nicht mehr gibt. Nein, die gebratenen Tauben flogen einem dort auch nicht in den Mund, aber sie wurden vom Bringdienst geliefert.

Inzwischen gilt für alle: Low-Fat. Ost und West sitzen, fast zwei Jahrzehnte nach der Wende, längst in einem Boot und müssen den Widrigkeiten der so genannten Globalisierung trotzen. Und die Jüngeren, also auch Sie, müssen am Ende gemeinsam die Rechnung bezahlen. Ich habe gerade vergessen, wie viele Nullen die Staatsverschuldung aufweist – und Sie wollen es vielleicht auch lieber nicht so genau wissen.

Als Langzeitadoleszenz-Betroffener Ost müssen Sie sich also nur vor einigen wenigen Spezial-Fallen in Acht nehmen. Übertriebene Ostalgie zum Beispiel. Dem Märchen, dass Ostdeutsche die besseren Menschen seien. Dem Märchen, dass Ostdeutsche minderbemittelt und hintendran sind. Ansonsten scheint das Zeitalter, in dem der einzelne Mensch in die Politisierung geradezu gewaltsam hineingezwängt wurde, vorbei, das heißt, Sie sind wie alle anderen auch Ihres Glückes Schmied. Dengeln und hämmern Sie also bitte nach Leibeskräften, vielleicht kommt eine ansehnliche Pflugschare dabei heraus, die Ihnen den Weg zu einem zufriedenen Leben pflügt. Selbstverständlich im Rahmen des »Systems«. Systeme können auch wieder verschwinden – das zumindest ist eine Erfahrung, die Sie als Ostdeutscher gleichaltrigen Westdeutschen voraus haben. Den Westdeutschen Ihres Alters ist oft auch gar nicht bewusst, dass die Demokratie auf deutschem Boden eine wertvolle Errungenschaft ist, die zu erhalten, auszubauen und zu verbessern eine echte, ziemlich erwachsene Aufgabe ist – weil die Demokratie für diese Generation eine Selbstverständlichkeit ist. Doch für alle gemeinsam gilt: Die Wiedervereinigung hat nun auch schon über 18 Jahre auf dem Buckel. Sie ist somit offiziell volljährig.

Einen Ampelmännchen-Ausweis Ihrer Identität brauchen Sie nicht. Das Teil können Sie also getrost aus Ihrer Umhängetasche nehmen.

**H**aben Sie in London beruflich zu tun oder machen Sie bloß wieder auf Elends-Jet-Set? Mit weich gewordenem Snickers in der Jackentasche stehen Sie in Stansted. Da hätten Sie auch gleich den Ärmelkanal durchschwimmen können, so weit ist es noch bis London. Dort endlich angekommen, quetschen Sie sich nun schon zum dritten Mal in diesem Jahr mit Iso-Matte in das winzige Zimmer eines ehemaligen Studienkollegen. Eigentlich kennen Sie den guten Mann kaum, aber er ist nun mal der Einzige, der so gutmütig ist, Ihnen Unterschlupf zu gewähren, damit Sie in einem Starbucks in Westminster mal wieder beiläufig »Hallo« zu dem arroganten DJ-Arsch aus dem »Flux« sagen können. Geld für ein Hotel haben Sie nicht, und das bisschen, was Sie zusammenkratzen konnten, reicht nur für Baked Beans mit Toast und ein T-Shirt aus der Carnaby Street. Puh, Carnaby Street. Aber ist trotzdem wichtig. Sie würden ja niemals so doof sein, ein Hardrock-Café-London-T-Shirt zu kaufen, aber wenn Sie das nächste Mal auf dieses T-Shirt im Gammler-Look für umgerechnet 500 Euro angesprochen werden, können Sie wie nebenbei erzählen, dass Sie London halt immer in einen echt voll peinlichen Kaufrausch versetze und dass Ihre »Guys«, mit denen Sie dort immer abhängen, auch nur noch mit dem Kopf schütteln würden.

Im nächsten Monat fahren Sie dann nach New York, um dort im angesagten »Berlin Look« durch Williamsburg zu promenieren, obwohl Sie eigentlich aus Cologne kommen, das dort aber keine Sau kennt. Aber den »Berlin Look« kennt jeder und keiner weiß, dass er oft wirklich genau so billig ist, wie er aussieht, da der »Berlin Look« eigentlich eine Verlegenheitslösung für chronisch klamme Langzeitadoleszente ist. Wenn Sie schon mal da sind, kaufen Sie im Abercrombie & Fitch-Flagstore von dem Geld, das Sie im letzten Monat durch Gelegenheitsprostitution erworben haben, fünf geile T-Shirts, die Ihnen in Ihrer Heimatstadt keiner so leicht nachmachen kann, und Sie können dort erzählen, dass New York auch nicht mehr so billig ist, wie es mal war.

Aber Sie müssen ja auch schon wieder los, nämlich für 37 Euro nach Barcelona, um Schuhe zu kaufen. Im Laufe dieser Billig-Variante des Taft-Drei-Wetter-Haarspray-Spots ist Ihnen bereits der dritte Trolley für 13,80 Euro von »Netto« kaputtgegangen. Außerdem müssen Sie in Barcelona immer in einem beschissenen Hostel übernachten, weil Sie hier leider niemanden mit Wohnung kennen. Dafür treffen Sie abends die Jungs und Mädels aus Ihrer Lieblingsbar und können sich mit ihnen über die Erhöhung der Ticket-Preise Ihres lokalen ÖPNV-Dienstleisters auslassen und darüber, dass Sie auf Thailand dieses Jahr echt so was von keinen Bock haben, echt nicht.

Das ist nun also Ihre Art und Weise, an der Globalisierung teilzunehmen. Das war allerdings nicht ganz im Sinne des Erfinders, es sei denn, Sie versteifen sich auf das nicht ganz von der Hand zu weisende Argument, dass Globalisierung nichts weiter als eine Chiffre für globale Verantwortungslosigkeit ist. Dann wären Sie auf der sicheren Seite. Allerdings bezieht sich die Globalisierungskritik nicht primär darauf, dass überall auf der Welt Menschen in ihren besten Jahren in Straßencafés rumhängen, Kaffee trinken, shoppen und oberflächliches Zeug in bad English daherschwätzen. Ach, Sie kennen sich aus? Sie sind einer der führenden Globalisierungskritiker Ihrer Heimatgemeinde und haben im Internet eine entsprechende Community gegründet und überhaupt? Ich soll doch mal den Typen mit dem American-Apparel-T-Shirt (in Miami gekauft) und der Nike-Kappe (you can get it in Bangkok) zwei Tische weiter fragen, der macht da auch mit?

Da brauche ich ja gar nicht mehr zu fragen, ob zu Hause noch ein Attac-T-Shirt aus Heiligendamm liegt. Aber haben Sie sich eigentlich mal gefragt, warum sich der deutsche Mittelstand an einem Zaun in Mecklenburg-Vorpommern quält, in Zeltlagern campiert und hinterher die Kasse nicht stimmt, weil niemand wie besprochen für das gemeinschaftliche Essen gespendet hat? Gleich die ganze Welt retten wollen, aber keine zehn Euro für dreimal Bohneneintopf. Stattdessen mit den Bereitschafts-Polizisten zusammen Schlange gestanden bei McDonald's in Rostock, McGeiz für einen Euro, kleine Pommes und eine Cola. Wenn Easy-Jet Rostock-Laage anfliegen würde, wären Sie wahrscheinlich mit dem Flugzeug aus Hamburg oder Berlin angereist.

Es ist natürlich zunächst zu begrüßen, wenn Sie politisches Engagement aufbringen. Dies jedoch mit abgedroschenem Pathos und vulgär-außerparlamentarisch-oppositionellen Stilmitteln zu betreiben verbietet sich eigentlich von selbst. Oder wollen Sie Ihren ehemaligen Lehrern oder Ihren Eltern beweisen, dass Sie es auch drauf haben? Die hierzulande artikulierte Globalisierungskritik bezieht sich allerdings meistens auf die Wahrung ureigenster Interessen und nicht auf das Recht kleiner afrikanischer Kinder auf sauberes Wasser. Gegen Globalisierung zu sein, heißt meistens, dagegen zu sein, dass die eigenen, einst gesicherten Privilegien des Mittelstandes allmählich flöten gehen, weil immer mehr Menschen auf der Welt ihre Chancen wittern und nutzen. Wenn Sie Pech haben, gibt es für den Posten bei der EU in Brüssel noch zwanzig weitere Bewerber, und zwar aus Osteuropa. Die haben während ihres Studiums ordentlich gebüffelt, statt immer nur irgendwo Kaffee zu trinken, und sind dementsprechend jünger und vielfach besser qualifiziert.

Als aktiver Globalisierungskritiker kämpfen Sie für ein Menschenrecht auf Rumhängen und Café Latte für alle, aber das ist immerhin schon mal mehr als nur herumhängen. Sie kümmern sich darum, dass Ihre Generationsgenossen weiter bis zwölf im Bett liegen bleiben können, bis sie endlich mal aufstehen, um ihre Vinylplattensammlung neu zu sortieren. Beim Check-in müssten Sie als Botschafter der Generation Umhängetasche eigentlich bevorzugt behandelt werden, schließlich sind Sie Diplomat. Dann könnten Sie Ihr Gras immer unbehelligt im schwarzen Köfferchen über die Grenze bringen, wäre das nicht schön? Denken Sie sich schon mal eine Rede für die UN-Vollversammlung aus, Sie sind demnächst bestimmt mal wieder in New York. Ziehen Sie sich dann bitte einen Anzug an und stehen Sie dazu, dass Sie angetreten sind, um Ihre Interessen zu vertreten. Das ist völlig legitim, denn Politik bedeutet eben, dass erwachsene Menschen miteinander um die Durchsetzung von Interessen ringen. Ob Sie dabei Turnschuhe tragen, ist am Ende ziemlich egal. Und nehmen Sie vielleicht doch mal eben die Schlafmaske aus dem Gesicht und denken nur einen Augenblick an die Tonnen von Kerosin, die gerade wegen Ihnen durch die Airbus-Triebwerke gejagt wurden. Nur damit Sie wieder irgendwo Latte saufen können.

Sie müssen ja nicht gleich die Queen Mary nehmen, wenn Sie mal in die USA wollen. Aber Globalisierung bedeutet vielleicht doch ein wenig mehr als Zuckertütchen aus verschiedenen Metropolen zu sammeln. Das hat man früher so gemacht, um an der Bad Oeynhausener Kaffeetafel Weltläufigkeit zu demonstrieren.

Das Ticket nach London dürfen Sie noch einlösen, nehmen Sie es aus der Tasche und bewahren es zu Hause bis zur Abreise auf. Und entfernen Sie bitte den affigen ZRH-Gepäck-Anhänger vom Trageriemen Ihrer Umhängetasche. Der ist jetzt schon zwei Wochen alt und so überflüssig wie der Kaffee, den Sie im Zürcher Odeon getrunken haben.

## Ein Moleskine-Notizbuch

**N**ein, darauf wollen Sie natürlich keineswegs verzichten. Ein Notizbuch, in dem schon Chatwin und Van
Gogh ihre wertvollen Gedanken und Skizzen zu Papier trugen, ist schließlich gerade gut genug, um Ihre Erinnerungs-
notizen für den nächsten Einkauf im Supermarkt aufzuneh-
men.

Wir machen jetzt mal eine kleine Moleskine-Übung. Nehmen Sie Ihren Füllfederhalter mit Goldfeder und schreiben Sie
den Satz: »Hat einer 30 Jahre vorüber, so ist er schon so gut wie
tot / Am besten wär's, euch zeitig totzuschlagen« von Johann
Wolfgang von Goethe zwanzigmal hintereinander. Fertig?
Dann schreiben Sie jetzt mit einem Kugelschreiber (von Sat1
vielleicht) den Sponti-Spruch »Trau keinem über 30« ungefähr
35-mal. Und dann reißen Sie diese beschriebenen Seiten sorgfältig aus Ihrem Notizbuch und essen sie auf. Spülen Sie das
Ganze mit Bionade runter, damit Sie nicht missverständlich
ersticken. Es geht schließlich darum, Ihnen mit Hilfe eines
kleinen gestalttherapeutischen Experiments klarzumachen,
dass diese romantischen Sinnsprüchlein eben nicht der Wahrheit entsprechen.

Diese Kalendersprüchlein entsprechen jener notorischen,
modernen Diesseitsverklärung, die dort auf fruchtbaren Boden fällt, wo man das Jenseitige stets fürchtet – also im sowohl vergangenheitslosen als auch zukunftslosen »Hier und
Jetzt«. Das kleine Moleskine-Notizbüchlein in Ihrer Tasche
ist auch ein Symbol für Ihre bange Hoffnung auf Unsterb-
lichkeit: darauf, dass Ihre Gedanken, Anekdoten, Erlebnisse

und Geschichten nicht nur nicht vergessen werden, sondern vielleicht sogar eines Tages in das Gedächtnis der Menschheit eingespeist werden. Denn eines Tages, wenn alle Festplatten abgeraucht sind und man die CD-Roms mit den Jpegs Ihrer schönsten Jugenderinnerungen nicht mehr lesen kann, weil es nur noch im Bundesarchiv Koblenz ein CD-Rom-Laufwerk gibt, das droht, den Geist aufzugeben, werden Ihre Spuren endgültig verwischt sein. Nicht mal ein Grabstein wird an Sie erinnern, weil Sie sich als alter Star-Trek-Fan für eine Weltallbestattung entschieden haben oder Ihre Asche aufgrund halbgarer pantheistischer Vorstellungen bzw. schönen Kindheitserinnerungen an die Biene Maja auf einer grünen Wiese verstreut wurde. Sie können es auch so machen wie der Schriftsteller Stefan Heym, der schon zu Lebzeiten jede U-Bahn-Fahrkarte aufgehoben und in Kisten verpackt hat, die nun in der Universität Cambridge zur Auswertung gestapelt sind. Stellen Sie jedoch bitte vor Ihrem Ableben sicher, dass es genügend wissenschaftliche Hilfskräfte gibt, die ein Interesse an der Auswertung Ihres Lebens haben. Sonst wandern all die sorgfältig aufbewahrten Moleskine-Notizbücher und die wertvollen Eindrücke von Ihrer ersten Asien-Reise auf den Wertstoffhof.

Das Moleskine-Notizbuch ist das analoge Äquivalent zu Ihrer Website mit integriertem Blog. Früher waren die Menschen darauf angewiesen, Leserbriefe an Zeitungsredaktionen zu schicken, wenn sie Gehör finden wollten. Wer diese Kraft nicht aufbrachte, war nur eine Stimme auf einem Anrufbeantworter, den nie jemand abhört. Das ist heute anders. Sie können heute allen Menschen auf der Erde, die über einen Netzanschluss verfügen, mitteilen, dass Sie gerade den Telefonanbieter gewechselt haben oder am Morgen darüber nachgedacht haben, dass Sie in diesem Jahr doch nicht nach Norwegen fahren, weil es dort zu teuer ist. Musste man früher höchst aufwändig Nachbarschaft und Verwandte mit Schnittchen und Bowle ins Wohnzimmer locken, um im Rahmen eines dreistündigen Dia-Vortrages die Eindrücke des letzten Aufenthaltes in Benidorm zu vermitteln, können Sie heute alle Pics Ihres Island-Trips ohne Federlesen ins Netz und zur Diskussion stellen. Sie müssen nicht mehr stundenlang in der Küche stehen und Radieschen in die Form von Rosenblüten schneiden und diese auf Salami-Brothälften drapieren, um eine sichere Option auf die Aufmerksamkeit Ihrer Mitmenschen zu erlangen. Sie können das in Ihrem Lieblings-Online-Coffee-Shop ins System hängen und dazu ein Tramezzini mit Bio-Büffel-Mozzarella und Pesto aus einer schattigen Randregion Liguriens essen.

Es ist doch wirklich erstaunlich, dass Sie in Ihrem jetzigen Lebensabschnitt so viel Zeit darauf verwenden, Öffentlichkeit herzustellen bzw. Ihr Leben zu dokumentieren. Es ist, als ob Ihr tatsächliches Leben nur ein zu bearbeitender Rohstoff wäre, den Sie gleich im Anschluss digitalisieren. Was heißt hier gleich im Anschluss: Sie digitalisieren ja schon fleißig, wenn es gerade passiert. So wie ganz junge Menschen sofort ihre Handy-Kamera aktivieren, wenn sie aktiv in eine gewalttätige Auseinandersetzung geraten oder Geschlechtsverkehr haben, halten Sie stets mehrere Millionen Megapixel im Anschlag, um den Augenblick zum Verweilen auf der Festplatte zu zwingen. Im kroatischen Plitivice, das ist dieses Seengebiet, in dem die Winnetou-Filme gedreht wurden, sah ich Touristen reihenweise ins Wasser fallen, weil sie ihren Blick nicht auf den schmalen Weg, sondern durch das Okular ihrer Digi-Kameras lenkten. So kann es einem gehen als Touri, und Sie benehmen sich manchmal, als sei Ihr ganzes Dasein eine Rucksack-Tour.

Es ist diese verschraubte Mixtur aus der Bereitschaft, sich selbst stets eine Spur zu wichtig und das Leben nicht ernst zu nehmen – die einem das Leben am Ende schwer macht. Vor allem in den Momenten, wenn das Ganze vom Manischen ins Depressive umschlägt und man sich selbst nicht ernst und das Leben eine Spur zu wichtig nimmt. Das liegt daran, dass keine feste Position vorhanden ist. Wer stets bloß auf den Wellenkämmen in Ufernähe surft und sich dabei schön in einen Neopren-Anzug verpackt, damit er bloß nicht nass wird, hat keinen Standpunkt. Neopren, das ist überhaupt das Material der Saison. Und Teflon, weil daran alles abgleitet.

Ziehen Sie doch einfach mal eine Badehose oder einen Badeanzug an und durchschwimmen Sie einen See voll kühlen Wassers, erschrecken Sie sich dabei, wenn ein Fisch an Ihrem Fuß vorbeigleitet, und erfreuen Sie sich an der Erfahrung. Dann gehen Sie ans Ufer, trocknen sich ab und gehen still nach Hause. Warum? Heimlich, still und leise haben Sie gerade eine existenzielle Erfahrung gemacht. Sie durchschwammen einen See, der Sie bei ausreichendem Durchmesser in eine zumindest theoretisch lebensbedrohliche Lage gebracht hat. Sie hätten einen Krampf bekommen können oder einen Kreislaufkollaps. Sie hätten ertrinken können. Sie wussten das auch, so wie Sie während des Schwimmens wussten, dass unter Ihnen nur die Tiefe ist und sonst nichts. Aber Sie haben es dennoch durchgezogen.

Dieses Erlebnis wird nicht bedeutender, wenn Sie anschließend in Ihrem Blog darüber berichten. Dort mögen die Schilderungen der letzten Beach-Party gut aufgehoben sein. Mit Bildern von im Ufersand geparkten Bierkästen und angeschickerten Papp-Nasen in Badeshorts. Die Cabinet-Zigarettenwerbung-Nummer am See, die Beck's-Sail-Away-Segeltörn-Nummer im Meer: Diese Spots leben von Posen des angeblich Besonderen, doch auch mit einer Flasche Beck's in der Linken und einer Cabinet in der Rechten gerät man nicht automatisch in einen Zustand der Verzauberung, auch nicht, wenn man sich gerade auf einer spontanen Goa-Party in einem urbanen Park befindet. Wenn Sie Pech haben, passiert dort einfach nichts, was eine Notiz wert wäre. Menschen in seltsamen Klamotten zappeln zu lauter Musik, und Sie treten beim Pinkeln in Hundescheiße. Nur, wenn Sie Glück haben und sowieso gerade glücklich und offen sind, haben Sie vielleicht die Chance, im gleichen Moment etwas Großartiges zu erleben: Sie sehen dann zarte Elfen in Tüll-Kleidchen und schmucke Prinzen in starke Lenden stützendem Harnisch, die unter freiem Himmel eine Messe zu Ehren des Pan feiern. Und die Hundescheiße bemerken Sie gar nicht.

Meist bemerkt man sie aber doch, weil man seinen Zauberstab zu Hause hat liegen lassen. Das ist ganz normal. Erwachsen. Sie glauben doch auch nicht mehr an den Weihnachtsmann. Diesen Zauber können Sie zum Beispiel nur wieder erleben, wenn Sie in die glänzenden Augen kleiner Kinder vor dem Christbaum schauen – alles zu seiner Zeit, und schenkt man jungen Eltern Glauben, ist dieses Erlebnis sogar schöner und intensiver als das eigene, frühere Erleben, wenn das Glöcklein zur Bescherung rief. Wenn nicht schöner und intensiver, dann doch anders und von eigener Schönheit: Der Zauber geht auch im erwachsenen Leben weiter. Er endet nicht einfach mit der Jugend. Der Zauber ist nur nicht alltäglich und war es auch noch nie.

Tragisch der Versuch, permanent am speziellen Zauber der Jugend herumzunuckeln wie an einer schal gewordenen, zu lange in feuchtwarmen Händen gehaltenen Flasche Beck's. Ein solcher Säugling kommt niemals in den Genuss des kühlherben Prickelns, das der Zaubertrank der mittleren Jahre bereithält: Er ist nicht mehr aus dem hektischen Flirren des Augenblicks zusammengesetzt, sondern aus der Tiefe von Erfahrung, Wissen und Verstehen gespeist. Ein Zauber, der erst auf der Basis von bereits reichhaltig empfundenem Schmerz und langen Phasen von Trauer und Melancholie möglich wird. Sie haben solche Momente ganz sicher erlebt. Es kann eine schwangere Hundemutter sein, die sich auf der Suche nach Nahrung durch eine regennasse rumänische Großstadt schleppt und die Sie in ihrem zähen Überlebenswillen beeindruckt und innehalten lässt. Oder die Freude darüber, dass der Igel, den Sie zuletzt im November gesehen haben, pünktlich zum ersten Sonnenstrahl im Frühling wieder wohlbehalten auf der Matte steht, um Katzenfutter zu stibitzen. Er hat es geschafft – ein Trost spendendes kleines Wunder, denn auch Sie sind heute Morgen wieder aufgewacht. Sie leben!

Und daher ist es nun auch an der Zeit, von der bloßen Skizze zur Umsetzung zu kommen. Um es in Ihrer Sprache zu sagen: Es ist an der Zeit, mal etwas aufzustellen. Etwas, das von bleibendem Wert ist.

Es gibt in Wahrheit keine Zäsur, keine Stunde Null, ab der Sie erwachsen sind und ab der nichts mehr so ist, wie es vorher war. Egal, wohin Sie gehen: Sie nehmen sich mit, und Ihre Erinnerungen kann Ihnen niemand wegnehmen. »Das Ich altert nicht«, schrieb einst Hannah Arendt und lieferte Ralf Dahrendorf damit vielleicht sogar mehr als nur eine Buchidee. Also gehen Sie doch einfach weiter – die Altersdemenz ist noch weit. Nehmen Sie das Moleskine-Notizbuch aus Ihrer Tasche, und legen Sie es in Ihre Schreibtischschublade. Kaufen Sie stattdessen schmale, dünne Moleskine-Notizbücher, die in die Jackentasche passen. Denn ja, durchaus: Ihre Gedanken, Erinnerungen und Anekdoten sind wirklich wertvoll. Schreiben Sie auf, was Ihnen wichtig ist, damit Sie sich später daran erinnern können, wenn Sie auf die Erzählung Ihres Lebens zurückblicken. Es wird Ihnen stets große Freude bereiten, denn wenigstens im Nachhinein lässt sich so etwas wie ein roter Faden spinnen. Wenn man mitten in der Etappe steckt, ist die

Not oft groß – doch im Nachhinein kann man sich wenigstens einreden: Es war gut, so wie es war. Abspann. Es erklingt *My Way* interpretiert von Frank Sinatra.

## Panorama-Postkarte
## vom Prenzlauer Berg

**S**ie können sich entspannt zurücklehnen und von mir aus eine Latte macchiato trinken. Machen Sie es sich bequem, die Wanderstiefel können im Schuhschrank bleiben. Keine Exkursion, ich schicke Ihnen einfach eine Postkarte vom Prenzlauer Berg. Dann müssen Sie da nicht auch noch rumlaufen und Maulaffen feilhalten wie der Rest der Welt. Man muss da gar nicht unbedingt hinfahren, weil über diesen heiligen Berg ständig geschrieben wird. Ich bin also für Sie hingefahren, um was für Sie aufzuschreiben, ist ja nicht weit von Berlin-Neukölln aus, wenn man es erst mal geschafft hat, ohne Schussverletzungen zur U-Bahn zu gelangen. Auch über Berlin-Neukölln wird ja gerne mal was geschrieben.

Wir nähern uns dem Thema von unten, also von Berlin-Mitte aus. Ging nicht anders, weil die Geschichte mit dem »sagenhaften« Nachtleben Berlins anfangen muss, und das gibt es in Prenzlauer Berg nicht mehr, weil es zu laut ist und die Anwohner stört. Ein Freund von mir wohnt in der so genannten »Castingallee«, eigentlich Kastanienallee, und hat mir im Vorfeld der Recherche klipp und klar gesagt, dass das nichts wird, wenn ich mir am Helmholtzplatz die Nacht um die Ohren schlagen will, außerdem sei das »sagenhafte« Nachtleben nun an einem Ort namens »Grill Royal« in Mitte anzutreffen. »Was ist das denn für ein bescheuerter Name?«, fragte ich und bekam wortlos eine *Park Avenue* in die Hand gedrückt. Adelige Pop-Literaten, Christiansen und Walz gehen da hin und essen Rinderfilet, und natürlich gibt es einen Türsteher. »Ich dachte, Friseur ist jetzt auch mal langsam durch, wieso müssen wir denn jetzt da hin, ich bitte dich! Außerdem ist die Christiansen doch jetzt in Paris. Was will die denn da?« Das sei schon richtig mit den Friseuren, aber die würden halt immer noch auf den Gästelisten stehen, entgegnete er und mixte gleich einen zweiten Wodka-Red-Bull. Man muss ja schauen, wie man preiswert auf die nötige Drehzahl kommt. Aber nicht so laut, weil das Schlafzimmer gerade an Berlin-Touristen vermietet ist, die seltsamerweise ständig auf ihrem Zimmer sind. Machen Sie das auch so bei Städtereisen?

Vielleicht haben die auch keine Lust, sich das »sagenhafte« Nachtleben anzutun und gucken stattdessen lieber einen schwedischen Krimi im ZDF an, in dem Mörder ihr Unwesen in der U-Bahn treiben, anstatt sich selbst in selbiges Fortbewegungsmittel zu begeben. Underground finden ja alle so toll, ich war für Sie gerade drin, Linie 8. Echt weiterführendes Gespräch über Red-Bull-Billig-Alternativen geführt, die ich gerade in Händen hielt, um die Fahrt durchzustehen. Mit einem muskulösen jungen Mann mit ausgeschlagenem Schneidezahn und abschwellendem blauen Auge und einer Flasche Wodka in der Cargo-Hose. Wir hätten unsere Getränke nur zusammenschütten müssen. Er hatte sogar, ob Sie es glauben oder nicht, Kinderschokolade dabei.

Das mit dem »Grill Royal« können Sie sich jedenfalls erst mal aus dem Kopf schlagen. Sie stehen nicht auf der Gästeliste. Erinnern Sie sich noch an das Kapitel *Die Zeitschrift Bunte*? Und glauben Sie etwa, ich hätte Lust, mich dann dort an der Tür von jemandem rüde abweisen zu lassen, mit dem ich mich vorhin in der U-Bahn noch nett unterhalten habe? Von einem Türsteher mit Migrationshintergrund, der von der *local gentry* als Klischee-Gewaltkulisse missbraucht wird? Das lassen wir mal schön bleiben und sitzen stattdessen noch ein wenig in der Castingallee rum und warten, dass was passiert, anstatt vor verschlossenen Türen im Regen zu stehen.

Wohin soll man nun gehen? »Nicht über die Schwedter Straße rüber, ab dort wirst du von Kinderwagen überfahren«, warnt mein Freund, während draußen die Tram vorbeiquietscht in Richtung Zionskirchplatz. Es ist das Jahr 18 nach der Wende, und draußen ist November. Ich bin zu diesem Zeitpunkt 34 Jahre alt. Alt.

Alles eine Frage des Lichts, und das ist im »sagenhaften« Nachtleben immer gnädig runtergedimmt, Gott sei Dank. Ich komme mir vor wie ein Tatort-Kommissar bei seinem letzten Fall, und nun meldet sich auch schon eine Funkstreife mit den neuesten Angaben zum weiteren Tatverlauf. Jemand hat VIP-Bändchen für eine Club-Veranstaltung in Mitte mit Essen und Trinken für lau. Und holt uns gleich ab, mit Blaulicht sozusagen. Profis eben, mit allen Wassern gewaschene Location-Scouts, gewieft und gestählt im jahrelangen Nachtleben. Ohne Bändchen geht gar nichts mehr, weder im All-Inclusive-Urlaub, noch wenn Sie abends einfach mal »ausgehen« wollen. Also gut: Weil Sie es sind, befestige ich umständlich ein blaues Bändchen am Handgelenk und mache mich endlich auf den Weg. Am Club angekommen, reihe ich mich brav in die VIP-Schlange ein und lasse mich für Sie demütigen. Ich muss zurück in die Schlange mit all den anderen VIPS. Alle in der Schlange haben nämlich ein VIP-Bändchen, und der andere Einlass ist nur für MEGA-VIPS. Wichtig an sich sind wir ja schließlich alle. Und Sie können eigentlich froh sein, dass ich Sie hier auf meine Kappe mit reinnehme.

Die nächste Zurechtweisung lässt jedoch nicht lange auf sich warten. Eine Gewaltkulisse ohne Migrationshintergrund schubst mich zurück, weil ich mit Jacke in die dreistöckige Lounge will. Wie in der Lobby eines brandenburgischen Provinzhotels: »Garderobenzwang.« Draußen nur Kännchen. Die dreistöckige Lounge sieht auch aus wie ein Hotel, allerdings mit Standort Antalya. Alles weiß. Weiße Wände, weiße

Lounge-Sofas, weiße Böden, weiße Nasenscheidewände. Willkommen im »sagenhaften« Nachtleben, Sie sind jetzt ganz dicht dran. Drin dank blauem Bändchen. Sie sehen: gnädig ausgeleuchtete Menschen, die auf weißen Sofas sitzen und mit jeder vorangeschrittenen Minute tiefer in die Polster rutschen. Alle zehn Minuten kommt eine Servicekraft mit weißer Schürze und schenkt Gratis-Prosecco nach. Sonst passiert eigentlich nichts weiter. Eine Stunde vergeht. Noch eine. Bild unverändert. Die Menschen sind nur ein bisschen tiefer gerutscht. Manchmal muss einer von ihnen aufstoßen wegen des Proseccos, aber das hört man nicht wegen der Lounge-Musik. Weißes Rauschen. Dort hinten zupft jemand am blauen Bändchen. Ich glaube beobachtet zu haben, dass sogar ein Glas umgefallen ist. »Ja, und jetzt? Was soll ich denn jetzt schreiben?«, schreie ich meinem Freund ins Ohr. »Ja Mensch, dann frag doch einfach mal die Leute, was Sie hier machen!!«, schreit er zurück.

Auch wahr. »Was machst du denn so hier? Was erhoffst du dir von dem Abend?«, frage ich eine junge Dame. Sie antwortet: »Spaß haben.« Ich frage: »Und hast du Spaß?« Sie sagt: »Weiß nicht.« Sie ist Polizeibeamtin und hat ihren Freund zu Hause gelassen, weil der heute zu müde ist. Das VIP-Bändchen hat sie von ihrer Freundin, die bei Karstadt im Einzelhandel arbeitet. Das VIP-Event ist nämlich irgendein Cross-Branding-Event mit Promo-Marketing-Funktion, aber keiner weiß so genau, wer den Prosecco nun eigentlich bezahlt hat. Ihre Freundin hat rote Stiefel bis an die Knie und weiß dafür definitiv, was sie hier will: »Ich finde es toll hier, weil ich als Mensch ernst genommen werde.« Das Bändchen! Ach so. Sagenhaft. Wir waren jetzt also drin, allesamt. Sie auch. Super. Ich nehme mir jetzt allerdings ein Taxi und fahre nach Hause, weil ich nach diesen Erkenntnissen völlig k. o. bin und es außerdem schon fünf Uhr morgens ist: Kotzen, Kopfschmerztablette, Kopfkissen. So sieht das aus. Die aus dem »Grill Royal« machen es genauso. Wir Partypeople.

Und am nächsten Morgen sieht die Welt doch schon wieder ganz anders aus. Jetzt gehen wir zusammen mit den anderen frühstücken im Prenzlauer Berg. Zeit für den Brunch! Nur die Mädels von gestern werden wir nicht wiedersehen, die haben kein Bändchen für den Prenzlauer Berg. Nur für VIPs mit Abitur und Hochschulstudium, sorry. Ich habe für alle Fälle eine beglaubigte Kopie meiner Magister-Urkunde dabei und wage mich in das Terrain jenseits der Schwedter Straße. Und wieder: Wir sind drin. Mittendrin. Ganz ohne Taschenkontrolle heute. Vorsichtig blicke ich nach links und rechts, bevor ich weitergehe: kein Kinderwagen, nirgends. Nanu? Wo sind denn all die angeblichen Maries und Leons? Hallo, Kinder, seid ihr auch alle da?!? Auf die gleiche Frage hätte ich um diese Uhrzeit in Neukölln ein reges Krähen und Winken verursacht. Lauter kleine Mohammeds, Tarkans und Cigdems hätten sich ganz selbstverständlich zu Wort gemeldet. Ob das am Ende vielleicht gar nicht stimmt mit dem Massengebären im Prenzlauer Berg? Liegt es nur daran, dass um jeden kleinen Leon und jede kostbare Marie ein Aufriss veranstaltet wird, während Mohammed und Cigdem unter »Kampf der Kulturen«, »Integration« und »Überfremdung« verbucht werden? Aber Mohammed und Cigdem sind natürlich auch nicht hier, denn auch sie haben kein Bändchen für den Prenzlauer Berg. Das haben nur Milan, Finja, Mika, Jola, Quinn-Aaron oder Luzy. Kinder, die wie Waschmaschinen heißen.

Weiter geht es durch stille, regennasse Straßen. Kein Bugaboo-Kinderwagen, und die Platten der Frühstücksbüfetts sind bereits abgefrühstückt: welke Basilikumblätter auf balsamico-braunen Mozzarellalappen. Dabei dachte ich, hier wird gefrühstückt bis zur Tagesschau, nachdem man sich vorher im »sagenhaften« Nachtleben verausgabt hat. Stehe vor dem »Entweder Oder« in der Oderberger Straße, hört sich im Prinzip erwachsen an, nach Entscheidung. Entscheide mich, hineinzugehen und einen Double Espresso mit Milchschaum zu trinken. Und noch einen. Am Nachbartisch sagt eine blonde Frau ins Handy: »Du, schick doch einfach mal eine Mail, dann machen wir irgendwas aus, ja?« War bloß eine Freundin, mit der sie zusammen in Madrid studiert hat. Der Erasmus-Multikulturalismus des Prenzlauer Berges. Zünde mir eine Zigarette an, als Einziger im Raum. Und fühle mich angesichts der Blicke wie Hannelore Elsner in »Die Unberührbare«. Beobachtend, nicht zugehörig. Falsch. Dabei bin ich doch genauso wie alle anderen hier: westdeutscher Mittelstand aus der Provinz, Abitur, Studium, die 30 überschritten, Jeans. Nicht schlechter, nicht besser.

Und mehr als das hier, mehr als Prenzlauer Berg, ist eigentlich gar nicht drin: Der Prenzlauer Berg, das ist das Reihenhaus oder doch das richtige Einfamilienhaus mit Volvo Kombi vor der Tür in der urbanen Variante. Das hier, der Prenzlauer Berg, ist die verwirklichte Utopie Generation Golf-Praktikum-Umhängetasche. Es ist ihre ganz spezielle Hauptstadt geworden, ein Altbau-Stadtbezirk, der sich direkt an das Machtzentrum der Republik schmiegt, Berlin-Mitte, und doch schon fast im Grünen liegt, also dort, wo sie alle mal herkamen: aus Bad Oldesloe, Detmold und Hattersheim. Der Prenzlauer Berg funktioniert auch ähnlich wie Detmold oder Bad Oldesloe. Kleinstädtisch. Der Prenzlauer Berg ist schließlich die deutsche Variante des internationalen Bobotums. Jener Elite, die keine sein will, und stattdessen so tut, als sei sie links und alternativ und multikulti. Sie glaubt es sogar, und es fällt ihr auch nicht schwer, weil sie unter parallelgesellschaftlichen Bedingungen lebt. Man ist unter sich: Gewalt-Tabu – nur körperlich versteht sich – Premium-Kundenkarte für Europas größten Bio-Supermarkt, Moby-Album, Adidas-Turnschuhe, Agentur-Brille. Ein soziales Gefälle besteht wenn, dann nur zwischen denen, die schon richtige Bobos mit geregeltem, gutem Einkommen sind, und jenen, die noch daran arbeiten und weiter Schecks von zu Hause beziehen. Zwischen Prenzlbergern mit oder ohne Dachgeschoss. Schon mit Flatscreen oder noch ohne. Die anderen Gefälle wurden so weit eingeebnet. Das geht ganz nebenbei, über die enorm gestiegenen Mietpreise. Viele junge Bobo-Anwärter müssen deshalb in den benachbarten proletarischen Wedding ausweichen, auch nach Neukölln oder Treptow. Kein Bändchen, VIP, aber kein MEGA-VIP. Es reicht nicht für das San Francisco des angehenden neuen Jahrtausends. California Dreaming.

Die Perlen des westdeutschen Mittelstandes haben es sich hier gemütlich gemacht. Vor der Tür stehen hochwertige Autos mit Kultcharakter. Vor Geschäften, in denen man allzeit kaufen kann, was man so braucht: Klamotten von ortsansässigen Designern, Second-Hand-60er-Jahre-Sessel, die teurer sind als ein Minotti-Sofa, erlesene Schokolade und biologisch wertvolles Backwerk. Rund um den Helmholtzplatz stehen die Düsen, die Bio-Vollmilch und laktosefreie Surrogate zu Schaumbergen hochföhnen, niemals still. Und in der Mitte des Helmholtzplatzes steht nicht etwa eine Kirche, sondern die hier angemessene Kathedrale: eine Kita. Eigentlich ist hier am Prenzlauer Berg so ziemlich alles in konzentrierter Form versammelt, wovor ich Sie zuvor gewarnt habe, wenn Sie erwachsen werden wollen. Die größte Kita der Welt, in der alle Menschen den gleichen, ewig-jugendlichen Habitus haben. In der die Kinder so sein müssen wie ihre Eltern und besser, und die Eltern so sein wollen, wie sie schon als Kind waren und dabei eigentlich so drauf sind wie ihre Eltern. Und alle baden zusammen in lauwarmem Milchkaffee mit weichem, kuscheligem Schaum obendrauf. Hier ist er wahr geworden, der Traum vom guten Leben, und alle machen mit:

Die ehemalige schwule S&M-Lederwerkstatt hat nun pelzgefütterte Lederhandschuhe für angehende Schriftstellerinnen im Schaufenster, die Grafittis an den sanierten Hauswänden, »Bildet Banden!«, wirken, als hätte sie der Architekt absichtlich eingefügt. Sogar das bettelnde Prekariat hat sich genau die richtige Nische gesucht: Es steht an der Schönhauser Allee zwischen Mc Donald's und Deutscher Bank, um seine Kundschaft bei ihrem schlechten Gewissen abzuholen.

Sie langweilen sich? Sie haben das alles schon zehntausendmal gelesen? Den hämischen Ton, in dem immer über den Prenzlauer Berg und seine Verlogenheit hergezogen wird? Sie waren außerdem schon des Öfteren da, haben Freunde dort, bei denen Sie übernachten können, träumen manchmal davon, dort zu leben – oder wohnen gar selbst dort und bemühen sich jeden Tag aufrecht, all diesen Klischees über den Prenzlauer Berg auch ja gerecht zu werden und sie mit Leben zu füllen? Wissen Sie was? Mich langweilt das auch, und ich bin heute schließlich nur hier, damit Sie mit Ihrem Hintern zu Hause bleiben können.

Und ich sage Ihnen jetzt noch was. Wegen Ihnen habe ich heute geflennt. Nur Ihretwegen bin ich bei Kälte und leichtem Schneeregen noch einmal in den Mauerpark gegangen. Zu den so genannten »Erwachsenenschaukeln«. So heißen die im Jargon des Bezirksamtes, weil sie tatsächlich so konzipiert sind, dass sie ausgewachsene Menschen tragen können. Ich dachte, das sei doch ein schönes Bild, das muss ich Ihnen doch erzählen, wie das so ist auf den Erwachsenen-Schaukeln im Prenzlauer Berg. Und als ich dann drauf saß und geschaukelt habe, fing ich an zu flennen. Weil das doch eigentlich mein Prenzlauer Berg ist! Das war mal mein Sandkasten, und jetzt ist hier eine Hundewiese. Mitte der 90er Jahre war ich hier aufgeschlagen und mit staunenden großen Augen durch eine bizarr anmutende Nachkriegslandschaft gelaufen. Es war das

Exotischste, was ich je gesehen hatte, und die ersten Jahre im Prenzlauer Berg sind in meiner Erinnerung mit das Aufregendste, Schönste, was ich je erlebt habe. Ich hatte eine riesige Altbauwohnung am Helmholtzplatz mit Dusche in der Küche und Kohleofen. Doch das Schönste war das Hochpodest im Schlafzimmer, denn von dort aus konnte man nicht nur direkt vom Bett aus in den Himmel über Berlin schauen, sondern auch auf das Grafitti von gegenüber: »Ich liebe Dich« stand dort in fetten Lettern, die jemand in heldenhaftem Einsatz dorthin gesprüht hatte. Nur ein Stockwerk höher konnte man durch eine Luke aufs Dach gehen, die Flugzeuge im Landeanflug auf Tegel zählen, Planespotting, den Fernsehturm oder das Forum-Hotel anhimmeln. Oder einen Spaziergang um den ganzen Block machen, von Haus zu Haus, denn mit Stacheldrahtzäunen und Plexiglaswänden bewehrte Dachgeschosswohnungen gab es zu der Zeit, als auf dem »Helmi« noch die Obdachlosen wohnten, nicht.

Von mir aus hätte das Leben immer so weitergehen können, denn es war ein einziges Abenteuer – zumindest möchte es mir im Nachhinein so vorkommen. Warum die Tränen? Ich hätte mir in diesem Moment alle meine Freunde von damals um mich gewünscht. Wir wären weitergezogen, hätten irgendwo Kaffee getrunken, wären noch über den Flohmarkt gegangen. Später dann hätten wir uns in der Wohnung von einem von uns auf ein paar Biere zusammengesetzt, bevor wir noch in die Bibo-Bar gegangen wären oder tanzen, weil Carrera-Club angesagt gewesen wäre oder irgendwas. Wäre doch ganz egal gewesen, was.

Stattdessen musste ich mir ansehen, dass mein altes Haus gerade eingerüstet und saniert wird, als eines der letzten am Platz. Von meinen Freunden wohnt niemand mehr hier, und manche von diesen Freunden haben sogar beschlossen, gar keine Freunde mehr sein zu wollen. Der Laden, in dem früher

Judith Hermann Milchschaum geföhnt hat, sieht auch ganz anders aus. Ob sie ihr Sommerhaus später jetzt hat? Ich schon. Ich wäre jetzt gerne dort, bei meinem Freund auf dem Land, um die allerletzten Kraniche zu verabschieden und nicht hier, wo ich niemanden mehr kenne. Stehe vor einer Lounge-Kaffee-Bar in der Stargarder Straße und traue mich nicht, dort reinzugehen. Die scheinen alle zusammenzugehören, und ich gehöre dort nicht hin. Kein Bändchen. Ich will nach Hause.

Auf dem Rückweg begegnet mir ein knalljunges Paar, das gerade eine Kommode vom Flohmarkt in Richtung Eberswalder Straße schleppt. Sie strahlen, freuen sich. Warum auch nicht, es ist jetzt ihr Prenzlauer Berg. Meinen können sie mir nicht wegnehmen, wollen sie doch auch gar nicht. So wenig, wie all die anderen hier, egal ob im Dachgeschoss oder in der Einraumwohnung. Es ist alles wahr, was über den Prenzlauer Berg geschrieben wird. Und wohl auch alles ganz falsch. Mir hat der Prenzlauer Berg geholfen zu erfahren, wer ich eigentlich bin, was ich kann, was ich möchte. Ich möchte dort nicht mehr leben, andere haben dort ihr Glück nicht nur gesucht, sondern gefunden. Oder sie arbeiten noch daran. Na und? Es gibt nichts Gutes, außer man tut es.

Nur das mit dem Erwachsenwerden: Das wird hier nichts. Wer hier ein VIP-Bändchen ums Armgelenk trägt und dazugehört, ist dazu verdammt, ewig jugendlich zu sein. Dann können Sie nur noch hoffen, dass Sie eine der jetzt noch ganz kleinen und dann schon großen Maries oder Leons später mal gnädig vor die einfahrende U-Bahn schubst. Weil Sie einfach nicht mehr können, obwohl Sie noch immer verbissen wollen. Vielleicht machen die Süßen das aber auch nicht aus Gnade, sondern nur, weil sie den Platz für sich wollen und ihre Ellenbogen einfach nur so einsetzen, wie sie es von ihren Eltern gelernt haben. Die süßen Hochleistungsgoldschätze mit den kieferorthopädischen Gesamtkunstwerken im Mundraum, mit ihren logopädisch geschulten Stimmen, die aus dem Stand heraus ein Schubert-Lied zu Gehör bringen können. Die Kinder des Prenzlauer Bergs werden es später noch schwerer haben, wenn sie über die Mauern ihres Jugend-Ghettos klettern wollen, um erwachsen zu werden.

Die Panorama-Postkarte vom Prenzlauer Berg nehmen Sie nun bitte aus der Umhängetasche und pinnen sie über Ihren Schreibtisch. Sie können sie während Ihres nächsten Berlin-Besuchs beim Fremdenverkehrsamt in ein VIP-Bändchen Ihrer Wahl umtauschen. Eingeborene und Neu-Berliner bekommen gegen Vorlage der Postkarte eine Curry-Wurst (ohne Darm) mit Pommes bei Konnopke, U-Bahnhof Eberswalder Straße, Prenzlauer Berg. Viel Spaß und guten Appetit!

## Wenn ich mal groß bin

**D**as war das letzte Teil, das Sie aus der Umhängetasche genommen haben. Sie ist jetzt ganz leicht. Sie hat keinen Inhalt mehr. Sie haben ein überflüssiges Gepäckstück auf Ihren Schultern. Sie brauchen es nicht mehr. Nehmen Sie Ihre Umhängetasche und befördern Sie selbige in Ihre Abstellkammer. Falls sie vom Material her noch in Ordnung ist, also nicht aus den Nähten platzt nach all dem jahrelangen Druck, dürfen Sie damit in Zukunft Pfandflaschen zum Supermarkt transportieren. Und nun gehen Sie bitte vorsichtig ein paar Schritte. Am Anfang fühlt es sich noch ungewohnt an. Ungewohnt leicht. Sie sind jetzt frei. Frei von dem Druck, jeden Tag leben zu müssen, als wäre es Ihr wirklich letzter, frei von der Angst, etwas zu verpassen, frei von der Verpflichtung, dringend noch etwas erleben zu müssen, bevor Sie alt sind. Sie leben nun nicht mehr in einer Seifenblase des »Hier und Jetzt«. Die ist zerplatzt, und Sie stehen nun allein und aufrecht mitten auf dem Lebensacker. Sie blicken zurück auf einen Lebensabschnitt, in dem Sie all die Erfahrungen, die Sie machen wollten und manchmal auch mussten, hinter sich gebracht haben. In der entgegengesetzten Richtung können Sie den Horizont erblicken, doch er ist noch sehr weit weg.

Dass es hier so aussehen würde, wie es aussieht, konnten Sie damals nicht erahnen, als Sie auf die Frage: »Was willst du denn mal machen, wenn du groß bist?« antworteten. Wie auch. Wie haben Sie sich das denn damals vorgestellt? Wenn ich mal groß bin, dann ...? Als Kind dachte ich, dass ich vielleicht mal Busfahrer werden würde, weil ich immer so gerne mit einem alten Bus-Lenkrad, das mein Bruder irgendwo gefunden hatte, gespielt habe. Wenn ich mal groß bin, kaufe ich meiner Mutter ein rotes Mercedes-Cabriolet. Wenn ich mal groß bin, werde ich Ärztin in Afrika. Wenn ich mal groß bin, kaufe ich mir jeden Tag diese riesigen Vanille-Puddings mit roter Soße aus dem Kühlregal und bleibe jeden Tag so lange auf, wie ich will.

Es ist jetzt so weit. Gebrauchte Mercedes-Cabriolets aus den 80er Jahren bekommt man mittlerweile recht günstig, vielleicht freut sich Ihre Mutter über die verspätete Einlösung einer kindlichen Allmachtsphantasie. Und die riesigen Vanille-Puddings stehen noch immer im Kühlregal – aber vielleicht haben Sie auch gar keinen Appetit mehr darauf.

Wäre das nicht schön, wenn man einfach nur einen Ratgeber zur Hand nehmen müsste, und schon hat man alles im Griff? Ebenso wie bei Alan Carr, *Endlich Nichtraucher*. Man absolviert eine Gehirnwäsche und nach Beendigung der Lektüre fasst man nie wieder eine Zigarette an. Ich habe das versucht, und es hat auch drei Monate geklappt. Dann fing ich wieder an, und den zweiten Band, der zur Strafe gleich 500 Seiten lang ist, habe ich einfach nicht gekauft. Wenn ich nicht wie Alan Carr von Lungenkrebs dahingerafft werde, kann ich gerne noch eine weitere, dreimal so lange Anleitung zum Erwachsensein schreiben. Wenn Sie es so möchten? Vielleicht pünktlich zu Ihrem 50. Geburtstag, denn wenn »wir« so weitermachen, droht »uns« das Schicksal der 68er, die sich um das immer gleiche Lebensthema drehen, nämlich die kulturelle Revolte ihrer Jugendtage.

»Wir« werden uns wohl noch im Greisenalter über Pop-Songs und ihre Relevanz sowie den symbolischen Gehalt des gerade angesagten Turnschuhs unterhalten. Werden lange Nachrufe auf Quentin Tarantino, Prince, Paul Weller und Morrissey in der *Zeit* lesen. Arte-Dokumentationen über den Berlin-Hype der 90er anschauen, in denen angegraute Zeitzeugen von einer Stimmung des Aufbruchs berichten werden und auch darüber, wie sich diese Stimmung in ihrem weiteren Leben manifestiert hat. Ihre Stimmen werden einen leicht wehmütigen Klang haben. Sie werden erzählen, dass es so eine Zeit nie mehr geben wird, und warum und weshalb sie sich selbst und den Ideen dieser Zeit treu geblieben sind. Oder warum sie sich davon abgewendet haben. Kluge, junge Kommentatoren, die sich auf die Spuren ihrer Herkunft begeben haben, werden wissen wollen, was das Ganze mit ihnen selbst zu tun hat. Sie werden wissen wollen, warum sie nun mal so sind, wie sie sind. Vielleicht heißen sie Marie oder Leon. Sie werden auch kritische Fragen stellen: Warum habt ihr euch immer nur mit euch selbst beschäftigt, anstatt euch einzumischen? Warum habt ihr zugelassen, dass ...? Abwarten. Diese Fragen werden kommen, aber sie hängen vom weiteren Verlauf des Geschehens ab, und meine Kristallkugel hat gerade den Kontakt zu meinem Rechner verloren. Da stimmt was nicht mit der USB-Schnittstelle. Und immer einen Scherz auf den Lippen, immer schön ironisch bleiben, dann tut es ja auch gar nicht mehr so weh, und das Leben lässt sich besser aushalten.

Ihre Eltern haben das Geräusch nahender Bomberverbände, die Trümmer, den Tod und den Hunger, den sie als Kinder noch erlebt haben, nie vergessen können und erinnern sich lieber an die Zeit ihrer Jugend, die für sie schönen 50er mit Musiktruhe und Petticoat. Wenn Ihre Eltern jünger sind, dann können sie den Mief der 50er nicht vergessen und erinnern sich lieber an die Revolte der 60er oder das Disco-Inferno der 70er. Sie wiederum können die 80er mit ihrer spätzeitlichen Untergangsangst zwischen atomarer Bedrohung und sterbendem Wald nicht vergessen. Gudrun Pausewangs *Die letzten Kinder von Schevenborn* steckt Ihnen noch in den Knochen, und daher erinnern Sie sich lieber an die Spaßgesellschaft der 90er. Der Wald stand noch, die Atomraketen waren in den Silos geblieben. Die Mauer war gefallen, ebenso wie das Apartheid-Regime in Südafrika. Und Sie gingen online. Und nach Berlin, Köln, München, Frankfurt oder Hamburg oder auf Weltreise. Um sich ein besseres, schöneres Leben zu erobern. Ihr Leben.

Sie sind vielleicht schon viel weiter, als Sie sich in Momenten des Zweifelns und Zauderns wähnen. Sie sind schon verdammt groß und können es nicht erkennen, weil die Sicht so verschwommen ist. »All the world's a Stage«, sprach Shakespeare, doch das Stück, in dem Sie Ihren Auftritt haben, heißt schon lange nicht mehr *Our Town* von Thornton Wilder. Und nein: Was Erwachsensein ist, weiß kein Mensch. Aber Sie baden gerade Ihre Hände darin. Wie herkömmliche Waschmittel reichen auch herkömmliche Definitionen des »Erwachsenseins« schon lange nicht mehr aus. Dieser Zustand muss neu definiert werden, und Sie sind gerade dabei, diesbezügliche Tatsachen zu schaffen. Werfen wir doch zum Schluss noch mal einen Blick in den Brockhaus der Neuzeit, »Wikipedia«:

»Ein Erwachsener bzw. eine Erwachsene ist ein Mensch, der ein bestimmtes Alter überschritten hat und bei dem man deshalb davon ausgeht, dass er die volle körperliche und kognitive Reife besitzt, wenn nicht bestimmte Ausnahmen vorliegen.

Das erwachsene Individuum hat somit jene notwendigen Fähigkeiten und Kenntnisse erworben, die es in hohem Maße befähigen, die für sein Leben und Fortkommen notwendigen Entscheidungen zu treffen.

Erwachsene bekommen im Vergleich mit Jugendlichen sowohl mehr Rechte als auch Verantwortung. Bei ihrem Alter wird generell angenommen, dass sie für sich selbst sorgen können.«

Erkennen Sie sich wieder? Wenn nicht, können Sie den Eintrag ergänzen, »Wikipedia« ist schließlich ein Open-Source-Lexikon. Jeder darf mitmachen und gestalten. Sie sind ja jetzt schon groß.

Stefan Kuzmany
**Gute Marken, böse Marken**
Einkaufen ohne schlechtes Gewissen!
Band 17582

Rette ich die Welt (oder wenigstens den Regenwald), wenn ich Döner esse anstatt zu McDonald's zu gehen? Ist es moralisch eher zu vertreten, sweatshop-freie Kleidung eines Unternehmens zu tragen, in dem sexuelle Belästigung an der Tagesordnung ist? Oder lieber doch Klamotten, die von Kindern genäht wurden? Und muss sich Lotte, das vermeintlich glückliche Biohuhn, in Wirklichkeit als Sklavin in einer Brandenburger Legebatterie verdingen?

Stefan Kuzmany ist all diesen Fragen im Selbstversuch nachgegangen und zeigt, dass richtig Konsumieren gar nicht so leicht, aber machbar ist. Und dass es äußerst unterhaltsam sein kann, darüber zu lesen.

Fischer Taschenbuch Verlag

Clemens Meyer
**Als wir träumten**
Band 17305

Sie träumen vom Aufstieg ihrer Fußballmannschaft, von einer richtigen Liebe und davon, dass irgendwo ein besseres Leben wartet. Rico, Mark, Paul und Daniel wachsen auf im Leipzig der Nachwendejahre, in einem Viertel, dessen Mittelpunkt die Brauerei ist. Jede Nacht ziehen sie durch die Straßen. Sie feiern, sie randalieren, sie fliehen vor den Glatzen, ihren Eltern und der Zukunft. Sie kämpfen mit Fäusten um Anerkennung und schlagen die Zeit tot. Sie saufen, sie klauen, sind cool und fertig und träumen vom eigenen Leben. Alle ihre Fluchtversuche enden auf den Fluren des Polizeireviers Südost. Leidenschaftlich, wild und mutig verspielen sie ihr Leben in einer aussichtslosen Rebellion. Darum lassen einen die Bilder des nächtlichen Leipzig, die Boxkämpfe, die Hoffnungslosigkeit und die Hoffnung dieses Romans nicht mehr los.

»Selbstverständlich ist Meyer viel zu jung.
Aber so ist das mit guten Schriftstellern. Sie tauchen
plötzlich auf und die ergrauten Kollegen kratzen sich
am Kopf: Wieso kann der eigentlich schon so viel?«
*Sten Nadolny*

»Ein Buch wie eine Faust.
[...] ein solches kraftvolles, unbeirrtes Debüt hat die
deutsche Literatur lange nicht mehr erlebt.«
*Felicitas von Lovenberg, Frankfurter Allgemeine Zeitung*

# Fischer Taschenbuch Verlag

Sarah Kuttner
**Das oblatendünne Eis des
halben Zweidrittelwissens**
Kolumnen
Band 17108

Alles, was wir schon immer von Sarah Kuttner wissen wollten: Ist Angela Merkel und die CDU ein guter Bandname?
Wie liest man eigentlich den Jahreswirtschaftsbericht? Was
hat es bloß mit dem Trend zur Umhängeuhr auf sich, und
wird vom Bionade trinken alles schöner? Sarah Kuttner
kommentiert aktuelle Ereignisse, die die Welt bewegen.
Jetzt in extrem neuer Rechtschreibung mit besonders
komplizierten Wörtern!

» Sarah Kuttner ist der Beweis:
Es gibt auch Frauen, die es können.«
*Harald Schmidt*

»Dieses grundlegende Werk gibt den wichtigen
Anstoß und den erneuten Anlass einer öffentlichen
Auseinandersetzung um Werte, Traditionen und
Neuorientierungen hinsichtlich der Grundlagen
unserer Kultur. Wicked!«
*H. P. Baxxter*

Fischer Taschenbuch Verlag

Bernhard Finkbeiner, Hans-Jörg Brekle
**Frag Mutti**
Das Handbuch nicht nur für Junggesellen
Band 16937

Irgendwann erwischt es dich: Du fliegst aus dem »Hotel
Mama«. Knallhart siehst du dich plötzlich dem schonungslo-
sen Alltag ausgesetzt. Waschen, putzen, kochen – was früher
im Wunder-Mutterland wie ein weit entfernter Fluch klang,
musst du jetzt ganz alleine bewältigen. Zwei Junggesellen, die
diese schwere Schule durchlitten haben, helfen mit wertvollen Tipps und Tricks, die erste Zeit im K(r)ampf mit den
alltäglichen Tätigkeiten zu meistern. Alles ist garantiert
alltagserprobt – und nach intensiver Lektüre ist der Anruf bei
»Mutti« bald überflüssig ...

»Auch erfahrene Hausfrauen können noch dazu lernen.«
*brigitte.de*

Das Buch zur »mit Abstand nützlichsten
Website der Welt«
*Sat.1*

Fischer Taschenbuch Verlag

fi 16937 / 1